国家出版基金项目

李达全集

汪信砚 主编

第十卷

人民出版社

国家社会科学基金重大招标项目
"李达全集整理与研究"（批准号：10ZD&062）最终成果

国家出版基金项目
"《李达全集》（1—20卷）的整理、编纂与出版"最终成果

目　　录

辩证法唯物论教程(1932. 9)

辩证法唯物论教程[*]

（1932.9）

———————

　　* 《辩证法唯物论教程》由苏联西洛可夫、爱森堡等合著，李达、雷仲坚合译（李达翻译了全书三分之二的内容，并仔细校对了另外三分之一的内容），于1932年9月15日由上海笔耕堂书店出版，1935年6月第3版校改了初版中的排印错误并对译文作了修订，至1939年7月共印行6版。毛泽东在延安时期曾读过该书1935年6月第3版和1936年12月第4版，先后写下了近2万字的批注，并于1941年9月将该书第六章"唯物辩证法与形式论理学"推荐给中央研究组及高级研究组作为研究思想方法论的阅读材料之一。1939年5月艾思奇在延安编辑出版了《哲学选辑》一书，将该书的绪论"哲学之党派性"选编为《哲学选辑》的绪论。现收入其1932年9月初版，并参照1935年6月版校改了初版中的排印错误，同时对1935年6月版中的一些修订作了简要说明。——编者注

译者例言

本书是六位少壮的实践的哲学家合著的。其姓氏及其所担任的部分,分别列举如下。

绪论——埃哥洛瓦①;第一章"唯物论与观念论"——推米扬斯基;第二章"当作认识论看的辩证法"——埃哥洛瓦及瑟知可夫(真理论);第三章"辩证法的根本法则"——知夫及爱森堡(否定之否定);第四章"本质与现象、形式与内容"——爱森堡;第五章"可能性与现实性、偶然性与必然性"——瑟知可夫;第六章"唯物辩证法与形式论理学"——爱森堡。

本书是集体研究的结晶,是最近哲学大论战的总清算,是辩证法唯物论的现阶段,是辩证法唯物论的系统的说明。

本书以马=伊的遗教为中心,统一理论与实践,结合哲学与政治。从这个根本观点出发,在绪论之中,重新说明了哲学的党派性。在第一章之中,对于主观的观念论的巴克列学说及马赫主义、康德主义与新康德主义、黑格尔主义与新黑格尔主义,对于18世纪法国机械唯物论与现代机械唯物论,对于费尔巴哈②的唯物论,都重新作了批判的叙述与批判的研究。依据马克思③、恩格斯的遗教,阐明哲学上的伊里奇的阶段,用新的社会的实践,例证辩证唯物论的真理,借以统一新时代的新理论与新实践,指明行动的路程。在第二章之中说明"当作认识论看的辩证法",指明辩证法、认识论与论理学这三者实是同一的东西,批评那种把这三者分离的主张的错误。在第三章之中,批判的采用黑格尔哲学上的精髓,依据马=伊的理论,说明了"辩证法的根本法则"。在第

---

① 1935年6月版改译为"埃哥洛夫"。——编者注

② 本书中亦译为"费尔巴赫"。——编者注

③ 本书中亦译为"马克斯"。——编者注

四章和第五章之中,说明"本质与现象、形式与内容(第四章),可能性与现实性、偶然性与必然性(第五章)"的许多辩证法的范畴,而归着于革命的实践者必须抓住社会过程中的链子的决定的环,借以"维持链子全体,而造出推移于其次的环的条件"。最后在第六章之中,对于"唯物辩证法与形式论理学",作了最新的有系统的研究,借以指示辩证法的思维方法,而以"科学的预见"一节终结全书,表现从必然到自由的正确的道路。

在哲学的领域中,马克思,恩格斯及伊里奇的著作,是我们最正确的导师。至于费尔巴赫,普列哈诺夫①,及德波林等的著作(其余更不待言)都包含着真与谬,我们对于这些著作,必须实行批判的研究,否则必会走到错误的方向。普列哈诺夫的著作,固然是确曾写出了"国际文献中马克思主义的最好的东西",但伊里奇对于它是作了批判的研究的。不久以前,德波林曾被推为伊里奇以后的哲学上的最高峰,但是他的哲学中,有不少地方"无条件地容纳了黑格尔",无批判地继承了普列哈诺夫,终于暴露了自己的"形式主义",黑格尔的倾向,及少数派的色彩。这些都是我们不能不注意的。因此,辩证法唯物论方面的我们的研究,尤其是根据费尔巴哈、普列哈诺夫、德波林等的著作的哲学的研究,不能不遵照本书的指示,实行清算。说句实话,我自己在最近正在实行把过去的研究清算,也曾写下一部分的东西,可是有许多地方无批判地采用了普列哈诺夫与德波林,因而我自己的清算,又必须根据本书的指示实行再清算。一切的东西都是运动着,在哲学与政治的统一被实现着的今日,在哲学上进步的速度反映新社会经济进步的速度的今日,我们的哲学的研究,不能不努力追随于新时代的新实践与新理论的统一的发展,依据马=伊的哲学而不断地被扬弃,不断地被清算。本书的研究,就是我们的模范。

本书是根据日译本翻译的,而日译本是根据俄文本翻译的。日译本是比较忠实的,我们的中译本虽然想努力实现忠实,却是不敢自信。尤其是日译本中,记着"X"的处所不少,这种处所,译者不能不依照自己的常识填上去,固然可以说"虽不中不远",却也难保没有填错的地方,只好等待将来找到完全的

---

① 本书中亦译为"蒲列哈诺夫"。——编者注

原文本去对照改正。①

　　本书是我与雷仲坚君合译的,雷君所担任的翻译只是三分之一。全部译文,由我一个人对照整理②一次(雷君翻译的部分,我仔细校读过)。不过错误的处所无论怎样都是难免的,特别是翻译的时候,我正在割治眼病,目力不济,遗漏的处所和错③看的处所,恐不能免。因此我以十分的诚意,欢迎读者指教,以便在再版时更正。④

李达　识

1932 年 9 月 6 日

---

① 　1935 年 6 月版删除了本段文字。——编者注
② 　1935 年 6 月版此处添加了一个"过"字。——编者注
③ 　1935 年 6 月版将"错"改译为"误"。——编者注
④ 　1935 年 6 月版删除了",以便在再版时更正"。——编者注

绪论　哲学之党派性

第一节　马=伊主义哲学之任务

哲学的新
社会背景

　　我们已经进到社会主义时代。社会主义经济的基本工作将近完工。基于国内的工业化与全境集体农场化,当作阶级看的豪农正被清算,农民的小布尔乔亚的性质正被改造。即苏联在世界上已成为最大的农业国,对于消灭都市农村间的对立,正在实行一个大飞跃。国内的工业化与全境集体农场化,正在斩绝资本主义的根株。

　　社会主义贯通全线前进着。国内资本主义的要素,对于社会主义拼命抵抗着。"产业党"事件,少数派=干涉主义者及劳动农民党的事件,表示了国内布尔乔亚的余党与国际帝国主义打成一片,密谋颠覆普罗列达里亚①的狄克推多。

现实的理
解之重要
性

　　社会主义和资本主义的斗争,采取种种方向,在种种形式上实行。

　　实行理论斗争,理解周围的现实上发生的事情,这是普罗列达里亚在阶级斗争上之必要的要素。理论、只有理论,"对于运动给以确信与标定方向的力量,给以关于周围事变之内的联结的理解。因为理论、只有理论,帮助实践,不仅使我们理解阶级现在必须怎样前进并向何处前进,而且使我们能理解在近的将来必须怎样前进并向何处前进"。

理论斗争
的现势

　　阶级的敌人抵抗着社会主义的进攻,歪曲关于现实的正确理解,造出敌对普罗列达里亚的理论。

　　党在最近数年间,不能不忍耐着和许多布尔乔亚的理论、少数派的理论,

---

　　①　本书中亦译为"普罗列达利亚"。——编者注

以及带有少数派的色彩的理论,作顽强的斗争。

在新经济政策的初期阶段,资本主义的要素复活,不但是对于显明的布尔乔亚的理论的出现,并且对于一切种类的机会主义的少数派的理论的出现,都替他们造成了很便利的地盘。

许多小布尔乔亚分子,最巧妙地创造机会主义的理论,"狭隘的理论"。这些理论,在普罗列达里亚狄克推多之下,用假装出现了。机会主义的理论,钻进党的内部,影响于党的最弱部分,变成了离开党的理论的基础。进到了社会主义时代这件事,使得一切阶级对立极端尖锐化,暴露了一切有害的理论,少数派的理论、反党的理论之本体。

克鲁曼、苏哈诺夫、孔特拉基夫、查亚诺夫等一般国际帝国主义的害虫和爪牙,表面上对于现实作"客观的"科学的分析,实际上把苏联社会主义建设的现实上的过程作了歪曲的说明。

这样的曲解在经济学的领域中(少数派=鲁宾与"鲁宾派")、在史的唯物论领域中(少数派=渥朗斯基)、在马克思学领域中("马克思学学者"=里亚扎诺夫)及其他等,都成为马克思主义的修正而出现了。

在哲学战线上,大论战也展开了。

哲学上的
论战

在哲学战线上,有机械唯物论和带少数派色彩的观念论那种修正主义的流派。

布尔乔亚的毒物,"右"与"左"的机会主义,在马=伊主义的曲解中,发现了理论的根据。

所以,和机会主义、和显明的布尔乔亚的毒物相斗争这件事,其所含有的必需条件,就是要和他们所发展的一切观念相斗争。如果"不以马=伊主义的理论作基础,毫不让步地去与布尔乔亚的理论相斗争,对于阶级的敌人①,就不能取得全胜"。

在意德沃罗基战线上,要真正战胜阶级的敌人,我们的理论的思想必须与社会主义的实践合着步调而进行。理论由实践发生,由于实践而内

实践是理
论斗争上
的动因

---

① 1935 年 6 月版删除了",对于阶级的敌人"。——编者注

容丰富。实践,为理论的结论所支持,更加确实的前进。但是现在,实践上的进步和理论的思想发展之间,却有某种游离①。

在经济学的领域,在经济政策、哲学及其他的领域,对于社会主义的"今日"的问题,都没有实行必要的转变。所谓应当克服理论的思想与实践②之间"某种游离"之党的要求,同时又要求把理论的思想提高到更高的阶段。这后一种要求,只有根据社会主义建设这种社会的实践之较高的发展形态,才能达到。在普罗列达里亚扫清旧社会的矛盾的国家,这种矛盾的本质更加明显。现在苏联中发生的事情,不是一切从前人类社会的发展史的最高阶段吗?阶级社会的一切矛盾,在扫清这些矛盾的苏联中,不是采取很显著、特异的形态吗?马克思说:"发育了的生物体的研究,比较那生物体的细胞的研究更容易。"③比较发达了的社会关系,更完全更深刻地暴露出一切社会的矛盾。

新时代提
出新问题　　新时代重新提出一切问题。社会主义的时代,产出关于现实的一切方面的别种见解。"阶级的、集团农场的、过渡期经济的问题,现在重新被提出来"。社会主义的实践,为着理论的思想的发展,为着布尔乔亚社会未尝知道的理论的跃动,造出从来未有的可能性。勤劳者全体参加于国内经济和政治生活的一切方面这件事,显明地把他们的眼界扩大了。数百万人的思想,把工业的发展、技术的向上、新劳动形式或新社会关系的创造这类问题,作为中心,互相论战。几百万的大众,都是执行者,又是发明家。他们是实践家,同时也是理论家。今天在学课和研究会上所获得的,明天就在党及经营的工作上实行起来,在国家机关的行政上实行起来。巨大的团体,根据最科学的马=伊主义的理论创造出来。科学上的成果和发明,变成社会全体的财产,变成使科学更加进步的刺激。科学已经不是私有和利己主义的奴仆。社会主义建设,为历史所未曾有的理论的发展,创造出了一切条件。进到社会主义时代的国家

---

　　① 1935 年 6 月版此处添加了"(斯达林)"。除"斯达林"外,本书中亦将"斯大林"译为"斯太林"、"史丹林"和"斯丹林"。——编者注

　　② 1935 年 6 月版此处添加了"的发展"三字。——编者注

　　③ 《资本论》序。

中全体的经济政治生活,都是有计划的,并且这种计划性,为科学的发展造出未曾有的前途。一切科学的事业,都循着有计划的方针,向着有利于社会主义建设的方向前进。

进到了社会主义时代这件事,对于马=伊主义的理论,课了很大的任务。新生产关系的特殊性在哪里?过渡期的规律性是怎样?新经济政策与社会主义时代怎样联结?苏联进到社会主义时代在国际形势中引起了什么新的事情?社会主义与资本主义世界的国际斗争中,谁驱逐了谁?这一切问题,都要求着我们去理解。但是,这一切问题,如果没有马=伊主义哲学即辩证法的唯物论,就不能解答。

新问题必须用辩证唯物论去理解

马=伊主义哲学,必须为自由使用具体科学、物理学化学、全体的自然科学等而斗争。

和宗教的偏见斗争,和妨碍关于现实之科学的意识态度的一切相斗争,也是马=伊主义哲学的任务。

马=伊主义哲学,必须研究社会主义的实践所提出的过渡期中一切复杂的问题,必须研究苏联各阶级的相互关系、新劳动形式的创造及其他等等的问题。

这一切问题,只有承认党的一般方针,并且根据为它而实行的积极的斗争,才能解决。对于与右翼及托洛斯基主义者的斗争,暴露了他们关于党的实行方针的修正变成对于马=伊主义世界观的修正。右翼和托洛斯基主义者的哲学的立场,是用某种方法和少数派的理论、布尔乔亚理论相联系着。

实践是解决新问题的关键

克服这些偏向、解决马=伊主义哲学所课的任务,只有和机械论以及带有少数派色彩的观念论作不假借的斗争,才有可能。这种斗争,必须根据对于哲学上的伊里奇的阶段的理解去实行。

在理论战线上为真的伊里奇的方针而斗争,这是党的政治的实践上,最重要的一个任务。松懈了理论战线上的警戒,就是把武器缴给阶级的敌人。今日的特别危险,就是用马=伊主义的文句遮掩了一切形态的机会主义。

目前哲学斗争之重要性

"暴露用马=伊主义的文句遮掩了的理论上的机会主义(模范的实例是机械论和德波林学派带有少数派色彩的观念论),这是目前的战斗任务之一"。

9

第二节 哲学是党派的科学

辩证唯物论,给予我们以多数派的立场去研究周围世界。即我们通过哲学,得到关于现实的各方面的统一的理解。我们把握周围的现实的各种各样的部分来研究它。(页边注①:唯物辩证法之根本要求)

我们为了把捉现实的一切方面——我们不但是②只把捉一个一个的方面,而是在其联结上去把捉——,现实的任意的一片作为我们的东西而斗争。我们使这个斗争与党的斗争相联系。

只有在客观上考察一定社会中一切阶级的相互关系的总体,因而只有考察那社会的客观的发展阶段、考察那个社会与别个社会之间的相互关系,才能够成为前卫阶级的正确的战术的支柱。但是一切阶级、一切方面,不在静态上被考察,而在动态上被考察。(伊里奇)

在这片段的文字中,我们的世界观的根本要求,已被力说出来了。第一,解决某一问题时,应当从客观的现实出发;第二,应当在其相互联结与发展上,把捉客观的现实的一切方面。

辩证唯物论要求当在其发展与联结上把捉一切,并去阐明其发展是依照什么法则进行的。恩格斯③下哲学的定义说:哲学是关于自然、社会,与人类思维的一般法则的学问。

辩证唯物论,从现实出发,在其发展上把捉现实,在现实当中发现某一现象的发生与死灭,所以是最彻底的唯物论。

哲学上的两个党派 在为我们的哲学即辩证唯物论而实行的斗争上,伊里奇所发展了的重要的中心问题,就是一切哲学具有党派性的问题,就是任何哲学(与其他一切科

---

① 此处应为页边注,但由于排版原因,调整至此位置。全书凡有此类情况不再一一说明。——编者注

② 1935 年 6 月版将“不但是”改译为“不是单”。——编者注

③ 本书中亦译为“恩格思”。——编者注

学同样）表现特定阶级的政治方向与利害的问题。伊里奇在其最重要的哲学著作《唯物论与经验批判论》之中，说明了哲学上两个根本的流派，即唯物论与观念论的党派性。

"正如政治上的党派逐渐结集于两个阵营一样……科学也分成两个根本部类，一方面是形而上学者，另一方面是物理学者或唯物论者"——伊里奇引用了唯物论者狄慈根的话。

互相斗争的种种哲学体系的多样性，总归着于两个党派、哲学上的两个根本流派。互相斗争的主要阶级之一，如果不站在一派的方面，在政治上就不能实行阶级斗争；同样，在哲学上要逃出两个党派的阵营，也是不可能的。伊里奇在《唯物论与经验批判论》中，指出想要超越于哲学的根本党派而创造'客观的'哲学的波格达诺夫及其他哲学家的尝试，把他们引到了观念论。① 波格达诺夫超党派的哲学的说法，只是欺骗，只是背叛了唯物论的党派。"想逃出哲学上这两个根本流派的尝试，不外是想妥协的欺骗。"（伊里奇）马克思与恩格斯对于这种尝试，实行过毫不假借的斗争。他们能够在一般用学者式的语句所凑合的掩护之中，在用所谓"最新的发现"作招牌的掩护之中，暴露出哲学上主要党派的斗争。伊里奇说："马克思和恩格斯在哲学上始终一贯是党派的。他们对于一切最新的流派，能够发现其对于唯物论的背叛及其对于观念论和信仰主义的默认"。

在哲学上也和在政治上一样，两个党派互相斗争着。特定的阶级在政治斗争上，成为一定世界观的担负者而出现，这件事是由什么决定的呢？世界观依存于特定阶级的历史地位与那阶级在社会的发展中所演的任务。新兴的革命阶级普罗列达里亚，是唯物论世界观的担负者，布尔乔亚在普罗列达里亚革命的时代，违背客观的现实，堕落到观念论或神秘主义方面。

两个世界观正在斗争着。取得胜利的社会主义，用自己的哲学——辩证唯物论，去对付腐化的资本主义。

在一切阶级对立这样白热化了的现在，为着唯物论而行的斗争，同时不能

---

① 1935 年 6 月版将此句改译为"伊里奇在《唯物论与经验批判论》中指出了：波格达诺夫及其他哲学家想要超越于哲学的根本党派而创造'客观的'哲学的尝试，把他们引到了观念论。"——编者注

不变成为着辩证唯物论即在最彻底最完全的形态上的唯物论而行的斗争。

想背叛辩证唯物论的一切尝试,终究要到达于观念论。

唯物论的世界观正发展着。唯物论在科学上的新发现出现时,不能不采取新的形态,这是恩格斯所说的。唯物辩证法领域中伊里奇的著作,对我们最鲜明的指示:辩证唯物论随着阶级斗争和科学全体的发展,其内容愈丰富并且具体化。(页边注:唯物论因历史的社会的实践而丰富和具体)

伊里奇在哲学领域中,继承马克思恩格斯的见解,同时把唯物辩证法提高到新而较高的阶段,并且增添了许多在本质上的新的方面。

哲学上伊里奇的阶段

对于在哲学上新的伊里奇的阶段的理解,特别重要的就是关于当作认识论看的辩证法的学说。伊里奇在认识论上指明了我们的哲学是党派的,指明了我们的哲学之能动的革命的性质。他说:"只有唯物辩证法,对于理论的活动与实践的活动之不可分的统一,建立了更高的基础"。

与现实相结合才能认识现实

我们的认识的发展以及它和客观的实在之关联,是通过社会的历史实践而显现的——伊里奇说:积极的浸入到对象中去,就是把对象的法则在意识中再现。实践的与周围世界相结合之时,我们在内的必然的联结上,去把握周围世界。马克思和恩格斯投身于资本主义社会的阶级斗争中,才能够成为普罗列达里亚的前卫战士,造出资本主义社会发展法则之正确的理论。

不单是说明世界而必须改造世界

特定的阶级知道在其实践的活动上,把周围的现实隶属于自己,而改造周围的现实。唯物论者费尔巴赫以及 18 世纪的法国唯物论者们,只是说明了世界,但重要的事情,如马克思所说,是变革这个世界。当作认识论看的唯物辩证法的要点——伊里奇说——就是革命的变革客观的实在,把必然性转变为自由。用阶级斗争的语句来翻译这句话,就是社会主义革命。

在当作认识论看的辩证法的伊里奇的学说中,理论与实践不可分离的被结合起来,去征服盲目的必然,这是唯一的任务。"理论的思想(认识)与实践的统一——这就是认识论上的统一"——伊里奇把自己关于黑格尔辩证法的评注的中心思想之一,这样明白地力说了。

伊里奇说明存在于马克思阶级斗争说的根底,而树立社会主义之科学的基础的东西,就是唯物辩证法——最能动的革命的哲学。

世界划分为两个斗争的阵营:社会主义的阵营与资本主义的阵营。两个党派:革命党与反动党,互相对抗着。

在任何科学中,都行着两个世界的顽强的斗争。特定阶级的意德沃罗基的集中表现之哲学,也一样更加显明地反映着这个斗争。所以从普罗列达里亚的阵营退却这件事,总是伴随着对于辩证法唯物论的背叛。第二国际之所以转到布尔乔亚方面,是从修正马克思主义、特别是从修正唯物辩证法开始的,伯伦斯泰因在前世纪90年代,就使用这种方法,他之背叛马克思主义,是从攻击辩证法开始的。

修正派的背叛开始于攻击辩证法

伯伦斯泰因,与辩证法的飞跃说、革命说相反,造出了资本主义之和平的进化的发展,他自己的理论。①

伯伦斯泰因之攻击辩证法

对于唯物辩证法的修正,是向着唯物辩证法最重要的方面——能动性、革命性——实行的。这种修正是打破理论的活动与实践的活动的统一之尝试,而这两者的统一在唯物辩证法上,恰②是"内部的而且不可分的"被结合着。伯伦斯泰因不去提高普罗列达里亚斗争中的能动性与热情,反而鼓吹变革资本主义的现实之不可能。

普列哈诺夫在当时是反对了修正辩证法唯物论的伯伦斯泰因等一流人的最初的一人。他用非常的热情去进攻他们。他写信给考茨基说:"是,是,我们正经历着深刻的危机,我很为它所烦恼"。但是普列哈诺夫并没有充分突出地去批判伯伦斯泰因背叛唯物辩证法的一点,因而显明地削弱了他对于敌人的斗争。他虽然暴露了伯伦斯泰因的观念论,却没有冲到修正派在辩证法问题上曲解马克思主义的那个根基。特别是他并不曾顾虑到修正派放弃了"辩证法上决定的东西"——对立的统一。伯伦斯泰因及其一党,建立阶级协调论代替对立的统一的法则。普列哈诺夫虽然为唯物论斗争过,但有时却无批判地倚赖于旧唯物论,即马克思曾痛骂过的那种被动的"纯反映的"性质的旧唯物论。普列哈诺夫自己之轻视唯物辩证法,在以上一切处所表现了。这样的事实,在他的政治斗争全体上,在他对于俄国资本主义的分析上,在他对于布尔乔亚民主革命的推进力的估量上,都可以看得出来。最后,对于辩证法

普列哈诺夫不能彻底拥护唯物辩证法

---

①　1935年6月版将此句改译为"伯伦斯泰因,用他自己所创造的资本主义之平和的进化的发展的理论,来对抗辩证法的飞跃说、革命说。"——编者注

②　1935年6月版将"恰"改译为"正"。——编者注

的本质之无理解表现得最厉害的地方,是普列哈诺夫和其他少数派在 1914 年帝国主义战争时代,公然喊出"防御祖国"的布尔乔亚的口号。普列哈诺夫为辩证法唯物论而实行的斗争,所以不能彻底,是由于他没有理解哲学的党派性,没有理解伊里奇在阶级斗争中所实现了的方面。

"党以马克思主义的革命理论为基础,代表全体阶级的一般的永久的利害……体现普罗列达里亚的原理、普罗列达里亚的意志,与普罗列达里亚之革命的实践的统一。"(国际纲领)党以多数派的原则——马=伊主义的世界观,观察周围的现实。辩证唯物论,是党所公认的哲学。党的纲领,建筑在这个哲学的原则之上。最革命的理论,属于最革命的党。

辩证唯物论,是最进步的阶级——党是这个阶级的前卫——的理论,是最科学最客观的理论。各种理论的客观性,究竟以什么为标准呢?斯特鲁勃一流的少数派与布尔乔亚政治家们,说①客观性是超阶级的,他们以为②应当这样地去理解现实,就是③消失狭隘的阶级的利害而"公平的"观察周围所发生的事情④。但是,照这样去考察现实的结果究竟怎样?这就是机会主义的迎合存在物,而被动地承认它。前世纪的 90 年代,"合法的马克思主义者"斯特鲁勃,到现在⑤完全支持无政府主义了。就是"客观地"说起俄国资本主义的发达,完全无条件地支持布尔乔亚制度,因而为资本主义服务⑥了。

伊里奇无假借地暴露了,斯特鲁勃等把客观性作为超阶级性去宣传,是虚伪的,是粉饰的。少数派那样爱好的客观主义——伊里奇说——不外是把社会民主主义的理论与实践,完全放在布尔乔亚的影响之下。理论的客观性和科学性在于理论正确地反映现实。又,理论的客观性,也可以用什么阶级是理论的担负者这件事去观测。那种理论是不是最进步的革命阶级的意德沃罗基——这件事也可以观测理论之客观的性质。

理论的真理性及其客观性的规准,是革命阶级的实践。马=伊主义哲学,

---

① 1935 年 6 月版将"说"改译为"相信"。——编者注
② 1935 年 6 月版将"以为"改译为"相信"。——编者注
③ 1935 年 6 月版将"就是"改译为"如"。——编者注
④ 1935 年 6 月版在此处添加了"那样"二字。——编者注
⑤ 1935 年 6 月版此处添加了"堕落到"三字。——编者注
⑥ 1935 年 6 月版将"服务"改译为"服役"。——编者注

一切都从这些要求出发①,所以它是最科学的理论。

辩证法唯物论,是对于一切从来的社会发展作总结算的普罗列达里亚的哲学。普罗列达里亚的意德沃罗基,把一切科学上最优良的成果都吸收在他的当中。

伊里奇说,唯物辩证法是人智全体的总计、总和与结论。辩证唯物论属于世界中最进步的多数派的党。和这有关联的事情就是它是党派的,这一层证明了这个理论有最高的客观性,有最高的科学性。

党与党的指导部、中央,经由伊里奇主义哲学的发展所占的位置与任务,最深刻地显现着辩证唯物论之党派的本质。

党②,暴露了曲解马＝伊主义的两个主要形态,即机械论与少数派的观念论;③指摘了离开辩证唯物论的一切尝试,必定要引起政治的错误。

哲学上这两个偏向,与离开党的方针的偏向,密切地联系着。哲学上之主要的危险的机械论,同时变成了政治上之主要的危险的右倾派的哲学基础。机械论者的哲学否定了内的矛盾、飞跃、某一发展阶段与另一阶段间之质的差异的辩证法,它与右倾派的见解有很多的照应。右倾派的阶级协调论、豪农平和地转变到社会主义的说教、新经济政策各个阶段间的质的差异的抹杀及其他等等,都在机械论当中找出方法论的基础。

右翼的首领布哈林,在哲学及史的唯物论的一切根本问题上,变为机械论者,绝不是偶然的。

"带有少数派色彩的观念论者"对于辩证法唯物论的曲解,从别的侧面、沿着别的方向实行了。在这种情形,哲学的曲解也伴随着离开党的一般方针的退却。

"带有少数派色彩的观念论者"们,在名词上承认哲学的党派性,而没有把辩证唯物论领域中的工作和多数派的政治结合起来,从而④把哲学的党派性完全弄弯曲了。他们从社会主义建设之具体的实践,分离哲学,在与离开党

> 实践是真理性及客观性的标准

> 少数派观念论分离政治与哲学

---

① 1935 年 6 月版将"一切都从这些要求出发"改译为"从这一切要求出发"。——编者注
② 1935 年 6 月版将"党"改译为"以斯大林为首班的党"。——编者注
③ 1935 年 6 月版此处添加了一个"更"字。——编者注
④ 1935 年 6 月版将"从而"改译为"所以"。——编者注

的一般方针的偏向之斗争上,没有援助党。"领导《马克思主义旗下》杂志的一派,从政治分离哲学,在其一切工作上没有贯彻哲学和自然科学的党派性,使第二国际最有害的传统与教条之一即理论与实践之游离复活起来;在许多重要的问题上,转入带有少数派色彩的观念论的立场。"(中央对于该杂志的决议)

抽出革命的内容、从具体的现实分离①那种带有少数派色彩的观念论者之抽象的命题,根本上是以托罗斯基主义者所说的话为其特征的。完全无视具体的历史的情势,放出与实在的现实无关的抽象口号,这正是托罗斯基主义者的特征。由于这一点,托罗斯基在实践上就跳过必然的发展阶段(1905年托罗斯基的口号"废止俄皇、劳动者政府",以及第十四次党大会时代的过渡工业化等等),从而在理论上把马=伊主义的原理公式化了(他们完全不合现实的②、机械的、全然从外面的去应用马=伊主义的原理)。

托罗斯基主义站在少数派独断论者那种抽象的立场,沿着反历史主义的方向,与"带有少数派色彩的观念论"者的哲学合为一体了。在这种情形,代表哲学上这种偏向(带有少数派色彩的观念论)的一派,曾经是托罗斯基主义者,是少数派,这并不是没有理由的事情(德波林曾经是少数派,斯典是假左派,加列夫、哥尼格曼曾经是托罗斯基主义者)。

当然,"带有少数派色彩的观念论者"与托罗斯基主义者,以及机械论者与右翼派,并不是同一的东西。例如托罗斯基主义者在根本上赞助带有少数派色彩的观念论的哲学,但同时又是机械论者。和这同样,右翼派也把机械论作基础,在许多问题上,却转入了观念论。对于我们重要的事情,就是指摘离开马=伊主义哲学③,同时即是离开全体的党的一般方针。多数主义是在党的指导部设置马=伊主义理论与实践的中心,是劳动运动中思想上和政治上之统一的流派。④ 所以马克思主义哲学的党派性,其必须的条件,就是为党的

---

① 1935年6月版此处添加"了的"二字。——编者注

② 1935年6月版将此句改译为"他们不适合于实在的现实的"。——编者注

③ 1935年6月版将此句改译为"在我们认为重要的事情就是指摘离开马=伊主义哲学一件事"。——编者注

④ 1935年6月版将此句改译为"多数主义是在党的指导部设置马=伊主义理论与实践的中心的劳动运动中思想上和政治上之统一的流派。"——编者注

一般方针而实行革命的斗争。党的中央,对于哲学的主要任务,指明了这一点。

第三节　为党派的哲学而实行的
伊里奇与少数派的斗争

　　从前世纪 90 年代到现在,劳动运动上两个不同的党派互相斗争着。一方面是提高劳动者到普罗列达里亚成为独立的阶级,足与资本主义相对抗的水准的党;另一方面是要把劳动运动放在布尔乔亚的政治与指导之下的少数派的党。在今日,后者的政党积极支持着资本主义的制度。1913 年春,在莱布奇希举行了的德国社会民主党大会,最明白的暴露着今日社会法西斯蒂①的背叛。

　　"我们必须是能够治疗资本主义的医生"——他们公然在那个大会上说明了。

　　少数主义的进化,证实了伊里奇在与经济主义者——少数派的前身——相斗争时(1900)所发表的思想。他说:"劳动运动上这一潮流,是完全把普罗达塔里亚②隶属于布尔乔亚的理论与实践"。伊里奇对于少数主义的斗争,在他为多数派而实行的斗争上,在他为使普罗列达里亚脱离布尔乔亚的意德沃罗基的影响而实行的斗争上,在他为普罗列达里亚阶级的自决所必要的因素,即普罗列达里亚所独有的世界观即马克思主义而实行的斗争上,都变成了重要的要素。所以伊里奇对于少数主义的斗争,必须把它当作理论思想之发展中伊里奇的阶段最重要的一环去观察。在这里,辩证唯物论与多数派的政治之不可分的联结,比较伊里奇所行的斗争上其他任何一环,更可以明白的看出来。

　　在前世纪 90 年代,俄国劳动运动上,曾有两个不同的流派:一派在当时是由伊里奇与普列哈诺夫所代表,另一派是由经济主义者即少数派的前身所代表。经济主义所表示的特殊性,构成第二国际的一切方向的特征。这种显明

（右侧栏批注）

多数派与少数派的哲学斗争

与少数派斗争是伊里奇哲学上最重要的一环

前世纪末期劳动运动上的两个派别

---

　　①　本书中亦译为"法西斯特"。——编者注
　　②　1935 年 6 月版将"普罗达塔里亚"改译为"普罗列达里亚"。——编者注

的特殊性,就是屈服于自然生长性之前。伊里奇严格地批判了机会主义之屈服于自然生长性之前的那件事,并与它相对抗,指出了经济斗争、政治斗争与理论斗争的三个阶级斗争形态,指出了理论斗争的意义是劳动运动的指针。理论包含于当作计划看的普罗列达里亚的政治斗争之中,并隶属于后者,构成后者的重要的因素。

就劳动运动上意识的作用与独特的科学的世界观对于普罗列达里亚所具有的意义说来,在前世纪 90 年代所实行的伊里奇与经济主义者之间的论战,即是关于劳动运动采取怎样的路线去进行的论战。伊里奇说:"不是布尔乔亚的意德沃罗基,就是社会主义的意德沃罗基,这里没有中间物"。布尔乔亚政治呢,社会主义政治呢——他又这样说了。以后的"实验"证明了伊里奇预言的正确。1905 年的革命,实际上表现了指导劳动运动的两个不同的方向。少数派主张 1905 年的革命是布尔乔亚的革命,从这个一般的命题出发,不能不支持布尔乔亚。多数派主张了在普罗列达里亚的领导之下的劳动者与农民的独立的运动。少数派对于革命的一般性质,只限于作最一般的理论的分析;多数派却要求具体地考察阶级的势力。1905 年的革命,暴露了少数派对于理论的"无知",不过是放弃了马克思主义之革命的科学的理论。1905 年的革命,证明了屈服于自然生长性之前的一件事,是怎样产生了修正辩证唯物论的基础的那种理论的特性。

实际上,如果主体阶级和党的一切活动,终于只是迎合现存物,那么,对于现实的这样的态度,能够产生出具体的理论来吗? 这不是单单自行迎合下去吗? 这是在原则上否定由于阶级(当时是普罗列达里亚与农民)之积极的独立的活动,在阶级战线上对于现存势力关系有造出别种势力关系的可能性。

然则,决定阶级战线上革命的干涉之可能性及势力配合变更的可能性的是什么? 这是一个人的希望,一个人的意志吗? 不是! 这是利用现实中所有的条件,使那条件的方向合于劳动运动的终极目的。

伊里奇把指导革命运动的任务,课于多数派的党,提起了要求明确区别革命的发展所经由的具体的路线,并且①具体地辩证法地理解现实的进行的

---

① 1935 年 6 月版将"并且"改译为"并须"。——编者注

问题。

伊里奇检讨 1905 年的革命具有怎样性质的问题,从发展着的资本主义与地主制度间的一般矛盾,证明了如此的两个发展路线在客观上的可能性。一个是不彻底的布尔乔亚革命,即布尔乔亚害怕革命运动的震动而与专制政治妥协。另一个是普罗列达里亚与农民的革命的民主专政,大胆的颠废政治制度的一切基础,清除资本主义自由发展的道路。

用辩证法分析 1905 年的革命之实例

我们为什么以打开后发展方向的策略为利益呢?——伊里奇这样质问着。为什么这两个发展方向对于我们没有同等的意义呢?我们为什么用全部力量①向着普罗列达里亚与农民的革命的民主专政的方向进行呢?这是因为劳动者与农民的革命,能够以最大的速度及最少的牺牲,接近于革命的下一个环——社会主义的变革。

伊里奇以为要明白地理解了革命动作的活动,要求关于下列几个问题的知识②,即怎样才能好好利用现实中所有的条件?③ 党必须向什么方向领导劳动者与农民?换句话说,就是要求在辩证法上去理解革命的行动。在其联结上考察客观的现实之一切方面,从这些方面找出重要的方面,并立刻把这重要的方面和终极的目的——到社会主义去的运动——相联系,这就是伊里奇所要求的。伊里奇在黑格尔《大论理学》摘要上,附注着"现象、现实的一切方面及其相互关系的总体——,真理正是从这个构成的"。

革命的活动必须在辩证法上去理解

少数派的实践观,是机会主义地把实践迎合于现实,④产出和现实完全不同的现实的反映,完全不同的理论。少数派这样说⑤:我们承认发展着的资本主义和阻碍它的封建制度间之⑥一般的矛盾,我们不能不与现实合着步调而前进。你们以为与现实合着步调前进,是障碍运动之一般的进行的,但我们在原则上排斥着那样的障碍。少数派这样去下论断,终于从现实的具体的形象

少数派只是机会主义地迎合现实

---

① 1935 年 6 月版将"全部力量"改译为"全力"。——编者注

② 1935 年 6 月版将此句改译为"伊里奇明白地理解了革命动作的活动这件事,要求了关于上列几个问题的知识"。——编者注

③ 1935 年 6 月版此处添加了一句"怎样才能变动阶级势力的配合?"。——编者注

④ 1935 年 6 月版此处添加了"这种实践观,"。——编者注

⑤ 1935 年 6 月版此处添加了一个"过"字。——编者注

⑥ 1935 年 6 月版此处删除了这个"之"字。

中排除了给现实以具体性的东西,即排除了特定阶级的革命行动。伊里奇估计着我们怎样进行并向什么方向进行,才能够具体地更好地推动各阶级的势力。但少数派却不这样,他们只记述现成的东西,并没有指摘在普罗列达里亚与农民的积极的革命任务之上,能够发生什么事。

> 他们不指明普罗列达里亚在一定的瞬间应当怎样去"推动革命的发展"……只是记述过程的一般,关于我们对于现实的具体任务却不曾提起。我们看看新火花派说明自己思想的方法,使我们想起马克思对于与辩证法的观念无关的旧唯物论的批判。马克思说:哲学者们,只是各色各样地说明了世界;但紧要的事情,是变革世界。新火花派的人们,虽曾努力记述并说明在他们眼前发生着的斗争的过程,却完全不能定出关于这个斗争的正确口号。他们杂乱地进行着,而指导却是拙劣的;他们忽视了党——能动地意识着指导的作用即变革的物质条件,并站在前卫阶级先锋的党——在历史上所能做的并且必须做的工作,因此把唯物史观降低了。(伊里奇)

他们只记载现有的事情,不知道①指导行动之理论的根本作用。少数派说,理论不是斗争的计划,而是事实的记录。理论不能预测将来,只是证明现在。理论不能当作倾向去从现实中②引出结论,它不过证明已经发生的事情。③"少数派在一切人已经倦怠之后,证明事实,说明事实,并且证明之后就安之若素了"。

马克思的革命理论,经过少数派的手,从 1905 年俄国现实基础上实现出来的那种具体条件被割离了。一方面原理变为空虚的一般的命题——公式化;另一方面离开了原理的新事实的记载,提供了迂回的经验论。就是提供了只记载在一般联结之外的个个散乱的事实就觉得满足的那种理论。

伊里奇对于社会民主党右派代表普列哈诺夫之用最一般的真理代替战斗

---

① 1935 年 6 月版将"不知道"改译为"却排除了"。——编者注
② 1935 年 6 月版将"现实中"改译为"现实中存在的东西"。——编者注
③ 1935 年 6 月版此处添加了"斯达林说:"。——编者注

的能动的理论,曾常常加以非难。从分析俄国资本主义的时候起,关于研究现
实的伊里奇的立场与普列哈诺夫的立场,已经显出了根本的差异。伊里奇依 伊里奇对于普列哈诺夫的批判
照辩证唯物论的原则,不从一般的命题出发,而从客观的现实的运动出发,从
客观的现实的一切方面的考察出发,从各种阶级的地位与任务的分析出发。
至于普列哈诺夫,却站在和这相反的立场。伊里奇在对于普列哈诺夫第二次
党大会第二纲领草案的评注中,写道:"难于承认的这个草案之最一般的最主
要的缺点,据我的见解,就是这个纲领的全体精神。即这不是实际斗争的党的
纲领,而是原理的宣言。这是替学生写的纲领(特别是描写资本主义特征的
主要部分),并且只说到资本主义一般,而俄国的资本主义却没有当作问题,
这是为初级学生写的纲领"。

　　少数派不从具体的现实出发,而从空虚的理论的命题出发,所以结果违背
了唯物论的世界观之第一的而且根本的要求。对于辩证法的背叛,与对于唯
物论的背叛,是怎样联系着,这可以从少数派的实例看出来。少数派把离开具
体发展的死的抽象作为对象,造出了产生任意的主观的非唯物论的解释事实
的地盘。

　　主观的非唯物论的立场更加是那样,它们偶然地从现实把事实分离出来, 折中主义的荒谬
往往表面地机械地使它互相统一,在这种情形下建立了孤立的解释那个事实
的基础。这叫作折中主义。在折中主义之下,丧失一般的基础及各个事件间
的联结。联结各个事实,各个方面的一般基础,这正是具体的现实,即一定的
社会。如果不从具体的现实出发,而从极抽象的理论的命题出发,在这种情形
下便丧失一切基础——因为有这个基础,各种事实才不能不在特定方式上被
统一起来。在一般的基础丧失时,联结就变成人工的任意的产物,重要的各种
事实被放弃了。伊里奇说:"在社会现象的领域中,最流行的方法,最无益的
方法,莫过于分离各个小事实和玩弄实例。为要在事实上奠定基础,就必须①
把捉与所考察的问题有关系的事实的总体,而不是各个的事实。否则就会任
意地选择并搜集事实,就会无视整个历史现象之客观的相互依存的关系,为了
注重无意义的事情,而采取'主观的'处理方法"。

---

　　①　1935 年 6 月版在此处添加了"无例外的"四个字。——编者注

少数派的折中主义,不过是推翻唯物论基础的另一方面。少数主义越是发展,他们修正马克思主义世界观的显著的特殊性,就越发是强有力的感觉着①。(页边注:第二国际拥护掠夺战争的诡辩论)1914 年,劳动运动分为两个阵营,跟着就是第二国际运动的崩坏——伊里奇在帝国主义战争时代论及的那个崩坏的发生,就是少数派完全与辩证唯物论分手的时代的事情。

伊里奇分析帝国主义战争的问题,这样说过:"1914 年的战争表现最高发展阶段的资本之内在的矛盾。这个战争,是资本主义的腐朽时代的必然的产物。战争由于掠夺殖民地与重新分割世界而发生。我们不能拥护这个掠夺战争。我们要用内乱的口号对付这个战争"。拥护祖国的人们,却向着伊里奇一派叫嚣,说这种主张错了。1914 年的战争具有积极的方面。因为这个战争引起了各国国民(巴尔干、比利时)的民族解放。马克思在 1854 年到 1876 年的战争时代,不是曾经表同情于交战国的一方面吗?——少数派这样地把进步的布尔乔亚与地主斗争时代的民族战争的情势,无条件地移到资本主义的腐朽时代了。

伊里奇这样写着:"这样的论断是诡辩,因为它把老远的过去的历史的时代,代替现在的形势"。一切这些折中主义,都用马克思的名字掩护了。曲解事实当作真理②,③粉饰了的折中主义与诡辩论——少数派用这个代替具体的辩证法的世界观。少数派与其他类似者,④辩护自己的背叛而树立的防卫祖国的有名的口号,在诡辩中使保护祖国的运动与国际主义结合起来。国际主义与保护祖国运动并不是不能相容的——第二国际阵营中发出了这种话。不但如此,他们又说保护祖国运动,只是听任各国劳动者保守自己的祖国,依照自己的志愿去实行。少数派从整个历史形势的联结,割取各个事实,各个方面,提供了直接拥护布尔乔亚之"理论的"辩明的断片。

但是少数派用一种作招牌看的理论的基础,掩饰了自己的失节。这正是当时第二国际阵营中流行的诡辩论的显著的特殊性之一。诡辩论——掩饰了

---

① 1935 年 6 月版将"感觉着"改译为"被觉察了"。——编者注
② 1935 年 6 月版将"曲解事实当作真理"改译为"装作真理曲解事实"。——编者注
③ 1935 年 6 月版此处添加了一个"被"字。——编者注
④ 1935 年 6 月版将此逗号改译为"为"字。

的失节——，往往用说谎的招牌代替现实的内容。表面上好像伸缩性，实际上却从某一命题逃到别一命题。表面上好像有理论的根据，实际上却是诡辩。诡辩论是虚假，是伪善，即说话与行动完全不同。诡辩论投合于少数派的迎合性，最切合于少数派的精神。伊里奇说："一切机会主义的特征，就在于他的迎合性。我们必须了解并考虑少数派这种特殊性。"

诡辩论在现在不是与社会法西斯特①一同支持布尔乔亚的东西吗？现在的德国社会民主党在所谓社会民主主义是"比较害少"的政治口实之下，拥护他们的政府，这不是诡辩论吗？他们说：不论把独裁叫做布尔乔亚独裁，或叫做普罗列达里亚独裁，随便怎样都可以，而独裁总是一样的；这不是诡辩论吗？

诡辩论是社会法西斯蒂的理论

服役于垂死的资本的政党，也有与它相照应的特别的世界观。不想推测人类的未来，并且害怕未来，使得他们走到卑俗的观念论、迂回的经验论，用主观的诡辩论解释现实的立场。完全背叛劳动阶级，就是完全背叛辩证唯物论。

第四节　两个战线上的斗争

前面说过，在新经济政策最初阶段的条件之下，少数派的理论复活起来了。这少数派思想的影响，也同样表现为曲解马=伊主义哲学的两个变种——主要的危险的机械论与带有少数派色彩的观念论。

少数派思想的两个变种

曲解马=伊主义哲学的这两个方向的本质，究竟是怎样的？

机械论的本质，在于把自己理论的立场附托②于布尔乔亚科学，把渐进主义、实利主义、卑劣的实际主义、右翼机会主义的战术，在理论上建立根株。这一切究竟在什么地方具体地表现出来呢？

机械论的本质

机械论者们，在现在放出了"不要"任何哲学的口号。这个口号，并不是新的东西。在1922年修正了我们的哲学的米宁那个人，已经喊出了"放弃哲学！"的口号。他说，普罗列达里亚早已不要哲学了。

机械论者放弃哲学

---

① 1935年6月版将"法西斯特"改译为"法西斯蒂"。——编者注
② 1935年6月版将"附托"改译为"屈服"。——编者注

但是机械论者们，在他们放弃了哲学之后，用什么来代替它呢？他们是用现代自然科学代替哲学的。现代自然科学，特殊科学，据他们的意见①，完全可以代替哲学。他们以为哲学就是搁在古物库②里面也不要紧。并且，当他们这样"清算"哲学时，还用恩格斯做幌子。但恩格斯怎样说的，他们又是怎样说的？

恩格斯在与具体的知识领域的发展（社会科学、自然科学等的发展）相关联之上，提出了旧的意义上的哲学告终的问题。究竟是怎样的哲学告终呢？这是与实践及具体科学没有联系的哲学。

说明自然现象与社会现象，而用抽象的构想代替具体的结论，这在具体知识比较没有充分发达的水平之下，是当然的事情，这简直是缺乏了关于自然与社会之历史的发展之知识。随着社会科学上的进步（马克斯③学说），随着从19世纪到20世纪的自然科学上的新发现，哲学与具体科学间的分离，即从具体科学分离了的哲学，就告终结。但是，与人类的实践及科学全体的发展相联系着的哲学，还是存留着。关于自然、人类社会与思维之一般的发展法则的学问，即辩证唯物论，还是存留着。

机械论者们，用自己的主张，曲解了马＝伊主义关于哲学与具体科学间的联结的理解，特别的在自然科学上采用布尔乔亚的思想。大多数机械论者，曾经在自然科学的领域做过工作。在布尔乔亚思想渗透了的自然科学领域中，对于产生上述那样阶级之敌的意德沃罗基，是很好的地盘。机械论者们放弃了辩证唯物论，而屈服于布尔乔亚世界观。机械论者们，忘记了很重要的问题，伊里奇在《唯物论与经验批判论》中把握着那个问题，即一切具体科学与党派的世界观结合着的问题。伊里奇说：任何科学都是党派的。任何科学都服役于特定的阶级和政党，都建筑在对于现实的党派的立场（世界观）之上。现代自然科学以布尔乔亚世界观为基础作出结论，这种事实就产生这样一个结果，即是把沿着自然的途径得来的完全正确的真理，拿来作错误的观念论的

---

① 1935年6月版将"意见"改译为"见解"。——编者注
② 1935年6月版将"古物库"改译为"古文库"。——编者注
③ 1935年6月版将"马克斯"改译为"马克思"。——编者注

解释。例如,物理学上的物质、一切的物件①,不但可以分割为小的粒子即原子,并且可以分割为更小的粒子即电子;根据这种及其他种种的发现,布尔乔亚的物理学,就引出了"物质消灭了"的结论。从来的物质表象消灭了这种事实,使得布尔乔亚的学者说物质也消灭了。为什么? 因为他们不知道辩证法。辩证法是教训人们说,我们的认识是怎样加深的;最正确的知识都受一定的限制,并且这种限制性在认识过程中逐渐被扬弃。伊里奇这样写着:"所谓物质消灭,就是说从前认识物质所达到的那个限界的消灭,而我们的知识却更进步了一层。"(《唯物论与经验批判论》)现代自然科学没有站在唯物辩证法的立场上去处理最近的发现的能力,这在他们转入观念论的一点上表现出来。在今日最伟大的许多物理学者的学说中,我们可以看出这种紊乱,看出观念论与神秘主义的说教。布兰克是最伟大的学者之一,他拥护了观念论者马赫的理论;爱因斯坦——有名的学者——,他以为科学与宗教不但可以统一,而且彼此互有必要。物理学者中,甚至有人说到世界的"始"与"终"。

一切这些事情,都是表示着布尔乔亚科学与布尔乔亚世界观,为它自己的阶级所限制,对于最近科学的发现所供给的庞大的资料,没有方法处理。而这种庞大的资料,只有辩证唯物论才能说明它。

> 机械论与一切布尔乔亚科学家一样都不知道辩证法

我们的机械论者们想用这样的自然科学去代替辩证唯物论。他们用布尔乔亚的哲学做基础,去说明及解释自然科学上伟大的发现,因而忽视了从辩证唯物论的立场,把现代自然科学所引出的许多结论,再做根本研究的必要。机械论者们忘记了自然科学家必须成为有意识的辩证唯物论者之伊里奇的遗言。伊里奇在《关于战斗的唯物论的意义》论文中说,如果不是那样,唯物论就会"成为被克服的唯物论,不能成为克服的唯物论"。伊里奇又写着:"如果不是那样做,伟大的自然科学者们,就会和从前一样,在许多场合,对于哲学上的结论与普遍化,不知所为"。

机械论者们虽然说他们自己比谁更是唯物论者,但同时(如现在所见)事实上无条件地接受了观念论的世界观所渗透了的布尔乔亚自然科学。他们不懂得阶级的敌人,连科学上的大发现,都拿去作自私自利的曲解。例如爱因斯

> 机械论者结局变为布尔乔亚哲学的俘房

---

① 1935 年 6 月版将"物件"改译为"物体"。——编者注

坦的理论,被一切种类的神秘主义者和观念论者附和着——伊里奇在上述论文中这样说。他又极力说道:"我们必须了解,如果没有正确的哲学素养,任何自然科学、任何唯物论,对于布尔乔亚思想的袭击,与布尔乔亚世界观的复兴的斗争①,就不能支持。为了要支持这种斗争,坚持到底,得到充分的成功,自然科学家须是近代的唯物论者,必须是马克思所代表的那种唯物论的有意识的信仰者,即辩证唯物论者"。我们的机械论者们,与恩格斯所批判的那种自然科学者陷入了同样的命运。即机械论者们放弃了一切哲学时,就变成了布尔乔亚哲学的俘虏。

机械论者的均衡论

机械论者们虽然看轻了辩证法,但对于运动怎样发生、对象的本质在何处这一类问题,却不能不加以解释。他们想用特殊科学的机械学(Mechanik 从此发生了机械论的名称)的法则去说明。机械学的中心点,是均衡及其破坏的法则。机械学是以作用于物体之外力的大小,说明物体的运动的。某种的力若是加大,物体就开始运动;力如果相等,这些力所作用着的物体,就处于静止状态。于是我们就看到机械论者说明运动的方法的两个特性。(一)运动发生于互不联结的物体之外的冲突;(二)运动系于作用于物体的力之量的增减。

均衡论在经济领域中的应用

机械论的均衡论,变成了布哈林对于俄国经济发展与工农的相互关系等的右翼机会主义的见解的基础。例如,布哈林是怎样描写俄国经济的发展呢?他说——为谋一切经济的发展,必须保持经济的主要的扇形、工业与农业之间的均衡。这种②均衡,必须表现于都市与农村间之量的比例的交换中。为了要使都市更加发展,就需要一定量的农产物。农村供给这一定量的农产物于都市,其代价就是从都市接受相当的等价物。

在计算都市与农村的生产物的生产之纯量的比例时,布哈林忘记了在这生产的背后有阶级,忘记了实际上并没有工业与农业的均衡,只是都市与农村之社会主义的扇形与资本主义要素的斗争。

忘记事实上的阶级的本质,是右翼派的特征。他们不注意阶级斗争,他们

---

① 1935 年 6 月版将"斗争"改译为"战斗"。——编者注
② 1935 年 6 月版将"这种"改译为"这样"。——编者注

没有考虑到怎样的扇形、社会主义的扇形或资本主义的扇形,能够增加生产物的量。因此,他们一方面甚至不惜任何牺牲,对阶级敌人做重大的让步,发生要减免困难的倾向;另一方面,失掉革命的远见,倾向于吝啬的实利主义,去粉饰弱点。

把基础安放在量上,这也是从力学的武器库中取出的东西。质的移动,即各发展阶段,具有先行阶段的发展法则所不能说明的特性;他们忽视这一点,在所谓"还原论"之中找出了那哲学的基础。　　　机械论的还原论

还原论承认从某一发展阶段到别种发展阶段的渐变,而涂抹了变动时所发生的飞跃。某一发展阶段与别一发展阶段间的确实界限,被排除了。排除了这种界限这件事,在右翼派方面,表现于他们所说新经济政策各阶段的特殊性的消灭,各阶段与以前各阶段之区别的消灭。

这一切,都是从同一的根源发生的。机械论者们,用"互相对立的力之恢复与破坏"的法则,去代替由于对立的斗争之革命的发展的法则,而以由逐渐的增减所引起的量的变化作基础,他们的一切错误都由此发生。

这种见解,在社会发展的学说上,表现为自由主义的阶级斗争观,用机会主义去涂抹阶级对立①。述说渐次的发展,一步一步地发展的哲学,在实践上成为自然生长性的理论,而依赖于"客观的"要素。当时,鲁易柯夫当作五年计划的追加案提出了的二年计划,不过是以"客观的"要素作基础的修正案,是根据于社会主义在渐次发展之下可以得到胜利的信仰而作成的。　　　机械论在社会发展学说上的表现

党内的主要危险——右翼机会主义,在机械论之中,发现其哲学的基础。所以,党认定②机械论是两个战线上的哲学斗争中的主要危险。以上是背叛关于哲学党派性的伊里奇主义的原理之第一形态。

在另一方面,带有少数派色彩的观念论者对于马＝伊主义哲学的修正,又③沿着另一方向进行了。　　　少数派观念论的解剖

带有少数派色彩的观念论者们,反对机械论者否定哲学的见解,但他们自己却建立了与具体现实无关的抽象的哲学。他们④用对立的统一法则,对抗

---

① 参见布哈林:《有组织的资本主义论》、《豪农向社会主义的转变论》。
② 1935 年 6 月版此处添加了一个"了"字。——编者注
③ 1935 年 6 月版将此处的"又"改译为"却"。——编者注
④ 1935 年 6 月版此处添加了一个"虽"字。——编者注

机械论者的均衡论;但在这个法则上并不力说对立的斗争,却强调了对立的和解。这样,他们自己也转入了机械论。①

他们与机械论者对立,曾经认定了质,却用谁也没有见过的质的一般,代替过程之具体的特性。

带有少数派色彩的观念论者们,在他们与机械论的斗争中,其立场的弱点的表现,在于他们自己没有充分彻底,没有继续斗争到底的能力,并且在机械论与政治结合的处所——社会科学的领域,不能深刻地加以批判,这一切都是因为他们陷入于黑格尔观念论的影响之下无批判地容纳了黑格尔。

实际上,机械论者与带有少数派色彩的观念论者的斗争,比较任何实例还更明显地暴露了下述的事实。即,一切唯物论,只有成为辩证法的唯物论才能彻底;反之,辩证法是唯物论的,才能发挥全部的力量。

带有少数派色彩的观念论者,批判机械论者的方法,就是上面那样的,所以他们当然从另外一方面达到与机械论者相同的结果。两种哲学中的任何一种,都从社会主义的实践、党的斗争、具体的科学中游离出来,曲解了伊里奇关于党派性的见解。

中心的问题是怎样结合我们的理论与党的斗争实践的全体这个问题。机械论者和带有少数派色彩的观念论者,对于辩证唯物论的一切曲解,都由于没有理解这个中心问题而发生的。

德波林派
反马克思
主义的本
质

德波林一派的见解中,其反马克思主义的本质,在于下列几点:(一)分离理论与实践;(二)完全拒绝应用伊里奇所说哲学党派性的原理,同时又曲解了这个原理。但哲学的党派性,最确切地表现我们的哲学的阶级性,这因为最能表现劳动阶级的利害的,是它的前卫的党。

在带有少数派色彩的观念论者的事业中,他们的谬见表现于他们忽视社会主义建设最重要的问题那一点。解释过渡期的规律性、解释过渡期造成的

---

① 1935 年 6 月版将此句改译为"所以他们自己也转入了机械论的立场。"——编者注

新的社会主义的生产关系、阐明随着进到社会主义时代在社会主义斗争中发生的阶级移动——这一切问题，德波林一派都忽视了。

带有少数派色彩的观念论者们，不曾①参加为着党的一般方针的斗争。少数观念论者无条件地容纳了黑格尔他们除了对抗右倾派的两三篇论文之外，对于党并不曾有什么贡献。他们对于托罗斯基主义的斗争，已经不实行了，而且他们中还有一部分曾经是托罗斯基主义者。他们并不具体地指示现实中发生的事情。只造出通用于一切时代一切国民的空虚的图式；并且对于过渡时期中主要阶级的问题，还仍然犯了托罗斯基主义派的错误，援助了托罗斯基主义。所以在加列夫一方面，不说苏联有两个主要阶级——普罗列达里亚与农民，却说只有一个阶级。

完全由他们主编的《马克思主义旗下》哲学杂志中，居然刊载了鲁宾的少数派的论文与自然科学的几篇观念论的论文。

从多数党的斗争分离哲学，分离理论与实践，这是复活了第二国际的最有害的传统与信条之一。所以党的中央，把德波林一派的全部事业，当作带有少数派色彩的观念论而鉴定了。

观念论是在认识上把现实的诸特征诸方面之一，延长并夸大了的东西——伊里奇说。

在带有少数派色彩的观念论者们手中，所谓有名的哲学的独特性变成了与社会主义的实践毫无关系的东西。即，哲学并没有吸收我们之内容丰富的、充实了的、社会主义的实践全体所供给的资料。理论被游离出来，引到了观念论中。

带有少数派色彩的观念论者之分离理论与实践，在德波林主义者对于哲学家伊里奇与普列哈诺夫的评价上，明白地表现出他们没有理解哲学上的伊里奇的阶段。德波林对于伊里奇与普列哈诺夫的关系，这样写着："伊里奇在哲学上当然是普列哈诺夫的'弟子'，关于这点，伊里奇自己曾经再三说明过。但是，伊里奇与我们一同学习普列哈诺夫这件事，并不会妨碍他从自己的立场解决许多问题，并在'某一点'纠正普列哈诺夫。在某种意义上，他两人是互

少数派观念论者无条件地容纳了黑格尔

少数派观念论分离理论与现实

---

① 1935 年 6 月版此处添加了"积极的"三字。

相补充着。普列哈诺夫主要的是理论家,而伊里奇主要的是实践家、政治家、指导者。"照这样,伊里奇的全部意义,只应用马克思主义,但并不曾发展它,他终于只尽了实践家的任务。

提高我们的哲学到更高阶段的思想家、伊里奇,在带有少数派色彩的观念论者看来,值不得理论家这个称号。像这样的特征①,与托罗斯基对伊里奇的评价完全一致。

在这个特征②之中,表现着德波林主义者没有理解哲学上的伊里奇的阶段。

伊里奇曾经照马克思恩格斯所完成的那样,把捉辩证法唯物论,"不但是适用它,他一面适用,一面又把它发展,这是前面已经说过几遍的。"

伊里奇留下了《唯物论与经验批判论》,关于黑格尔的《大论理学》③的摘要等许多很伟大的哲学上的专门著作,使唯物辩证法更加深化、更加发展,这件事像一根红线一样,贯穿着伊里奇的全部著作。

伊里奇添加于哲学上的最重要的贡献,是关于当作认识论看的辩证法的学说;普列哈诺夫却不能理解这点,他竟把辩证法还原于实例的总合。

普列哈诺夫把辩证法解释为"实例的总合",这可以在他的政治的著作上明白地看出来。普列哈诺夫关于俄国资本主义理论的抽象性、他对于1905年与1917年的革命的评价,是由于他没有把唯物论辩证法当作统一的体系贯穿于他的全部著作。

与普列哈诺夫大④不同,伊里奇把唯物辩证法当作统一的体系,贯穿于政治的、哲学的著作之全体中。唯物辩证法,在伊里奇一方面,是解决一切问题的基础。

普列哈诺夫在研究唯物论的哲学著作中,留下了许多贵重的东西。我们必须从其中采出这一切贵重的东西,但不可以忽视他的重要错误(像德波林一派那样)。这一切的错误是互有联结的,他的政治上的错误之哲学根据,是由于没有理解辩证法的要点。我们必须暴露他的错误;批判地把握他的哲学。

---

① 1935年6月版将"特征"改译为"鉴定"。——编者注
② 1935年6月版将"特征"改译为"鉴定"。——编者注
③ 《伊里奇全集》第九卷,《哲学史全集》第十三卷。
④ 1935年6月版删除了这个"大"字。——编者注

带有少数派色彩的观念论者们,对于普列哈诺夫的错误,采取无批判的态度,他们无力看出伊里奇添加于哲学中的一切新东西,他们更把伊里奇当作实践家而评价——这一切都是由于他们离开了伊里奇对于辩证法的理解。伊里奇关于辩证法的学说之本质的方面——认识在理论与社会的历史的实践之不可分的统一中深化——是德波林一派完全不知道的。关于比较任何哲学都彻底的我们的哲学的党派性之伊里奇的思想,在好久的期间①,被带有少数派色彩的观念论者们所曲解了。从社会主义的实践分离理论,这件事从另一方面到达了与机械论相同的处所。即,实践失掉科学的基础,变成了服役于阶级的敌人的很卑俗的拜金主义。于是机械论者与带有少数派色彩的观念论者,互相接合着。在这一点,再现出与第二国际的意德沃罗基之典型的特征相结合的,即与抽出内容的空虚信条相结合的"事实"之粗杂的经验论。只是理论上带有少数派色彩的观念论的机会主义的这方面,更加用马＝伊主义的文句来粉饰、来掩蔽。带有少数派色彩的观念论者们,分离理论与实践,这件事在没有实行把《马克思主义旗下》杂志作为战斗的无神论的机关报之伊里奇的遗言这一点,也表现了出来。

机械论与带有少数派色彩的观念论,暴露了它们在曲解马＝伊主义哲学与修正党的一般方针两件事中,有很密切的不可分的联结。辩证唯物论与它们的斗争,证明了只有当作为多数派的党的方针而实行的斗争,才有可能。违背党的方针,直接间接都是服役于普罗列达里亚的敌党。

---

①　1935 年 6 月版将"在好久的期间"改译为"包含着隶属于唯一目的的理论的活动与实践的活动之不可分的统一——这种思想"。——编者注

第一章　唯物论与观念论

第一节　唯物论与观念论之本质与根源

哲学上的
根本问题

　　哲学是党派的,是阶级斗争中的武器。如前所述,普罗列达利亚①有他们自己的世界观,有他们自己的马=伊主义哲学。它②在社会主义的斗争上,成为他们理论的武器。然则普罗列达里亚的哲学——辩证唯物论的内容是什么?

　　为解答这个问题,我们要先看看一切哲学的根本问题究竟在哪里。

唯物论与
观念论之
分野

　　一切哲学,首先解决下面一切问题。外部的世界,是当作它的自体存在而决定我们的意识吗?或者环绕我们的一切东西只是意识的产物吗?像前者那样解决这个问题,就构成唯物论哲学的根底;像后者那样解决这个问题,就成为观念论哲学的根底。

　　这个问题所以成为根本问题,是因为它把一切哲学家分为两个对立的阵营。提倡许多问题的种种哲学理论虽然是有的,而这一切哲学体系,结局都分为两个根本的流派——唯物论与观念论。现代布尔乔亚哲学设法要混乱这个根本问题,要证明我们这样区别哲学已是陈腐的见解。布尔乔亚所以要这样做,为的是要掩饰自己的观念论。所以普罗列达里亚,不能不特别注意这个问题。

根本问题
所以发生
的原因

　　我们来看看,这个问题究竟为什么并且怎样才发生的。

　　生活于社会中的人类,与周围的自然相联系,并且变化这个自然,使它适

---

①　1935 年 6 月版将"普罗列达利亚"改译为"普罗列达里亚"。——编者注

②　1935 年 6 月版将"它"改译为"马=伊主义哲学,"。——编者注

应于自己的利益。同样,人与人之间互生关系,互相影响,并实行阶级斗争。

人类在劳动过程中,作用于自然,并且直接变化自然,使物质受人类的影响,在这种情形下,人类深信物质是客观地存在着。

实践使人们确信物质是客观的实在

苏联劳动阶级当着建设社会主义,使国内工业化、电气化、改造农民阶层、并且与豪农实行阶级斗争时,他们不疑惑苏联离开他们的意识独立的客观的存在着。他们深信在日常的实践上,苏联现实地存在着,普罗列达里亚为社会主义而行的斗争现实地存在着。

劳动阶级,本质上是唯物论的。在他们的实践、阶级斗争上,他们确信自己的认识是客观上存在着的物质的反映。劳动阶级建立计划,考虑形式,估定力量。在他们的斗争成功时,就确信自己的见解并不是幻想的产物,而是离开自己独立地客观地存在着的世界的反映。

前世纪 90 年代,人民派说起历史的进行、人类社会的发展,依存于"批判的思维着的人类的意志"这一句话时,他们并没有想把社会当作离开人类意志而独立的物质过程去考虑。人民派的知识分子一旦接触于现实,接触于农民与豪农、手工业者与商人、劳动者与工场主的现实关系时,他们就不能不觉悟到自己的理论是虚伪、是空想。

人民派的见解是观念论的

实践教导唯物论,考虑物质的现实及其法则,不①假借的打破一切观念论的与空想的理论。

实践引导人们到达于唯物论

科学的历史给我们许多实例——人类在其实践上觉悟到观念论的幻想之无用,而到达于唯物论的结论。

空想的社会主义空想过要实现社会主义,只要觉悟资本主义的罪恶而希望社会主义就够了;但普罗列达里亚之社会的实践,使他们理解这种空想社会主义之观念论的性质,普罗列达里亚,在其实践上,理解了资本主义的绝灭不只是"希望"它就可以实现的。马克思在《德意志观念形态》中,与黑格尔左派分手,嘲笑了他们为变革现存制度只要在头脑和意识之中造出革命就充分了的那种见解。1848 年的革命,证明了他们的观念论的错误,显明地证实了马克思和恩格斯的批判的正确。革命的实践,展开了普罗列达里亚的眼界,使他

空想社会主义者缺乏实践

---

①　1935 年 6 月版将"不"改译为"无"。——编者注

们知道资本主义社会是客观的物质过程,不是可以在意识中变革它,而是要在现实的阶级斗争中变革它。

人类的实践的历史、阶级斗争的历史和科学的历史,越发证明唯物论哲学的正确。社会的生产之发展,越是进到高度,阶级斗争的形态越是发展,科学的思想越是暴露自然的"秘密",唯物论就越是根深蒂固。(页边注:实践的历史证明唯物论之正确)屈服于自然力之前而只能使用简单工具的原始人,不能说明周围的事变,而求助于灵魂;但是操纵近代技术很复杂的装置而意识到资本主义社会的自然作用的现代普罗列达里亚,就不要①求助于灵魂,而能够在科学上,在唯物论上说明一切现象了。

布尔乔亚也曾经是唯物论者

当着布尔乔亚梦想资本主义是理想的社会制度时,当着普罗列达里亚方面的重大危险还没有威胁他们时,他们也曾唯物论地思维过。当时,他们造出唯物论哲学,确信周围的自然是物质的,不是精神的产物。

现代唯物论者只有普罗列达里亚

现代,在全世界的革命斗争中,大呼打倒资本主义,并且在世界六分之一的领土中,已经完成了这个使命。资本主义的掘墓人——普罗列达里亚,是唯物论的。但是普罗列达里亚的唯物论,与布尔乔亚的唯物论不同,是比较更彻底的,是比较更深刻的。这个唯物论只有辩证法的性质,没有机械论的性质。

辩证唯物论不单是主张离开我们意识而独立的自然之客观的存在,并且主张一切物体都是联结着,发展着。辩证唯物论告诉我们,世界没有永久的现象,一切事物都变化而成为别的事物。一切事物,在它到达于因飞跃而变为别的事物的瞬间以前,它渐渐变化它的属性,采取种种的形态。

辩证唯物论对于布尔乔亚社会的理解

辩证唯物论,在运动与发展上观察一切事物。辩证唯物论不满足于事物之表层的知识及其记述,而努力要深入事物的根底,认识其变化的原因,认识在事物之中发生而规定其发展的内的过程。引起事物的运动与变化的东西,是存在于过程中的内的矛盾。例如,辩证唯物论把资本主义当作有历史的来源的、由封建社会崩坏的结果所产生的、客观上存在着的社会制度去观察。资本主义不是永久的东西,它是变化的;它的发展,把它自己引到破灭和死亡的路上,劳动阶级,在这个变革中,推翻资本主义社会,建设新的社会主义的社会。

---

① 1935年6月版将"不要"改译为"不须"。——编者注

　　使资本主义前进而又制约它的发展的东西,是资本主义社会的内的矛盾,即生产力与生产手段私有制间的矛盾、普罗列达里亚与布尔乔亚之间的矛盾。资本主义越是发展,这个矛盾就越是激烈,越是尖锐,越是难于融合;这个矛盾引导到飞跃的革命的社会之变革,引导到资本主义的破灭与社会主义的建设。

　　这样,辩证唯物论在内的矛盾之中,发现一切事物(资本主义也包括在内)的发展的根本原因。辩证唯物论在这些内的矛盾中,只探求根本的主要的矛盾,其他一切矛盾都依存于这个主要矛盾。例如,在资本主义社会中,除上述的矛盾外,还有许多矛盾。譬如,经济与政治的矛盾,宗教与科学的矛盾,观念论与唯物论的矛盾,都是有的;但这一切矛盾,都依存于构成布尔乔亚社会的主要阶级间的矛盾的那个根本的主要矛盾。

辩证唯物论把捉事物内部的主要矛盾

　　辩证唯物论——普罗列达里亚的世界观——是一切社会科学与自然科学的方法。辩证唯物论,暴露出自然与社会的物质的现实之发展法则。

　　劳动运动之发展、俄国的革命、苏联之成功的社会主义建设等一切事实,都证实了马＝伊主义哲学——普罗列达里亚大众的理论,并且是紧紧抓住了大众的哲学——的真理。辩证唯物论,越发变成一个革命的力,在普罗列达里亚斗争及其建设上,变为他们的武器。

辩证唯物论是普罗的武器所以布尔乔亚集矢于它

　　所以布尔乔亚集中一切攻击于辩证唯物论,或者用直接的正面攻击,或者用圆滑的间接的策动,想来打破它。

　　布尔乔亚鼓吹观念论来代替唯物论。如后面所见,观念论有许多种类,他们的主要点,在于把外的世界看作精神或意识的产物。

观念论者对于客观的谬见——意识决定存在

　　多涅波水力发电所的设计者,相信多涅波、它的水门、堤岸、高耸的建筑,都当作物体存在,相信多涅波在设计者还没有出生时已经存在;相信那堤防是许多人的集团劳动的物质过程的结果。但观念论者对这些都不同意。观念论者说,我虽不否定多涅波水力发电所的存在,但发电所是人类头脑所发生的思考的结果,所以我主张它只存在于意识中。观念论者无视人们在多涅波水力发电所、在他的周围的社会所做的工作,无视人与自然的斗争,无视阶级斗争,并且也不注意它。这些工作,在他们看来,并不重要。然而,造出多涅波水力发电所,造出能力的新的物质源泉的东西,不是头脑的思考,而正是那些工作。但观念论者都这样主张——社会主义革命,不是社会的物质生产力与生产关系间所发生的矛盾的结果,而是资本主义的无价值与社会主义的好组织的这种思想在人类头脑中成熟了的结果。例如观念论者黑格尔,把人类全部的历史,当作绝对精神的历史。观念论者们说,一切存在物都由观念、思维所创造,人类的历史,同样是观念变化了的结果。他们以为社会中事物的变化,由于意识的变化。要之,不是存在决定意识,反而是意识决定存在,这是观念论者们所说的。

观念论主张物质是精神的产物

但是,为要实现观念,使现实服从于这个观念,只要头脑中有了观念就够了。如果这样,难道不能更进一步说,我们所考察着的外的世界,一般的不是不存在于意识之外的心或精神活动的结果吗?难道不能说,多涅波水力发电所不单是那个设计者天才的结果,并且只是当作精神的某种东西存在,当作熟考的成果存在,当作观念存在?

照这样推论下去,观念论就发展自己的命题,因而造出了一切的结论。例如,革命只是观念、精神的冲突,——西欧许多观念论者和历史学家都是这样想的。观念论者们说,在意识以外,没有物质的自然,没有社会生产的物质过程,也没有阶级斗争,只有观念存在,它互相容纳,互相斗争。物质只是精神的创造物。

肉体劳动与精神劳动的分裂是观念论的起源

观念论哲学颠倒并弯曲现实存在的世界的姿态,这种哲学的发生,用什么来说明呢?促起观念论哲学发生的第一条件,就是肉体劳动与精神劳动的分裂。

社会的生产力发展的结果,使社会发生分工,这个分工再发展起来,就分出了专门从事精神劳动的人们。这件事,使得精神劳动与肉体劳动两者之间的差异,次第加大了。但在生产力贫弱的时期,精神劳动与肉体劳动的分裂,还没有达到使两者分离的程度。到了社会中阶级出现,私有财产发生,剥削变为支配阶级存在的基础时,一切都变化了。这时,精神劳动与肉体劳动的分裂,使精神劳动成为支配阶级的特权,肉体劳动成为被压迫阶级的运命了。从事于精神劳动的人们,就以肉体劳动为可耻,在自己的思想中,就离开被压迫阶级的"污秽的物质",走到纯粹观念的领域。支配阶级,开始颠倒地去考察他们自己与被压迫阶级的互相关系。奴隶的主人,掩饰了阶级的分裂与压迫的真实原因,所以他们就这样设想,不是奴隶供给他们以生活资料,反而是他们给予奴隶以生活资料。

不从事于肉体劳动的支配阶级,鄙视肉体劳动,发展了观念论的见解——"创造的精神"、思想和意志,是造出那本体不动的什么也不能做的物质并且加以组织的一种力量。

唯物论者与观念论者相反,在物质当中看出一切存在物的根源,把意识当作①由物质派生并由物质的发展所制服所规定的东西。

以生产力的发展与科学的进步为利益的革命阶级,在社会史上采取了这种唯物论的见地。这个阶级严格地反对观念论与宗教,拥护科学的唯物论的结论。

观念论与唯物论的斗争,在阶级社会中绝不停止,在革命时代,反映阶级斗争的尖锐化,达到极端紧张的状态。

但是,观念论的生育力用什么来说明呢? 现实之观念论的颠倒为什么发生呢? 观念论的来源与力量在什么地方?

观念论的根源,根本上在于社会之阶级的组织,在于观念论表现支配的剥削阶级的利害。观念论的生育力,在一切文化领域中的它的优越,可以从这个去说明。

不过,观念论为要发达、深化而能够与唯物论斗争,为要征服人类的精神,它必须在我们的意识的性质中,有它的根源,在我们②的思维中。如果错误地去理解并适用这个思维,那么,到达观念论的那个动因,实质上是存在的。

马克思和恩格斯以前的唯物论,并没有强调我们的思维在认识上所有的能动的作用。这个唯物论,在我们的思维的背后,只留下了受动的作用——反映自然的对象的镜子的作用。关于我们认识作用的这种见解,当然不正确。我们的认识作用、我们的思维,是能动的,它在社会的实践中发生,能动地帮助实践。

观念论者不但太强调了在社会的实践中发生的思维的能动性,并且当作阶级本性的结果,用一切方法把这一点夸大起来,片面地发展它。观念论者并

右侧旁注：
唯物论的主张与观念论的完全相反

观念论的生育力

观念论在人类思维中也有其根源

---

① 1935 年 6 月版将"当作"改译为"看作"。——编者注
② 1935 年 6 月版将"我们"改译为"人们"。——编者注

不指出思维的能动性受物质的自然所限制所规定,(页边注:观念论专门夸大思维的能动性)却主张只有意识是能动的,物质不过是混沌的不动的集合体。

如果我们只夸张这些方面的一个,与它的客观的意义不相称,结果,它不能变为我们意识中的对象之现实的反映,而成为歪曲的幻想的反映。(页边注:某一方面被夸大就变为物神或偶像)于是这一方面,这一特征,在心智之中发展起来,变为支配的东西,掩蔽另一方面使它服从,在某种自足的东西中,化为物神或偶像。

货币的物神性即是货币被过分夸大的结果

在商品生产社会中,夸张货币的意义,忘记货币是一般的商品,反之,货币的购买力在意识当中占有无限大的地位。货币化为物神或偶像,为人所崇拜,为它贡献一切的牺牲。货币,不是物质的商品。它对某人施福,对某人降祸,变成了某种观念的力。

观念论在经济学的应用

观念论者在经济学上,从供求法则去说明资本主义的发展时,他们就采取资本家的交换中非本质的一方面,过度地夸大起来,把它提高为资本主义的根本法则。这种研究过程的结果,就变成一面的观念论的理论。科学在社会生活上,完成一个能动的作用——这作用结局为一定社会的经济构造之生产关系所限制所规定,观念论者却从这一点上作出科学是社会发动力的结论。像这样,观念论是依据于我们思维之特殊性的。我们的思维,不能一次反映出当作全体看的对象,而是构成"具有接近于现实的一切种类的无数色调的"生动的认识之辩证法的过程。但观念论,不能给予过程的正确反映。它把过程弄弯曲了,而夸张其各个方面。

应当从辩证唯物论的见地去考察观念论

伊里奇在他所著的《关于辩证法的问题》中,指出观念论的上述一切根源,指出观念论与宗教的关联,同时指出观念论与宗教不同的特性。机械唯物论者们对于观念论采取横暴的态度,以为观念论没有研究的必要,只要放弃它就够了;伊里奇对于这种态度,曾经提出抗议。他要求研究观念论,知道它的根源,要求冲破它的根底的能力。他这样写着:"哲学的观念论,单从粗杂的、单纯的、形而上学的唯物论的见地去看,是无意义的。反之,从辩证唯物论的见地去看,哲学的观念论是把认识的诸特征、诸方面、诸界限之一,从物质与自然分离出来,一面地夸大地把它发展(膨胀、扩大)为神化了的绝对的东西。观念论是僧侣主义。这是对的。但哲学的观念论(更正确地说来,而且更进一层说来)是经由人类无限复杂的(辩证法的)认识之色调之一,而到达于僧侣主义的道路。人类的认识不是直线,而是无限地接近于环线的体系及螺旋线的曲线。这个曲线的任意的断片、碎片、小片,都能转化(一面的转化)为独立的完全的直线。人们如果只见树木不见森林,就会陷入于泥沼,引到僧侣主义(到这里,这根直线与支配阶级的阶级利害相固结)"。

观念论在其与唯物论的斗争上,所以采取许多的形态或色调,是由于在我们的认识的特殊性中存有如伊里奇所说的那种观念论之阶级的根源。观念论在某种情形,的确直接地表现为宗教,是为宗教建立合理的基础的一个方法;但在另一种情形却不彻底,采取与宗教藕断丝连的形态,想在科学中发现它的基础。观念论在一切文化领域中,无论科学、艺术或政治,都用某种形式浸透着——在任何领域,很巧妙地利用我们的认识的特性,把某一方面、某一特征,膨胀起来,夸大起来。观念论采取种种复杂形态与唯物论相斗争

在西欧阶级斗争激化与俄国社会主义建设的时代,观念论与唯物论的斗争特别尖锐,同时采取复杂的形态。观念论现在对于普罗列达里亚的哲学——即辩证唯物论,施行①着根本的斗争。辩证唯物论是观念论主要的敌人。观念论在和这个敌人的斗争中,集中了它的中心的注意。

布尔乔亚理论的武器,观念论哲学,在和马=伊主义论战的一切领域中,究竟采取怎样的形态,我们现在来考察一下。

首先,我们不能不注意观念论哲学与宗教缔结的紧密同盟。

观念论当然常常和宗教结合着。伊里奇曾经反复说过,观念论是僧侣主义。但伊里奇首先注意,这两者并不是完全同一的东西,他指出观念论是到宗教的道路。观念论哲学是建立宗教的合理的基础的道路,一方面想和神的信仰与宗教团体同盟,他方面又想和科学同盟。但就历史上看来,观念论一方面想用理性证明信仰,被宗教当作危险物看待,因此宗教甚至和观念论哲学斗争过,这是在宗教强有力的时候。另一方面,当着科学繁荣,被宗教看作危险物,而唯物论开始抓住大众的新时代,观念论哲学最喜欢和唯物论斗争,显得它已经离宗教而独立。观念论与宗教同盟之考察

观念论与宗教斗争的时代——资本主义初兴时代

---

① 1935 年 6 月版将"施行"改译为"实行"。——编者注

在产业资本主义全盛的时代,观念论哲学羞与宗教相交通而退隐了,在许多场合,观念论哲学承认自然科学必须离宗教而自由,但在人类的社会关系或个人生活上,却承认宗教有全权。(页边注:观念论与宗教斗争断绝交通时代——产业资本主义全盛时代)

在资本主义崩溃、资本主义一切矛盾的激烈化、资本的破灭与普罗列达里亚革命的现代,布尔乔亚忘记了一切,脱下了隐蔽观念论与宗教同盟之遮羞的外衣。布尔乔亚在革命之前恐怖起来,大声求助于宗教。于是,观念论与宗教结成了紧密的亲睦同盟。

在法德等国,许多布尔乔亚哲学家坦白地声述哲学应该再像中世纪那样做神学的奴仆。哲学应当回到宗教,回到已被忘却的中世纪僧侣的书籍上去。革命到来,普罗列达里亚取得胜利,这件事在哲学家的意识中,唤起了复归于宗教裁判的迷梦。这宗教裁判,在那些哲学家说来,就是判决与现代文化不同的中世纪文化之深沉、正确而且纯洁。现代英美①布尔乔亚哲学家公然说明自己的使命不但要使科学与宗教相融合,并且要使科学完全隶属于宗教。布尔乔亚哲学家最近聚会时,屡屡发出了证明在哲学上布尔乔亚理论完全没落的报告。于是暴露了出来的东西,就是对于科学的不信,对于人类文化的一切成果的怀疑,并要求走进暗黑的神秘的神坛②——在这里,思维的明确没有必要,可以只耽沉于过去的默想,加特力教会之宗教的秘密,又成为哲学研究的对象,引起布尔乔亚知识分子的注目。降神论,哥可黎的神秘与其类似的欺骗者的神秘,都在哲学中正式地被研究着,西欧图书馆的哲学目录上,神秘教的部门中加上了哲学,要发现哲学与神秘教的差异,是很费事的。宗教在资本主义各国得到了很大的意义。布尔乔亚不但考虑宗教的力量和宗教团体的威力,在与普罗列达里亚的斗争中求助于宗教,并且把自己的科学和哲学隶属于宗教。布尔乔亚观念论哲学,还幻想着自己在比较的最近可以独立,而证实自己的立场,但即在基于一面的夸大了的科学的命题之时,哲学也不能不取媚于宗教。在一切资本主义国家中,哲学学派逐渐与宗教结成直接的同盟。现在,

---

① 1935 年 6 月版此处添加了"最伟大的"四字。

② 1935 年 6 月版将"神坛"改译为"僧堂"。——编者注

宗教不但把布尔乔亚哲学隶属于自己,并且也把布尔乔亚科学隶属于自己。常常把宗教当作自己所继承的财产看的社会科学,固不待言,差不多一切布尔乔亚心理学、医学、自然科学,也为宗教的精神所贯彻。

宗教与哲学的融合,越发深化,布尔乔亚不能不求助于教会,因而教会也不能不与哲学和科学相妥协。

布尔乔亚为对付普罗列达里亚的意德沃罗基,采用了曾经在过去封建领主所锻炼过①的武器——宗教。

宗教团体的指导者们,曾经请教于加特力教会的首领即法皇。罗马法皇是反革命斗争的发起者,对于苏联曾经鼓吹干涉,加特力教会变化多端,适应目前的形势,以可惊的机敏向着大众活动,迷惑他们。加特力教会,不特在布尔乔亚中间,并且②在落后的普罗列达里亚中间,也造出自己的政党。例如,德国的加特力教中央党,在德国政治中,演着某种的政治的任务。 宗教在大众中的影响

别的教会也不落在加特力教会之后。欧洲大陆一切布尔乔亚国家,都有独特的基督教社会主义政党,其指导者企图把普罗列达里亚从阶级斗争中分离出来,引入宗教的幻境。他们不但对于农民、小布尔乔亚大众,甚至一部分普罗列达里亚大众,都想使他们隶属于布尔乔亚的意德沃罗基,向着他们活动。当作观念论的手段看的宗教的意义,是现代社会法西斯特所考虑的。现代的社会法西斯特不但对于他们的党员,承认神的信仰的自由,并且与教会结成公开的关系,发行了党的宗教机关报。社会法西斯特追随布尔乔亚的踪迹,完全拒绝马克思的唯物论,在对于革命党的共同斗争中,公然与教会同盟。 宗教与社会法西斯特的关系

但是,宗教能够影响大众的原因,究竟在哪里? 宗教在现在仍然在民众意识上有活动的能力之原因,究竟在哪里? 如 18 世纪启蒙学者所见,宗教果然只是为僧侣富豪麻醉民众而撒下的欺骗的结果吗? 破坏教会,驱逐僧侣,这样解决宗教,就算充分了吗? 不是这样的。宗教,和观念论相同,在人类社会的生活条件中,有很深的根底。为了要和宗教斗争,就必须斩绝宗教之阶级的根 宗教能影响大众的原因

---

① 1935 年 6 月版将"在过去封建领主所锻炼过"改译为"受过旧的锻炼的封建领主"。——编者注

② 1935 年 6 月版将"并且"改译为"甚至"。——编者注

据,使社会的生产力发展起来,在广泛的大众之间,实行坚忍不挠的教化事业。

宗教的根源与观念论哲学的根源相同,都在观念上表现了支配的剥削阶级之利害。(页边注:宗教的根源)

宗教的根源,首先是因为人类的技术贫弱,自然的不可抗力压迫着社会人,主要的是阶级社会的经济、特别是资本主义的不可抗力压迫着人类。对于自然与社会的不可抗力,无力抵抗,无可奈何,因而发生这些力是不能克服的意识;这种意识造出宗教发生的条件,造出支配人类的力在人类头脑中幻想被反映出来的条件(恩格思①)。

在资本主义社会中,科学与技术虽然发达,而宗教依然继续影响民众。这是因为压迫人类的意志与意识那种资本主义的不可抗力,表现为离开人类独立,站在人类上面而支配着人类的难于克服的力量。

资本主义社会中的人们的这种压迫状态,因支配阶级的利害而加强。秘密领受津贴的教会与学校,把那种由于生产力状态与经济的自生性质而产生的、使人类觉得无力的情感,变化为统一的世界观。

在殖民地的民族中,勤劳者不但受资本主义各国所压迫,而且还受土著布尔乔亚所压迫,在这种地方,为愚弄民众起见,教会的煽动特别有效,资本家教会的走狗的牧师与服务于资本的僧侣的权力,特别露骨。

如何始能
消灭宗教只有普罗列达里亚能够推翻资本主义及其经济的不可抗力,建立社会主义制度——在这里,实行有计划的支配,人类社会的技术与威力就到达未曾有的规模——才能够消灭宗教。因为只有他们才能消灭培养宗教的根源——落后的技术特别是阶级的压迫。现在苏联普罗列达里亚所实现着的由必然到自由的飞跃,已经造出从"精神的麻醉"解放民众的条件。

在建设社会主义的苏联,已没有宗教发生的余地,因为产生宗教的两个要素,即民众的无力与支配阶级对他们的剥削,已经消灭。不过,在苏联中,大众所实现着的社会主义计划,还没有普及于经济全体,个人资本主义的扇形现在还没有完全被清算,农业的显著部分,还是私人在那里经营。

小商品经济仍然是宗教观念出生的培养物。当作阶级而被消灭着的豪农,

---

① 1935年6月版将"恩格思"改译为"恩格斯"。——编者注

想用一切手段,在民众之中复活关于奇迹、神及其使徒的信心,实行着强烈的宗教煽动。在产业复兴的五年计划的实现过程中,我们经历着许多困难,这件事使得对我们怀抱敌意的阶级,能够在民众中的动摇分子之间,或在态度还没有显明的普罗列达里亚之间,散播所谓人类无力的旧日的情感以及向彼岸的超自然力找出安慰的希望。但是,在党的指导下以高速度前进着的社会主义建设、农业集团化、普通教育的实施,理论战线上展开着的阶级斗争,暴露阶级性的一切宗教理论,反宗教宣传之广泛的展开,这一切在俄国益发排除着宗教之任何根源。

　　观念论哲学现在用比宗教还巧妙的不同的手段,和辩证唯物论斗争着。观念论哲学在意德沃罗基的全领域,想操纵支配的理论上的司令坛。在西欧虽然有许多地方,他们是成功了,但在俄国却被党所断然实行着的扫除资本主义的政策所遮住。结果,在俄国,唯物论与观念论的斗争,就采取了独特形态。观念论在我们之下,很少公然出现,多数还穿上假的科学的外衣,往往甚至于装出马克思主义的模样,在马克思主义的文句中,隐藏着观念论的内容。在俄国正在准备实行设置包含全国的高压电送网,并使全部产业,全部运输电化的今日,电气具有怎样大的意义,这是大家所周知的。因而研究电气是最重要的课题。可是观念论却相当的深入于这个领域。在西欧,观念论公然述说电气是非物质的精神的本质。在那里,观念论借口电气具有种种性质,说物质消灭了,说万物是电气之精神的实体。这种思想,在苏联也有若干理论物理学者去提倡。他们虽然没有那样明显地说出同样的思想,但是想要在我们当中说出来。据他们的意见,电气的本质是不能认识的东西,他不是物质,而是力,因而对于这种力给予神秘的意味。在物理学的其他领域中,在化学中,也发生着同样的事情。观念论或者依据腐蚀的方法,或者受了小布尔乔亚层的影响,把过程的某一方面的夸张,发展为统一的观念论的世界观,借以浸透于上述的领域。在生物学上,对于生物的高级组织及其各器官的作用的调和,是不能不注意的。有机体的这种属性,在有机体的各方面之中,是以它自己的说明、它自己的基础为必要的一方面,但是过度①夸张,过度②膨胀了的生物体的这种属

（右侧批注）观念论在苏联采取新形态与唯物论相斗争

---

① 1935年6月版此处添加了一个"被"字。——编者注
② 1935年6月版此处添加了一个"被"字。——编者注

性,在观念论的自然科学者手中,就被转化为生命的根本原则,为支配生物学的合目的性的原则,发展为统一的观念论的生命论。达尔文在科学上说明有机体活动的调和,排斥了神秘说。但在我们之下,却有柏鲁格那样的生物学者,把这合目的的活动,看作有机体的根本属性。于是把有目的的活动,归着于任意的有机体,而下等动物却没有理性建立自己活动的目的,这是明白的事情,所以从此便引出了结论,说有机体实行绝对精神、神所决定的目的。这样,有机体的构造及其反应的调和,被观念论者转化为绝对物,不去说明它,而把它发展为合目的性的观念,发展为目的论的生物学理论。

在养成着社会主义建设者干部的苏联,新的干部如果变为布尔乔亚意德沃罗基的俘虏,科学就有被观念论闭塞的危险。与反宗教的情形同样,在这种处所,也必须作一番暴露的事业,也必须作强烈的理论上的阶级斗争。

这件事,不但是在科学上,就是在文学和艺术上,也可以作同一程度的说明。文学和艺术,因为那种为广大民众所容易接受的艺术的形式,比较学术的书籍,更是直接地、往往适切地发生影响。

贾克龙顿在其多才的创造中,曾经说起,社会也和自然一样,只有最适者能够在生存竞争中生存,这明明是布尔乔亚的观念论的理论;这种理论,对于在社会学方面没有素养的普通读者[1],是能够引起印象的。

贾克龙顿用艺术之笔,描写在北美荒凉条件下某一黄金探求者的生活状况,证明在人与自然及人与人的斗争中,最强者和最适者是怎样的能够生存,并且得到成功。

不过为了贾克龙顿君的名誉,不能不补说一句,他后来觉察到这种理论是布尔乔亚的,是带有观念论性质的。他曾在几个创作中,指摘出这种性质,陈述那阶级的意义,说明它是不合于现实的。

他指摘着:确信了优者是人生的成功者的,强健而机敏而聪明的青年[2],在恐慌时期中不能找得工作,他与多数相同的劳动者,不能不趋于破灭;可是

---

[1] 1935年6月版将此句改译为"对于在社会学的问题中没有经验的普通读者"。——编者注

[2] 1935年6月版将此句改译为"他确信优者是人生的成功者;指摘着强健机敏而聪明的青年"。——编者注

工场主——肉体及精神的残废者——不但能够继续生存,并且越发变成财主。诗人把俄国家长的农村——爱色林用强烈的感动的诗歌唱着——化为叫作豪农制度的理想社会的观念论的反动理论,感染了许多的青年。爱色林在他的诗中,感叹地说:"看! 铺道石的手,锁了农村的咽喉","都市! 都市! 你那样剧烈的战争时,把我们举行了洗礼,完全像尸首和秽物一样";他是用那种对于农村工业化怀有反感的豪农的话来说的。爱色林的豪农的意德沃罗基,不许他理解革命,弄得把酒宴和盗贼的生活理想化了。爱色林从豪农生活的理想化,转到否定社会、使个性理想化,并承认放荡淫逸中的生存意义的理论。"我们的生活——毛毡与牙床;我们的生活——闺房的秘密。"

唯物论对观念论的斗争与政治斗争之联结,如前章所见,在布尔乔亚的政治理论性质上,在离开党的一般方针的右倾派与"左"倾派的政治纲领上,都明白地显现着。离开党的方针的偏向,或者成为观念论,或者成为形而上学的唯物论,常常与离开辩证唯物论的偏向结合着。 背叛党的一般方针必背叛辩证唯物论

托罗斯基的世界观,含有折中的性质,混合观念论与机械唯物论,根本上他站在观念论的立场。托罗斯基的特征,是分离理论与实践,承认人类的意志特别是"大"人物的意志,有全能的意义,他以为人类的意志能够变革社会,其客观的前提存在与否不成问题。托罗斯基在 1905 年曾经提议,跳过布尔乔亚的民主革命阶段,应该立刻用党的意志宣言普罗列达里亚革命。"俄皇的废止,劳动者政府"——这是托罗斯基在 1905 年的革命时提出的口号。对于社会现象的同样的观念论的立场,在托罗斯基方面,无论在朴列斯特议和条约缔造时,或在关于劳动组合的讨论时,都可以看得出来,那时候,他同样的不从客观的现实的分析出发,而是从预先准备的公式,从强制行使①的意志出发。同样的事情,对于托罗斯基反对派也可以说,他们在 1923 年,提出了牺牲农民,即不但牺牲豪农并且牺牲中农,而立刻把国内工业化的普罗列达里亚的任务。在这种时候,托罗斯基也不考虑客观的条件,而跳过革命的阶段,用观念论者的头脑去思考,并不想到产业复兴的前提是否存在与大众的有无准备等,而只是受自己意志与希望所支配。 托罗斯基世界观的特征

————————

① 　1935 年 6 月版将"强制行使"改译为"操切从事"。——编者注

在他的自传——《我的生涯》中,贯穿着自己是伟大的那种观念,在这部书上,说革命的历史带有由个人的动机活动的各个人和集团的斗争的性质。

机会主义的右倾派指导者兼理论家的机械唯物论者布哈林,在说明历史时,结局不能不到达于观念论的结论。布哈林的观念论在于他的图式论,关于社会发展的抽象理解。例如,他为说明革命,把革命分为四个阶段,造出了意识形态、政治、经济与技术的阶段的图式。(页边注:布哈林的观念论的色彩——图式论)这四个阶段是顺次连续的,在各个阶段中,革命不能不采取个别的性质。他把革命法则的意义归着于这个图式,并依据这图式去观察社会主义革命。其结果究竟怎样了呢?当我们接近于新经济政策的再建时,他断定经济革命的阶段已经终结,而进到了技术革命的阶段。在这技术革命的阶段上,阶级斗争已不存在,因而与豪农的斗争也不会发生。图式论——即把那不从现实中取出而在"头脑"中取出的法则搬到生活与革命上的尝试,把机械唯物论者的布哈林引入于观念论,引入于右翼机会主义的结论。伊里奇在关于布哈林《过渡期经济学》的评注中,曾经指摘出布哈林的方法论上的特性,说他是在图式上立论,不去研究过程中充满了矛盾的内容,而只以一般的公式为满足,并批评他这件事必然地导入于观念论的主张。布哈林根本上虽是唯物论者,但不是辩证唯物论者,而是机械唯物论者。机械唯物论特别是在社会科学或政治的问题上,必然导入于观念论的结论。

第二节　机械唯物论

机械唯物论是机会主义右倾派的方法论

唯物论与观念论的斗争之阶级性,在哲学中明了地表现出来。在俄国,支配的哲学只是辩证唯物论①,所以观念论也与它相适应。德波林一派带有少数派色彩的观念论,是在俄国的条件之下发生的一种特殊的观念论的形态。德波林一派受了德国哲学家黑格尔的强烈影响,把实践从政治分离出来,走上了马＝伊主义理论的修正派的道路。

但是,在革命的现阶段的条件之下,明白地表现着:对于革命的危险,不仅

---

① 1935年6月版将此句改译为"在俄国,只有支配的哲学——辩证唯物论"。——编者注

是从宗教方面来的,也不仅是从比宗教更巧妙的布尔乔亚的理论武器即观念论哲学方面来的,而且是从非辩证法的机械唯物论方面来的。在现阶段①,形而上学的机械唯物论是主要的危险,这因为机械唯物论,根本上是党内机会主义的右倾派的方法论;而在革命发展的现阶段之上,这个右倾派成为对于革命的主要危险。

机械唯物论在普罗列达里亚的革命条件之下,转化于自然生长性的理论,变成党的右倾的论据。右倾的指导者布哈林,否定了辩证法,否定了由于对立斗争而起的发展,这件事把布哈林导入于否定农村中的阶级斗争,导入于豪农向着社会主义的转生论,导入于所谓"有组织的"资本主义之误谬的有害的理论。

辩证唯物论对于观念论及机械唯物论的斗争,现在采取着极复杂的形态。观念论者及形而上学者的论据,常常立足于科学的成果及人类社会的历史之上。为要明了这个论据,加以研究,暴露出它是无价值的东西,我们不能不在先行哲学之中去观察它的根源。因为这个论据不过重复说起通常已经说得很陈旧的、在阶级斗争及科学发展史上已经被论破了的东西。机械唯物论也是如此;它的根本问题,已为 18 世纪唯物论所丰富地提起,并经马克思主义创始者加以评价,加以批判了。现代机械唯物论者们,虽屡屡用辩证法的用语去掩蔽它的论据,而根本上只是反复着与法国唯物论者相同的论据。 〔法国唯物论是现代机械唯物论之先驱〕

为要暴露现代机械论的本质,先来看看 18 世纪法国唯物论的学说。

18 世纪应当注意之点,是这个时代中欧洲资本主义制度已经在经济上强化了发展了的事实。在当时法国,资本主义要求了农村关系的解放,要求了政治的保证。可是旧的封建制度束缚国内发展,阻害②商品交换,使农民横受官吏的毒虐,夺去了农民对于都市商品的一切购买力。一方面是新兴的布尔乔亚、随他们俱来的半手工业的普罗列达里亚、农民;他方面是封建制度的支配阶级、贵族及僧侣,其间的对立已经是非常的紧张起来。革命的雷雨仿佛就要从天空中下来了。在法国大革命以前数十年间,布尔乔亚中生出了许多哲学 〔18 世纪法国唯物论之时代的背景〕

---

① 1935 年 6 月版此处添加了一个"上"字。
② 1935 年 6 月版将"阻害"改译为"阻碍"。——编者注

家及政论家;这些人以非凡的才能及力量,成为拥护布尔乔亚的利益的理论斗士而奋斗。法国的情形,与英德不同。在英国,布尔乔亚的思想家在革命胜利之后,就与封建领主缔结同盟,因而在理论上也发生了与宗教相妥协相勾结的倾向。在德国,布尔乔亚的思想家是薄弱的、怯懦的,因而其意识形态也是不彻底的。可是法国布尔乔亚的思想家,却是彻底的思想家,他们不害怕任何激烈的结论,不害怕权力或神,而对宗教与观念论哲学实行了斗争。当时法国哲学家中最彻底的人们,在其与宗教的斗争上都到达了唯物论的结论,创出了唯物论哲学之可注目的产物。彻底的思想、不惧一切的勇敢、对于封建制度特别是对于教会的斗争之政治的尖锐化,富于机智的叙述法以及丰富的多量的艺术价值——这一切使得这般哲学者,不仅在法国国内而且在国外,都获得了声誉。18 世纪法国唯物论者们,在与宗教斗争时,是立足于当时科学的成果之上的。科学,在 18 世纪,已经有了显著的进步。关于物体运动的科学——力学,已经特别的发展了。数学上,当时已开拓了解析几何学及微分积分学的新领域,给予了研究空间中物体运动的端绪。物理学上也带来大的成果;在这里,对于液体、瓦斯①及光的研究,数学与力学变成了认识的主要手段。医学也有了进步,医学家们反对旧医学的一切偏见与迷信;对于人体的一切作用,不借助于支配肉体的"灵魂"之力,而想同样地从力学与数学上去说明。这个时代以前的许多发现与发明,帮助了对自然的认识,而且资助了更大的科学发展。望远镜(1609 年)的发明,使得人们能够观察行星的运动;显微镜(1590 年)的发明,使得人们能够看见肉眼所不能看见的物体。天文学上的发现逐渐发生;地球不被看作宇宙的中心,只是运行的太阳周围的行星之一,这种太阳中心说加强了;又,物体的落下法则及天体的运动法则已被发现,引力的一般法则经过牛顿的手而成为定理了。一切这些发现,要求了方法的统一,要求了能够对抗宗教世界观的那样世界观的统一。18 世纪法国唯物论者们,为了这样的时代,造出了最彻底的唯物论的世界观。他们全体的一致的根本原理,就是自然是物质的,自然不是由任何人创造出来的,而是永久存在的。教会的

---

① 1935 年 6 月版将"瓦斯"改译为"气体"。——编者注

原理认为物质是不动的,是被动的,只借助于精神的力①才能运动、变化,而采取种种的物体形态。与教会的原理相对抗,法国唯物论者们树立了所谓物质不是由人所创造并且常在运动着的原理。没有运动,也就没有物质;没有物质,也就没有运动。神是全然无用的,没有神也能说明自然,因此,他们完全排斥了神对于自然的干涉。在自然中,严格的因果法则支配着;一种现象是不可避免地从他种现象继起的。法国唯物论者之一人霍尔巴哈(1723—1789)说:"宇宙——一切存在物的广大的结合体——到处只表现为物质与运动的②统一体,只表现为原因与结果之无限的连续的连锁。而且,这些原因中的某一原因之所以被我们知道,是因为它直接作用于我们的感觉:又,他种原因,我们所以不能知道,是因为只媒介与第一原因全然分离了的结果作用于我们。"

法国唯物论者们排斥奇迹,否定神加于自然的规律性上的干涉,承认物质的自然把运动之源作为其自体而包含着:但是,这还不能到达于辩证法的物质观。在他们看来,物质的自然不是由内的矛盾而发展的东西。他们认为自然是无数的物质要素的总体,由这些要素的结合而形成一切新的事物。他们不知道,由旧物的矛盾如何发生真正的新物那种事情。他们确认力学为唯一的正确的科学,用力学去观察③自然的全体。但是,力学研究物体的运动,而不研究物体的变化,不能说明物质的发展。因此,法国唯物论者们只能理解物质与运动之必然的联结,而不能说明运动的本质。

机械唯物论不能到达于辩证法的物质观

他们不把运动作为发展去观察,而是机械地把运动作为由某一地点到他一地点之物体的移动去观察。

这种机械的世界观,决定了法国的唯物论对于我们意识的发生、思维的作用如何那个问题的理解。教会说:人类的意识是神灵的碎片,是一个灵魂;因为有这个灵魂,人类才能思维;人类与动物的不同,也就在这一点。但到了18世纪,灵魂说不仅为哲学家所反对,而且为多数的学者特别是医学者所反对了。

机械的世界观决定人们对于思维作用的理解

在16世纪及17世纪,英国的唯物论哲学者们,承认全世界都受机械的因

---

① 1935年6月版删除了这个"力"字。——编者注
② 1935年6月版此处添加了"这种"二字。——编者注
③ 1935年6月版将"用力学去观察"改译为"在力学上观察"。——编者注

果律所支配,灵魂也不是这一般原则的例外。他们,用感官从物质的自然所受的感觉的机械联合,去说明心的活动。这种英国唯物论者的教训,变成了18世纪法国唯物论者许多思想的根底。(页边注:机械唯物论之先驱)

　　17世纪的荷兰哲学家斯宾诺莎(1632—1677)发展了无神论,排斥灵魂的存在,把我们一切思维、感情及情绪,作了纯机械地说明。斯宾诺莎的学说,有许多的后继者;他的学说传入法国,就被法国唯物论者所采取了。法国唯物论者同样地否定了灵魂,把人类看作与其他一切生物、无生物同样的物体。固然,人类是与无生物不同的;其不同之点,在法国唯物论者想来,就归结于人类比其他物体更形复杂、更是巧妙精致的机械的那种事实。拉梅特里(1709—1751)把他的主著名为《人类机械论》。他说:"时钟及其他自动机的运动由于发条及齿轮的配置而起,和这完全同样,我所归入于这个机械的一切机能,当然也只由于这个机械的操作的配置而起。在这种场合,除了这个机械中由血液与热而引起的血液之力以外,什么植物的灵魂或感受的灵魂,或生命与运动的什么特别原因,全然没有作为前提的必要"。狄德罗在他的要著《达兰俾路之梦》中,显明地叙说了同样的思想。"我们是被赋予感性及记忆的器具。……金翅雀、莺鸟、音乐家、人类,不是这样的器具是什么,阁下的意见怎样? 看见这个蛋么? 这个蛋是什么? 在孵化以前,蛋是一块无感觉的物质。……这个物质块如何转移为别的组织、感性、生命呢? 这是由于热。蛋生热吗? 这是由于运动。运动所渐次发生的结果怎样? 首先是左右摇动。细丝延长起来就生颜色。于是肉发生了。嘴、翅膀、眼、足趾,现了出来,一种带黄味的物质左右扯动着而做出肠子。这就是动物了。这个动物动作、转动、鸣唱。鸣唱的声音透过卵壳,能到达我的耳中。羽毛全身生出,眼睛能够看见了。头部变重了而摇动着,在紧闭的牢狱中,用嘴不住地啄着内壁。于是蛋壳破了。它走了出来,跳跃着,振翅而飞。它凡事都觉得不如意,想着逃走,走近来鸣诉不平,苦呵,爱呵,欲望发生了,快感感到了,它具有人类所具的一切爱情,所具的一切行动,它实行着……阁下与动物之间不过是组织上的差异而已。"

　　但是,18世纪法国唯物论者,虽然排斥了看作意识的起源之灵魂,认为人类只是物体即机械;可是,关于我们意识的发生仍然不能不加以说明。这个问题,实际上已引起了他们的注意;在这里,他们给予了唯物论的而且仍然是机械论的回答。所谓,自然在其历史的发展中由一种形相变为他种形相,人类是在历史中发生的,人类在其社会的实践中发展其意识——这样的自然与社会的历史观,与他们没有关系。18 世纪的全体哲学家,与他们的先驱者相同,认为人类的意识不是发生的东西,而是一定的被给予的东西;在他们看来,只有关于机械——由于它的作用而引起思想并使思想组合为判断的连锁的那种机械——的解释是必要的。思维是由物体引出的呢? 或物体依存于精神,由精神引出的呢? 这个问题,在唯物论与观念论之间,互相论战了。但是,两者的任何一方面,都不知道意识是过程,是发展的①;都不知道意识并不是由于各个的思想与感性之机械的结合而成立的那个事实。这是由于当时的唯物论者及观念论者都不了解辩证法的缘故。法国唯物论者们,把自然加于感官的作用看作认识的源泉。在自然未作用于我们之前,我们还不能有什么感觉或意识。我们禀赋着等于白纸一样的意识而出生,法国唯物论者们把英国哲学家洛克的主张,反复地说了。人类的意识,起于其生活过程中,是感觉器官受了刺激的结果。感觉器官所受的刺激越多,人类的意识就越发丰富,越发复杂。感觉是最单纯的意识要素,由感觉的联结、组合而造出表象。表象更进一步的完成,就产生所谓概念、事物的一般观念。这样,对于我们意识的本质是什么及它是怎样发生的问题,法国唯物论者也彻底地贯彻了那种机械观。

他们虽然正当地认定我们的认识,是由于离我们而独立存在着的物质的自然作用于我们的感官而引起的,可是他们没有理解认识之历史的性质。他们把认识看作某种被动的东西、不活动的东西。感觉器官是被动的,只有外界的刺激造出感觉及表象。他们不理解,所谓物质界反映于意识的事实,并不是自然而然地被给予人类的;而是在斗争之中,在人类的实践中。在社会对于自然斗争的全部历史中,在阶级斗争中,被人类获得的东西。人类的能动性,在社会的实践之历史过程上,使其意识发展,这种思想,是法国唯物论者所不了解的。

因为没有发展的观念,而把自然看作受严格的因果律所支配的不变化的

机械唯物论者没有发展的观念

---

① 1935 年 6 月版此处添加了"东西"二字。——编者注

东西。所以18世纪法国唯物论的哲学,是形而上学的,而不能不陷于自相矛盾①。他们的自相矛盾②,在其人类行为观及社会观上,特别显明地表现出来。据他们的意见,人类行为的本质,在于追求快乐,避免痛苦。所谓幸福,就是获得更多的快乐。因此,各个人都是利己主义的。这种利己主义的人类的聚集,形成社会。在这种社会中,各人的利己主义为其他一切人的利己主义所限制。从而在社会上,人类不仅追求各自的幸福,而且应当③为他人求幸福;但是,为完成共同的幸福,完美的社会制度,是必要的。

因此,人类为要得到幸福,就有把好制度去替换坏制度的必要。在这里,法国唯物论者的哲学从道德论出发,在政治纲领中,提出了变革封建社会制度的要求。正是这个要求,变成法国唯物论哲学的主要点④,引起了布尔乔亚对他们学说的注意,激发了当时一切进步的人们。法国唯物论者们抱着这样的社会观,同时变成了反对都市与农村中封建关系的勇敢战士。他们对于封建制度的支柱即教会,特别憎恶。他们的学说变成了革命的理论。他们的这种思想,是法国小布尔乔亚想在革命中促其实现的。但是法国的唯物论者们,从其各个人看来,并不是革命家。他们不说用革命的暴力去倒坏权力,他们没有提倡暴动。对于社会制度应当如何变革的问题,他们从容的回答,主张应当变化人类的风俗习惯,即变化造出政治制度的社会环境。对于环境应当如何变革的问题,他们的回答全然无力,这件事暴露出他们的不彻底和他们的思想之形而上学的性质。他们变革封建制度的希望,不放在大众的身上,而求之于开明的专制君主,期待着这种专制君主出来改革;在这里,他们之非历史的立场全部表现出来,这种立场导入了所谓开明的立法者能行变革的信仰。社会制度,与他物相同,也是机械的一部分。所以它可以和别的部分相替换,可以弃去,可以置换。法国唯物论者们,因其哲学之形而上学的性质,在社会观上,终于变成了他们自身所抗战的观念论的俘虏。因为所谓统治者的意识能够变更

---

① 1935年6月版将"自相矛盾"改译为"内的矛盾"。——编者注
② 1935年6月版在将"他们的自相矛盾"改译为"这种内部的矛盾"。——编者注
③ 1935年6月版将"应当"改译为"要"。——编者注
④ 1935年6月版将本段开头至此的文字改译为"因此,人类为要得到幸福,就有把好制度去替换坏制度的必要。于是,法国唯物论者的哲学就从道德论发展起来,变为政治纲领,变为改革封建社会制度的要求了。这个要求,正是法国唯物论者的哲学的主要点"。——编者注

社会制度的"意见支配世界"的命题,是观念论的命题①。机械唯物论之不彻底的事实,以及说明社会过程时不可避免地陷入于观念论的事实,已被法国唯物论者们本身的经验所证明了。

第三节　现代机械唯物论

如上所述,机械唯物论已在 18 世纪成为布尔乔亚的革命理论,而结局到达了观念论的结论。这话的大部分,也可以通用于现代的机械唯物论。18 世纪的法国唯物论,是建立在当时科学的成果之上的进步理论:它所提供的方法论上的武器,曾经体会并理解了当时的自然科学的全部发展,而且帮助了自然科学的前进。反之,在现代,机械唯物论不使自然科学前进,反而掖之后退:不能帮助科学,反而妨碍了科学的发展。现在,发展的观念渗透了一切的知识部门,不论社会科学或自然科学,如果没有发展,一般的任何理解就不可能;现在,各种科学上的新发现,譬如原子的复杂构造的发现,唤起了对旧机械论问题有再交付研究的必要,新的辩证法的问题正在提上议事日程——在这样的时代,去重述 18 世纪旧机械论的原理。那是反动的。

机械唯物论在 18 世纪是布尔乔亚革命的表现,是一切进步的社会势力的旗帜;但在今日,却变成了小布尔乔亚与豪农的反动哲学。机械论者们想把机械唯物论变为帝国主义与普罗列达里亚革命时代中阶级斗争的战略战术的方法论;想用布尔乔亚的古典的革命时代腐锈了的理论武器,去和资本主义相斗争,而建设社会主义。由此,证明了机械唯物论对于俄国正发生着的辩证法的过程,是无力理解的。机械唯物论把俄国革命的现实一切现象,终止于与布尔乔亚革命已经历过的阶段相提并论(比较)。在布尔乔亚革命一方面,资本主义经济到了某一定的瞬间,已在封建制度的胎内成长;所以就布尔乔亚说,获得政权的事实,在某种意义上,就是革命完成了的瞬间。但在普罗列达里亚革命一方面,社会主义的关系在权力获得之后才开始生长,所以权力的获得是转换期的开始,社会主义通过这种转换期,在与其他社会经济的形式相斗争之

右注：
现代机械唯物论与18世纪机械唯物论的异同

现代机械唯物论的反动性

---

① 1935 年 6 月版删除了"命题"二字。——编者注

中,变成强固。在这个斗争之中,社会主义抵抗自然的作用。克服那种使资本主义生长的小商品经济,加以变革,对资本主义要素一步也不放松地进行着斗争。但反马=伊主义的理论,认为俄国革命不伴着阶级斗争,在全境集团化中不伴着当作主要阶级看的豪农的清算,这种把向社会主义的前进变为自然的自动的运动过程的一切尝试,是把俄国革命的规律性,还原于布尔乔亚革命的规律性。把社会与自然中一切辩证法的过程,还原于力学的过程;把社会发展的一切辩证法的矛盾,还原于量的增减;就在这一点上,存有真正的机械唯物论的本质。1921 年,布哈林在所著《史的唯物论的理论》中,想只用一个力学的法则去代替自然与社会的规律性;他这样写着,生物学能还原于力学,把力学的法则与有机的法则相对置的事实,在现在已没有意义。其他的机械论者们,都述说同样的事情。斯特巴诺夫说:"现代的科学,向着把世界一切发展当作比较单纯的物理化学过程的发展去解释的同一方向,向着前进。"和这一样,亚克瑟洛德①说:"机械论的世界观——由于排斥一切种类的观念论与神学,由于把质的多样性越发还原于一般的物质的根源,而原则上承认认识自然法则是可能的这种世界观,在今日以前成了唯物论的基础,现在还是一样。"

　　机械唯物论者们以为科学的认识之本质,在于把自然界一切现象,不论物理现象、化学现象、社会现象,都还原于一切力学的要素及其运动。从这种见地去说明十月革命,就是把那个革命还原为物质原子的某种极复杂的力学运动。即令这种见解不能圆滑地说明时,机械论便说那是因为科学尚未完成的缘故。辩证唯物论对于这个问题,与机械唯物论根本不同。依辩证唯物论的见地去说明某种现象,不是把那个现象还原于力学的运动,而是要暴露那个现象中特殊的规律性,即把具体现象中所固有的并制约其发展的内部矛盾,明现出来。不论物理现象、化学现象、社会现象及其他任何现象,都具有其自身的规律性,都具有特殊的运动形态。这种运动形态,是从他种运动形态发生,是比较高级的。力学的运动形态,是物质运动之最单纯的最初步的形态。它被包含于一切运动形态,即物理学的、化学的、有机的及社会的运动形态之中,但

---

① 　本书中亦译为"亚克瑟洛特"、"亚克色洛特"和"阿克色洛特"。——编者注

它在这一切运动形态之中，并非基础的形态，只是附属的形态。在一定现象中规定其运动的规律性的，不是力学的运动形态，乃是这一定现象中所特有的运动形态。机械论者所以想把一切都还原于力学，是因为他们把力学看作辩证法。

布哈林把辩证法与力学视为同一，用均衡论去代替辩证法。他这样写着："马克思和恩格斯，在实际上当着研究自然与社会的种种领域时，由于唯物论的应用辩证法，就把辩证法从其神秘的外衣中解放了出来。现在的问题，在于把这个方法作理论的系统的记述，给它以理论的系统的基础。这件事在均衡论中是容易做的。"

但是，所谓均衡论是什么？它是说明力学上运动过程的理论。这个理论，主张一切物体都在均衡之中，而依从于互相平衡的种种的力的作用。如果，某种物体受了比其他的力还大的力所作用时，那物体就依着大力所作用的方向而运动。均衡论记述空间中物体的移动过程，记述受了作用于物体之力而引起的物体的运动。但是，这个均衡论，能够说明运动何故发生，事物何故变质，事物何故变化吗？那不消说是不能的。这因为均衡论预想加于物体上的外部之力的作用，并不考察使物体运动的内的矛盾。譬如，当着必须说明普罗列达里亚革命的发展在过渡期中如何引起的问题时，如果引证的提出外部的力，那就陷于深刻的谬误。如果以为革命的发展是受国外的阶级斗争所左右，这样，就陷于托罗斯基主义，陷于永久革命的理论，陷于否定普罗列达里亚与农民的同盟。或者，如果把俄国经济上的社会主义扇形与资本主义扇形，作为求均衡的两个外力去观察，这样，就陷于右翼机会主义。这个均衡论，变成对马克思主义之右翼机会主义的修正体系，是布哈林的其他政治谬误的基础。

在许多专门哲学家或自然科学家，斯特巴诺夫，洼里雅西，亚克瑟洛特，特米里雅瑟夫等的著作中，都实行着对马＝伊主义哲学之机械论的修正。

这些哲学家的机械论的方法，把他们自己引到了对于唯物论的根本论点，即对物质论的错误的理解。机械论者们，把哲学上的物质概念与物理学上的物质概念混同着。

哲学上的物质概念，是解答认识论上的根本问题——当作我们认识之源泉看的客观世界存在与否的问题——的东西。

机械论者混同哲学上的物质概念与物理学上的物质概念

哲学上的物质概念之说明

　　唯物论对于这问题是这样答复的:在我们意识之外,离我们意识独立存在而作用于我们器官的物质,是我们感觉的源泉。辩证唯物论更教给人们说:物质不是同质的,是多种多样的,是运动的,是具形的,在其发展的各瞬间是具体的。人类的认识,在其每一发展阶段上,在社会实践的过程上,日益深刻地暴露出物质的本质。关于物质的知识,随着我们实践的各阶段,越发加深,越发完全。

　　在 150 年前,只知道物质是极小的东西。① 关于物质的本质,虽曾有种种假说(科学上的前提),但也只是知道物质之机械的规律性。其后经过数十年,物质之化学的属性渐被认识,这个时候,暴露出物质的新的规律性②,关于物质的知识更形丰富了。几乎在最近以前,物理学还单把物质作为有质量的物质去考察,但到现在,物质的本质被更深刻地透彻地了解。到最近为止,物理学及化学所考量的我们关于物质的知识的限界,也只是科学的历史上,人类实践的历史上的一个阶段;这件事是明白了。科学,现在不仅确证出物质的原子构造,而且深入原子的内部,加以分解,暴露出从来认为不可分的原子,是像太阳系那样的复杂地运动着的电子的体系。原子被证明是小宇宙,它与天文学的宇宙即大宇宙相区别,得到了小宇宙的名称。在研究原子时,自然科学家已能够把那种使一切物③都还原于它的终极的物质,单单作为电气的特别状态去观察。物质又显出了更深的规律性。④ 这种新的物质属性,给予观念论者们以动因,他们声述,物质消灭了,科学把唯物论的不合理暴露出来了。这样观念论者的呼喊,明明是以不懂哲学的人们为目标的。不懂哲学的人们,对于作用于我们感觉的客观的实在存在与否的问题,和关于物质的构造及其法则的问题,或关于科学发展的各个阶段上的科学之认识的问题,是不能区别的。"哲学上的"物质概念和自然科学上的物质概念之不能区别,这件事是从许多自然科学家的机械论的世界观发生出来的。这些自然科学家,想把关于

---

　　① 1935 年 6 月版将此句改译为"在 150 年前,关于物质,所知道的很少"。——编者注

　　② 1935 年 6 月版将"暴露出物质的新的规律性"改译为"物质暴露出新的规律性"。——编者注

　　③ 1935 年 6 月版将"物"改译为"物质"。——编者注

　　④ 1935 年 6 月版将此句改译为"物质更显出了深的规律性"。——编者注

物质构造的各色各样的科学的规定,作为永久不变的东西去观察;他们不知道,这样一个个的规定,不过是科学的认识上的一个阶段,不过是我们社会的实践上的辩证法过程中的一个动因。

不理解辩证法的机械论者们,因为不能解决由旧质发生新质的问题,从而把物质认为是永久的①、无发展的、无定形的东西。种种机械论者们,单单采取关于物质的某一具体的概念,作为基础,而认定它是物质的唯一形态。有人认为不可分的原子为不变的物质,又有人把以太的波动认为是不变的物质。

机械论者们,明显地把物质的具体形态的问题,与一般把物质认作感觉源泉及是否客观的存在着的问题,混为一谈。

他们想由力学去说明一切,但对于现代科学的矛盾及现代科学发现之辩证法的本质,他们却全然无力去理解,去把握。

现代机械论者们,在存在与思维的关系之哲学的根本问题上②,比较 18 世纪法国唯物论者们所给予的解答,一步也没有前进。这件事,在他们处理物质与意识的关系如何的问题中,被表现出来。机械论者们否定辩证法,不能说明如何从旧物产生新物,因而他们不得不认定:这个世界中没有什么新事物,现在所有的一切都是曾经有过的,将来所发生的,也是一切既存物质中已经永恒包含着的③。这样,依他们的见地,意识也不是发生的④,而是恒常存在着的⑤。他们不能不认定意识是永劫⑥以来的物质所固有的,一切物体,甚至于无机物,甚至于我们看不见的小粒,都具有意识。在这个问题上,机械论的方法论也把机械论者们导入了观念论的结论,即导入于⑦一切生物及无生物都具有意识的那种结论。机械论者不能理解:意识是在物质的某个发展阶段上,在一定条件下发生的物质的新属性;而在此以前,意识是不存在。固然,机械

机械论者
不懂辩证
法物质观

现代机械
论不能理
解存在与
意识之辩
证法的关
系

---

① 1935 年 6 月版将此句改译为"从而认定物质是永久的"。——编者注

② 1935 年 6 月版将"在存在与思维的关系之哲学的根本问题上"改译为"关于在存在与思维的关系之哲学的根本问题"。——编者注

③ 1935 年 6 月版将此句改译为"这个世界中没有什么新事物,现在所有的东西一切都是曾经有过的,将来发生的东西,一切都是已在物质中永久包含着"。——编者注

④ 1935 年 6 月版此处添加了"东西"二字。——编者注

⑤ 1935 年 6 月版此处添加了"东西"二字。——编者注

⑥ 1935 年 6 月版此处添加了"的古时"三字。——编者注

⑦ 1935 年 6 月版此处添加了"所谓"二字。——编者注

论者们也引用伊里奇所说意识的发生的话,但因他们否定物质之质的多样性的客观性,并不能理解伊里奇,他们把自己的粗劣思想——意识在物质的一定发展阶段上,不是发生的,而只是发现的那种①思想——勉强地推在伊里奇的身上。

既没有辩证法的思维能力,而又把辩证法与力学视为同一,这件事,就不能不引导机械论者们去否定哲学。实际上,如果哲学单单只是机械论的(力学的)世界观,哲学为什么还有必要? 那个时候②,机械论者们仅可③用所谓认识的一般的方法之力学及数学,去代替哲学。把一切现象还原于力学,把一切现象巧妙地用数学去说明,把一切发生的事情都用数去表现——这就是科学的任务。而且,自然科学完成这种任务,没有哲学也是可以的,自然科学本身就是哲学。机械论者的一人波里捷夫斯基,把机械论者对于哲学的态度,如此的公式化了——"科学,单只这点,就是哲学"。本来在1922年,米宁早已借口哲学是布尔乔亚的古物,而放出了"放弃哲学!"的口号。以后,有名的恩奇缅也发表了同样的意见。固然,斯特巴诺夫及其他现代机械论者们(窪里雅西、亚克瑟洛特,莎拉比雅诺夫)并④没有率直地说,哲学是不必要的;但由于把哲学与自然科学视为同一,便使哲学等于零了。

然而,没有哲学的自然科学是盲目的,自然科学如果没有哲学就不能前进,这一层,恩格斯早已指摘出来了。

自然科学本身,不能造出科学的哲学。自然科学利用哲学所教训的既成概念,去成就⑤发现,去探究自然。失掉了哲学指导的自然科学者,盲目地从事工作,在结论上往往陷于反动的观念论的世界观。曾经有过贵重的发现,有过丰富的伟大学识的自然科学者,在其结论上,也是反动者,也是观念论者。

自然生长性,在自然科学上,也是有害的。自然生长性的结论,使自然科

---

① 1935年6月版此处添加了"无意义的"四字。——编者注
② 1935年6月版将"那个时候"改译为"于是"。——编者注
③ 1935年6月版将"仅可"改译为"就"。——编者注
④ 1935年6月版将"并"改译为"虽"。——编者注
⑤ 1935年6月版将"成就"改译为"实行"。——编者注

学陷于布尔乔亚观念的影响之下,变成带有观念论的非科学的性质。普罗列达里亚的哲学,是科学的全部历史的结果,基于科学的成果,而变成了自然科学的方法论。

机械论者们,因为否定哲学,所以信奉科学上的自然生长性及自然作用,不能理解辩证法唯物论对于自然科学及阶级斗争所具有的指导的性质。他们,对于阶级斗争上马=伊主义哲学所具有的重大意义,一点也不知道。他们把哲学解消于科学之中,从哲学割去了理论上的根据及指导,暴露出经验论的粗恶的本体。他们,否定哲学的意义,排斥辩证唯物论,造出他们自身的机械论的自然生长性的哲学,自然作用的哲学,来置换①辩证唯物论,因而走上了马克思主义修正的道路;在客观上,他们与机会主义的伯伦斯泰因、考茨基及其他哲学的否定者同流合污。

第四节 主观的观念论

在前世纪 70 年代,马克思主义开始深深地渗透于大众之中。欧洲许多国家,特别是德国的普罗列达里亚,越发浸润于马克思的思想。马克思主义的理论成了社会民主党的公认理论,因而成了一个力。

马克思主义的理论,由于成为普罗列达里亚大众理论,而获得了的这样的政治意义的成长,与帝国主义时代即独占资本时代的发端及其对于普罗列达里亚攻击的开始是同时并行的。布尔乔亚为要妨害基于统一的革命理论上的普罗列达里亚的结合,不能不以自己的理论去对抗马克思主义。

在当时布尔乔亚各国所产生的哲学体系,几乎全部执行着对抗马克思主义的那样理论的任务。马赫哲学,是其中的一种②;它妆作人类思想的最新发现而出现,自以为根据科学解决了来哲学体系的一切"可诅咒的问题"。马赫哲学,与当时其他的体系同样,在客观上,是马克思主义的反对物。

波格达诺夫和一般俄国的马赫主义者们——巴查洛夫、尤休客菲奇、俾尔

右侧注:

机械论造作自然生长性的哲学

观念论的新妆出现的时代背景

马赫派哲学即新妆的观念论

---

① 1935 年 6 月版将"来置换"改译为"去代替"。——编者注
② 1935 年 6 月版将此句改译为"马赫哲学,是这样哲学中的一种"。——编者注

曼及其他——,企图把马赫哲学与马克思主义相结合。(页边注:马赫派对于唯物论的攻击)

首先,他们把马克思主义拿在他们手中,使它转变为观念论那样的"深化",而对马克思的唯物论实行斗争。马赫主义者对于马克思的唯物论所加的主要反对,在于说唯物论不是科学的,不根据于经验而无批判地承认了物质的事物存在着的那个前提。依马赫主义的意见,在经验上所获得的我们的认识,没有给予我们以任何理由,使我们可以承认在意识的"限界的彼方",在"意识之外",还有某物的存在。马赫主义者说,承认物质存在于意识之外的唯物论者,容认某种经验以外的决然不能被认识的某物,因而为巴查洛夫所说,唯物论者造出了什么样的①物神和偶像,什么样的②"神圣的物质"。

马赫哲学
脱胎于主
观观念论一切这样的哲学,都被它的创始者及后继者,作为科学思想最新的言词,科学的最后成果而宣传了。但是伊里奇在 1908 年出版的《唯物论与经验批判论》之中,证明了这一切"最新"的见解,实是 200 年前英国哲学家巴克列和休谟所已述过的东西。

马赫的"最新"哲学,不过是巴克列和休谟的古旧哲学的新妆。马赫主义者使用着曾经被巴克列在其与唯物论斗争中所使用过的相同的武器,来与马克思主义相斗争。

巴克列的
主观观念
之本质巴克列哲学的本质,在于下述一点。即,他认为,我们所认识的一切事物,不是在我们的感觉的组合以外的任何东西。

巴克列主
张物即是
感觉巴克列这样写着:"试考察人类思维的对象③,谁都明白:这些对象或是现实地被印刻于感官之上的观念,或是由于注意于感情与心的作用而被知觉的观念,最后,或是依记忆及想像力的帮助而被形成的观念。由于视觉,我得到具有种种程度和变化④的光和色的观念。由于触觉,我知觉软硬、冷热、运动及抵抗,……嗅觉给我以香,味觉给我以味,而听觉传送声音于心中。而且,因为这些观念的几个互相伴合而被观察,它们就变得可用一个名词去概说,因而

---

① 1935 年 6 月版将"什么样的"改译为"某种"。——编者注
② 1935 年 6 月版将"什么样的"改译为"某种"。——编者注
③ 1935 年 6 月版将此句改译为"查考人类思维的对象的人们"。——编者注
④ 1935 年 6 月版将"变化"改译为"差别"。——编者注

可被想象为一个物。譬如,把某种一定的色、味、香、形态与硬度等集合在一块儿去观察,它们就被看作用苹果的名词去表现的一个特殊的物。同样,别的观念的集合,各自地构成一个石、一株树、一本书及其他被感觉的物……"。

这样,依着巴克列,所谓物就是感觉。但是,这里发生了问题,即这个物是否存在于我们之外呢? 这问题,在巴克列看来,是无意义的。若果物就是感觉,他必引出结论说,①这感觉如没有意识就不能存在,这②是自明的事情。所谓"存在"这名词,意味着什么? "现在我在它上面写着字的桌子,我说是存在的。即是说我看见它,并且感觉它。并且,即令我走出了这屋子,③如果我曾在这屋子住过,那么,④在我会知觉那桌子的意义上⑤,可以说桌子是存在的……"但是物离开了感觉为什么也存在着呢? 这在巴克列,是全然不可解的。他说:"存在就是被知觉"。巴克列断然否定唯物论的主张——我们的感觉是由于存在于我们之外的物质的自然所唤起的主张。他断然否定任何物质的存在。在他看来,所谓物质就是无,就是空虚的抽象。他讥讽唯物论者说:"诸君如以为这样想是可以的,诸君就不妨在他人使用'无'这个字眼的相同意义上,去使用'物质'的字眼"。

这样,依着巴克列,只有主观的感觉存在,只有各个的知觉存在。物质的事物之世界全体,只是人类的心或精神的创造物。于是巴克列便在我们面前出现为主观的观念论者。因为他认为一切存在物都依存于主观,依存于"人类"的知觉,依存于各个人的意识。

巴克列所课于自己的目的,是打破唯物论,证明无神论的破产。

他说:"在所谓物质或有形的实体的学说之同一基础上,建筑了无神论及否定宗教的一切无信心的组织……一切无神论的奇怪体系,都依赖着物质。这个无神论的土基一经掘去,他们的建筑物就全体崩坏了"。巴克列把他的哲学所自课的任务,竟这样公然地宣布了。但是,当他去实现这个任务时,他

巴克列的
主要目的
——救神

---

① 1935 年 6 月版删除了"他必引出结论说,"。——编者注

② 1935 年 6 月版将"这"改译为"他的这样的结论,"。——编者注

③ 1935 年 6 月版此处添加了一个"但"字。——编者注

④ 1935 年 6 月版删除了"那么,"。——编者注

⑤ 1935 年 6 月版将"在我会知觉那桌子的意义上"改译为"我会知觉那桌子,在这种意义上"。——编者注

陷入了深的矛盾。当他设想物质不是实在的,而只是一般概念时,那就不能不说,神也同样不是在感觉上被给予的,神也是一般概念,因而神也不是实在的。这个结论,在对抗唯物论而拥护神及宗教之利益的哲学家巴克列说来,实在是出乎意料之外的。固然,他自己当然没有作出这样结论。巴克列与他自己的哲学之当然的归结相反,而承认了神。他用他那一派的老腔调,坦白的提起他与唯物论分离的根本问题。他说:"我与诸君(唯物论者)同样地主张着:因为我们蒙受从外界来的影响,所以不能不容许(我们的)外部的力的存在①,容许属于与我们相异的存在者之力的存在。但是,在这个有威力的存在者是什么种类的问题上,我们分开了。我主张它是心灵,而诸君主张它是物质……"

巴克列的哲学,如果一贯地引申到最后,就导入于不合理的结论。实际上,如果一切事物只在被各个人的意识所知觉的范围内才存在,那么,没有意识,世界即失其存在了。如果一切事物只在我的意识所知觉的范围内才存在,那么,就会变成在我生以前没有自然,在我死以后也没有自然了。这种结论之不合理,是一目了然的。固然,巴克列自己没有作出这样的结论,正如他没有作出神是不存在的那种结论一样。他所以建立这样的哲学,是因为要救出神,要对抗唯物论及无神论的攻击,来防卫神。

休谟的怀疑论

巴克列率直的否定了感觉以外有物质世界的存在,否定了心灵以外有物质的存在,这在前面已经说过了。这里又有一个与巴克列同时代的英国哲学家休谟(1711—1776),也得提出来说说。休谟的哲学,也是观念论的。他的观念论的思想,虽然不像巴克列的那样决定,而大致却是相同。他用新的"论证",加强了对于唯物论的批判。休谟从与巴克列相同的立场出发,完全怀疑基于承认物质世界及因果关系的存在而成立的科学的结论。休谟知道,如果没有物质、时间、空间、因果性等类的概念,科学便不能进行;他又知道科学的论证及其发现,以承认物质的存在及物的因果关系的存在为基础。如果对于世界中因果关系的存在的确信一旦动摇时,科学建筑物的全体就要开始崩坏,科学所依据的基础就会不稳。于是休谟就企图把怀疑物质、时间、空间、因果

---

① 1935年6月版将此句改译为"由于某种东西从外界作用于我们这一点,不能不容许在(我们的)外部的力的存在"。——编者注

性的存在的那种任务,使自己的读者接受。休谟的哲学所以说是怀疑论,即在于此。

休谟认为我们在经验上只得到感觉,由感觉造出物的表象。这些表象互相联结,就造出空间或因果关系那样的概念。但是,在这些概念的彼方,实际上有没有实在物存在呢?固然,如果信赖经验,经验就证明外界的存在;但是,经验既是由感觉和表象所造成,那就如何能够信赖经验呢?在这里成为问题的,就在于说明能否由经验上所获得的感觉去推论物质及因果关系的存在。经验给予什么?依据休谟,经验譬如给我们以电光的表象,但是关于电光的原因及其规律性,经验能够给予我们吗?我们看见石块下落,但经验能够给我们以关于石块下落的原因的知识吗?休谟说:当然,那是不能够。经验只给予一种现象从他种现象继起的知识,而不能给予这些现象间的内的联结或因果关系。照这样,物与物之间,不是就没有因果关系吗?休谟并没有这样说——如果这样,就是显明的否定科学。他只是对科学的意义怀疑。他想,科学当然是必要的。没有因果关系,科学固然不能进行;但并没有设想因果关系是我们独立的客观存在的实在物之必要。因果关系是我们的习性,是我们的本能。我们有把各种事情相互结合的习惯,因而可把某种现象看作他种现象的原因。我们重复地观察各现象的联结及相互作用时,就可以从其中引出因果关系,探求这因果关系的法则。然而,原因并不是客观的。原因只是我们精神作用的结果,依休谟的见地,我们相信空间及因果性的存在,是有纯粹心理的根据的。

①巴克列及休谟的哲学,是当作对抗机械论的、形而上学的唯物论的武器,当作与封建制度缔结同盟的布尔乔亚之理论,而成长起来的。但是现代主观观念论者们的哲学,却是对抗普罗列达里亚的意德沃罗基的理论的武器。晚近的马赫主义,求媚于科学,自称是依据无任何偏见的,只基于经验的原理,把科学的命题设置公平的基础,借以博得小布尔乔亚思想家的欢心。这些小布尔乔亚的理论家们,欣然采用马赫哲学之"实务的"而且经济的地方,不知不觉的牺牲唯物论,不知不觉堕入罗网,而倾向于不可知论,即倾向于所谓客

休谟的经验论

马赫主义是巴克列及休谟的哲学的新妆

———————————

① 1935 年 6 月版在段首添加了"前面说过,巴克列及休谟的思想,在 19 世纪末叶到 20 世纪开始,又复活了。"——编者注

观世界不能认识的命题。在1905年革命后的反动时代,曾经是多数党而且是机械唯物论者的波格达诺夫,也陷入了这个罗网。它受了巴克列和休谟的强烈影响,变更唯物论,站在主观观念论的立场。在这个转变以前,波格达诺夫曾认定感觉是外界物质加于我们感官的作用,但在这个转变以后,他用马赫的言词说话了。马赫否定物质及物质的自然之存在。马赫说,唯物论是拜物教,因为它容忍在我们的经验之外,还有某种外的物质世界的存在。又据波格达诺夫看来,一切我们所知道的事物,只是在经验上知道它,我们不能超出于经验的限界之上。波格达诺夫对唯物论实行公然的斗争;他以为马赫的"最新"哲学,完全打破了所谓物质是离意识而独立的客观的实在那种"陈腐的"主张,马赫及其后继者(包括波格达诺夫在内),都认为自然科学对于物质是存在的那主张,并没有给予根据。他们说,在自然科学上,只有感觉与感觉的联合,在这感觉以外,并没有什么物质。伊里奇说:"马赫自称'发现了'所谓红、绿、硬、软、音、长及其他等等的'世界要素'。于是我要问:当人看见红色,感觉硬度时,客观的实在是不是对那人给予着呢? 这个非常陈旧的哲学问题,竟被马赫所瞒混了。如果说客观的实在没有被给予着,你与马赫就不可避免地陷入主观论及不可知论,如果说客观的实在是被给予着,那么,为这个客观的实在的哲学概念就有必要,而且这个概念在古昔就已作成了。这个概念,就是物质。物质是表示在感觉上被给予于人类的、离我们感觉独立存在而又为我们感觉所复写所摄影所映像的那个客观的实在之哲学的范畴。所以,如说这样的概念是'陈腐的',那便是小孩的胡说,是流行的反动哲学的议论之无意义的反复。"

马赫哲学
的内容

马赫以克服那支配着自然科学的唯物论为自己的任务。他夸张地说,唯物论与观念论的论争一般的已经陈旧了,两个流派都在认识过程外承认某物的存在,而超出于我们的感觉的界限以上。依马赫的意见,仅仅应当从经验的"要素"出发。这所谓"要素"一语,在许多幼稚的"哲学家"看来,好像是解决唯物论与观念论之永久论争的新发现。但是,伊里奇明白地证明了,马赫对于那个分哲学为两个阵营的哲学上的根本问题,一点也没有排除。马赫之所谓"要素",是与感觉相同的东西。马赫说一切存在物都是"要素的复合",因此认定一切存在物都是感觉。这只是重述200年前巴克列的话而已。马赫以为物的要素与心的要素之区别是假定的,因为一方如没有他方亦不存在。换言之,马赫所叫作物的东西,是与感觉相同的东西。所谓物的要素与心的要素之不可分的联结那种观念,是哲学家阿芬那留斯①——马赫举为引证的阿芬那留斯,所开始说明并建立基础的。阿芬那留斯造出了所谓"原理的同格"的学说。"这个学说的纲要,是'我与环境之不可分的同格(即相关的联结)'的命题"。换言之,在"原理的同格"学说上,阿芬那留斯是这样主张的:我——我们的意识——与环境随时都相互的关联着,因此,无论任何一物,如果不与关于这个物的意识在一块,或不通过那个意识,就不能表现出来。一切这些理论,如后所述,并不含有对于唯物论的任何克服。因为马赫主张人类不能与意识断绝关系,而一切客体都与意识一同被给予着,所以他是观念论者。马赫虽想避免唯物论与观念论的"一面性",而实际上却宣传着主观观念论。马赫虽以为自己是素朴实在论者,而其实他不过把哲学的根本问题弄得混乱罢了。

伊里奇暴露了马赫的混乱。他说:"这种哲学名为根据并且拥护素朴实在论,实在是非常粗劣性质的诡辩。没有走进疯人院、没有做观念论哲学家的弟子的,一切健全者的'素朴实在论'就在于承认物与环境与世界,是离开我们的感觉、离开意识、离开我们的自我及人类一般而独立存在的。我们的经验(不是马赫主义意义上的经验,而是这句话的常识的意义上的经验),使我们怀抱坚固的确信:即,他人是离我们而独立存在的,并不单单是所谓高、低、黄、硬等我的感觉复合独立存在。那同样的经验,又使我们怀抱物与世界及环境离开我们独立存在的确信。我们的感觉、意识,不过是外界的肖像。肖像没有被模写的东西,不能存在,然而被模写的东西却离开模写者独立存在,那是自明的事实。"②恰如一切主观观念论者那样,马赫也害怕从自己的哲学引出一贯的结论——全世界只存在于我的头脑中,那种唯我论的结论,而不能不陷于混乱。伊里奇说:"用要素一语作出来的技巧,不消说,是非常可怜的诡辩……如马赫,阿芬那留斯,及其他一切经验批判论者所主张的那样,要素是感觉吗?——如果是的,那么,绅士诸君! 你们的哲学只是想用比较客观的术

马赫哲学的混乱

---

① 本书中亦译为"亚芬纳流斯"。——编者注
② 《唯物论与经验批判论》。

语所做成衣服,去隐蔽裸体的观念论。或者,要素不是感觉吗? ——如果那样,你们的一个新名词,就完全没有意义,因而只是用空洞无聊的东西,妄自夸大而已。"①

波格达诺夫也抓住了这空洞无聊的东西。自称马克思主义者而站在马赫的立场的其他许多人,也被这种东西所迷惑。不过波格达诺夫没有全然重复马赫的语句。他不单是马赫主义者,并且是依据马赫去补助马克思的哲学家,所以他造出了他自己的理论,要建立物与心的区别。他虽赞成所谓物与心是和感觉相同的马赫的意见,却排斥"形而上学的"物的要素观,即排斥对于物质的事物的容认。波格达诺夫所重新添加的东西,就是主张社会的实践——他把它解作社会的集合意识——是物质的,是客观的。这样,我们的意识——经验的要素,在这一点,不是心理的也不是物理的,不是主观的也不是客观的。当经验的要素出现于各个人之意识中之时,它只有主观的意义,它是心理的。反之,当经验的要素出现于多数人或集团的意识中而一致之时,它是物理的。因此,波格达诺夫当作物理的东西解释的,并不是在我们意识之外离我们而独立存在的东西,乃是与意识相同,与"感觉复合"相同的东西,并且它不是出现于一个一个人的意识中是这样,乃是只在集团意识中出现时才是这样的。所谓物理的东西,是与集团意识相同的,或用波格达诺夫的表现来说,是与人类社会的组织相同的。波格达诺夫,把在这种意义上的物理的东西,称之为实现②的。

波格达诺夫说:"物的世界之客观性,在于那个世界不是对我一个人存在,而是对一切人存在;并且据我的确信,对于一切人也和对于我一个人一样,都有一定的意义"。所谓物的世界之客观性,就是它的普通妥当性。但是宗教的主张,或农民以及落后的人民相信有树妖家鬼的迷信,也具有过普通妥当性,现在也还是有的。照波格达诺夫的意见,这一切东西都是存在的吗? 波格达诺夫自己觉悟到这样结论的不合理。想要证明树妖那东西,并不包含于社会的组织了的经验,即客观的经验之中,所以它不是客观的存在的东西。但

①　《唯物论与经验批判论》。
②　1935 年 6 月版将"实现"改译为"客观"。——编者注

是,树妖一类东西却为一般人所承认,占世界人口大多数的农民也都认定它,为什么它不被包含于客观的经验之中呢?加特力教会的寓言,在有些地方,现在还为一般人所承认,为什么它不被包含于客观的经验之中呢?波格达诺夫虽然想要和宗教斗争,而实际上却为宗教大开门户。因为他的关于真理客观性之观念论的学说,容许了宗教的故事和传说的客观性。

如果自然不离意识而独立存在,科学的任务就被限定,这是十分明白的——即科学不须说明各种现象何以发生的理由,也没有暴露现象的内在的规律性之必要,只要把这些过程解消于"社会的组织了的经验"之中,或者尽可能地简单地并且便利地把这些的过程加以记述就够了。从这里出发,那归结于所谓"思维经济的原理"的马赫和波格达诺夫的全哲学的方法论上的提纲,就发生了,这种原理的归结,就是:科学不从存在的东西出发,而从那种互相调和的思维体系所构成的基础上最经济的东西出发。阿芬那留斯就用这种思维经济的原理,建立了他的"要素"论的基础。

据波格达诺夫的见解,与其承认自然及反映自然的意识之客观的存在,不如把世界当作主观的感觉即当作要素的总体去思维,比较是经济的。马克思主义主张我们认识的根底中,存有实践;而波格达诺夫却承认我们的认识根底中,必须有"经济"的原理,即某种主观的东西。马克思主义与波格达诺夫哲学之间,有原则上的不可融合的差异。伊里奇指摘这一点说:"把原子当作不可划分的东西去思维,与把原子当作阴阳的电子所构成的东西去思维,究竟哪一方面是'经济的'?把俄国布尔乔亚革命当作由自由主义者所实行的去考察,和把他当作对抗自由主义者所实行的去考察,究竟哪一方面是'经济的'?只要提出上面的问题,就可以充分看出:把'思维经济'的范畴,应用于这样的场合,是愚笨,是主观论。人类的思维,只在正确地反映客观的真理时,才是经济的;而可以供作这种正确的规准之用的,是实践,是实验和实务。只有否定了客观的实在时,即否定了马克思主义的基础时,才能够率直地说起认识论上的思维经济。"

波格达诺夫未尝不想把思维经济的原理和实践结合起来。他说:"思维经济的原理,在它不与真理的客观性相矛盾,不与集合的经验,实践上的真理的一致相矛盾之时,才有意义"。但是我们看到,他所说的实践与马克思和伊里奇所说的实践,内容不同。在他说来,实践和意识相同,和"感觉的复合"相同。他对于在观念论上的解释了的实践,添加了社会发展过程上的根本意义。依波格达诺夫的意见,社会的实践与诸要素的混沌相对立。这种社会的要素,是由社会的实践,社会的动作所构成的物质。他说:"社会的实践是克服物质的抵抗,克服'世界'要素的抵抗的东西"。经验要素或实践的动作,克服物质要素的动作。但社会的实践的动作,克服与它相对立的要素的混沌之过程,是怎样发生的呢? 波格达诺夫在观念论上解决这问题。据他的见解,实践不外是组织我们意识的活动。他以为改造了的物质,也是感觉的总体,所以实践的动作全体都发生于意识之中。

波格达诺夫从思维经济的原理出发,探求了组织我们意识的最经济的形式,探求了对全部知识领域都一样有用的形式。

波格达诺夫建设一种具有支配全部知识领域的原理的科学,去代替认识物质的自然之各种特殊性领域的运动法则的多数科学。为解决自然与社会的一切问题,只要知道"一般组织学"的原理就充分了。在他看来,自然及社会的一切现象,都包含在分离与结合、均衡与扰乱等形式上一般的图式之中。于是,图试论就具有真正的普遍的性质。

那样的图式论与辩证法不相容,是十分明白的。波格达诺夫口头上虽然称赞辩证法,但他却把辩证法放弃,而用后来布哈林及其他机械唯物论者所迷恋的那种机械论的理论,来代替辩证法。

马赫主义的哲学,尤其是波格达诺夫的哲学,在俄国曾经发生了显著的影响,是使得它的信徒们冒犯许多政治错误之理论的根据。伊里奇为"希望绝灭"这种理论,和它战斗过。伊里奇暴露了这种哲学之观念论的性质及折中主义,暴露了它的不彻底及其用响亮的"右翼的"的语句所隐蔽了的反动性。波格达诺夫之反动的观念论哲学,使得他在理解阶级斗争的战术时,犯了许多错误:那些错误终于使得他被排除于党外了。他在反动时代曾经与别的社会民主主义者组织一个团体,那个团体为了要求撤回第三次国会的议员,被称为"撤回派";又因为他们所发行的论文集书名,得到了"前进派"的名称。他们在政治上,要求把与革命时代相同的战术,应用于反动时代,以为在合法的劳动团体中活动,就是背叛革命。波格达诺夫的观念论,把意识的组织当作唯一能动力看的他的学说,在这一点间接地表现出来。他以为党应该应用革命期中相同的方法,组织大众的意识。诚然,客观的条件变了,革命失败了,党被破坏了;至于客观的现实,波格达诺夫却以为只是"组织了的经验"。"左翼的"言辞,机械的思维,观念论——这是撤回派战术基础的原理。

这同一观念论的机械论的原理,变成了波格达诺夫在十月革命后高唱普罗列达里亚文化建设那种思想的根底。据他说,所谓文化是"组织了的经验",普罗列达里亚与布尔乔亚的方法不同,要自己去组织经验,所以普罗列达里亚在革命以后,应该立刻完全抛弃布尔乔亚的经验,从而着手创造普罗列达里亚独特的文化。他对于这问题的见解的错误,是直接从他的观念论和相对真理论发生的。普罗列达里亚放弃布尔乔亚的真理,建设自己的真理——这是何等革命!但是布尔乔亚的文化,不单是他的"意德沃罗基",并且是技术与科学的全部成果——没有它,普罗列达里亚就不能建设社会主义——,这种事实究竟是怎样的呢?据波格达诺夫的意见,这是"陈腐的唯物论的文化论,因而又是拜物教的文化观"。伊里奇在 CY 同盟第三次大会的演说中,曾指出了波格达诺夫的普罗列达里亚文化观是观念论的,是小布尔乔亚性质的。普罗列达里亚所建设的文化,是从来人类实践全体的结果;这种文化,根据马克思、恩格斯、伊里奇的理论,利用布尔乔亚文化中一切有价值的东西。

第五节　康德及马克思主义之新康德主义的修正

马赫主义虽说是观念论哲学之"最新的成果",但如上所述,它与 18 世纪主观观念论并无不同之点。除了波格达诺夫用马赫主义去补足并修正马克思之外,同时,又有一种修正马=伊主义的更巧妙的形态,即想用最新观念论的理论去补足马克思的那种更加巧妙的形态。这种马克思主义的修正形态,就是几乎支配着全部社会法西斯特理论家的新康德主义的修正。新康德主义修正的主要点,在于否定物质界的存在,并从一种与马赫派不同的根据出发。这种哲学,把历史过程看作是永久不变的道德原理渗透大众之中而抓住了大众的结果。据新康德派的意见,劳动阶级从这种道德原理出发,逐渐实现新的"公正的"社会秩序。这种"甜蜜的理论",其目的在于借口革命的方法是不道

新康德派
的企图

德的,因而要阻碍普罗列达里亚用革命的方法去变革社会制度。新康德主义,与建立革命必然性的辩证唯物论,拼命的斗争,新康德派的哲学,是近代自由主义的理论,是妥协的哲学。自由主义的布尔乔亚借口拥护高尚的超阶级的道德原理和普罗列达里亚的利益,掩护自己去提倡这种哲学,但事实上,却把一切阵地献给教会与托辣斯资本的富豪们。

新康德主义者,与隐蔽自己哲学系统的马赫和波格达诺夫不同,并不掩饰他们的"最新哲学"是彻底根据于18世纪末叶德国哲学家康德的。康德,是18世纪末到19世纪初,德国观念论哲学家各明星中之最初的哲学家。这些德国哲学家的功绩,在于处理了观念辩证法的诸问题。黑格尔是他们当中之最后的最大的代表,在观念论的基础上,创造了辩证法的体系。"古典的"德国观念论哲学,是被当时德国的经济政治状态所决定的。德国布尔乔亚的发达之比较落后,以及他们之依存于封建制度,规定了他们对布尔乔亚革命的态度之二重性。德国布尔乔亚,一方面梦想革命,梦想废除封建的桎梏;另一方面害怕革命,投靠于封建领主,而与他们妥协。

当法国革命勃发时,德国的布尔乔亚最初起而仿效,但到了法国恐怖政治出现,革命大众开始自己的革命之消息传到德国时,他们就开始退缩,要和反对派妥协了。

想和封建制度及教会相妥协的倾向,成为康德(1724—1804)的折中哲学,而特别强有力地表现了出来。康德的根本特征,是"使唯物论与观念论融合,使二者相妥协,使形形色色相反的哲学流派,结合为一个体系"——伊里奇。

康德与休谟一样,以为我们的感觉,没有普遍的性质,并不包含一切物的内的必然性与其关联,所以单只感觉还不能给我们以确实的知识。但康德并不停止于这种怀疑的结论,还希望把科学的可能性建立基础,探求认识之普遍的关联及其内的必然性之源泉。他在悟性的能力中,发现了这种源泉,依康德,所谓"物本体"的某一世界是存在着。"物本体"用某种方法,作用于我们意识,但对于"物本体"的世界,我们什么也不知道,并且不能知道。"物本体"是不能认识的。只有现象,只有在我们的感官上给予我们经验,是能够认识的。但我们的认识形式,不依存于经验,反而经验依存于认识形式。我们的认识形式,在经验以前存在,或如康德所说,它是先验的,我们的知识就依存于它的活动、它的动作。照这样,我们的知识可以说是感觉与构成感觉的认识形式的结合。时间与空间,都是一切感性的知觉之先验的形式。何以言之,因为康德说,时间空间不依存于经验,而是一切感性的知觉之必须条件。论理学的范畴、质、量、因果性、目的等,在康德看来,都是构成科学的认识之必须条件那种论理的认识之先验的形式。

康德的折中主义

康德的折中主义,他的不彻底以及混合观念论与唯物论,正在于此。"康德,当承认在我们之外的某种东西、某种物本体照应于我们的表象之时,他是唯物论者。在宣言这种'物本体'是不能认识的,是超越的、彼岸的东西之时,康德表现为观念论者"。

康德的先验的时空论

康德的关于物本体及先验的认识形式的学说,在 19 世纪的自然科学上,发生了不少的影响。时间空间及因果性,认为是不依存于经验的先验的认识形式,这种学说,被许多物理学者所采取了。在他们看来,时间空间不是与意识相分离并从意识独立存在着的物质的自然之实在的存在形式,而只是认识的形式、认识活动的结果。几何学者们把空间看作不依存于经验的纯粹的先验的形式而观察了。这种时空论,其目的在于怀疑物质界之存在的确实性,怀疑物质界被认识的可能性。至于唯物论在根本上①与这种时空论相决裂了。把环绕我们的世界,作为我们直观的形式——时间空间之活动的结果;这种观念论的主张,唯物论是不能同意的。唯物论承认物质不是由意识发生的,物质是作用于我们感官的客观的实在,从而②承认空间时间也不是认识的形式,而是客观的存在着的自然之实在的形式。伊里奇说:"在世界中,运动的物质以外,什么也没有。而运动的物质,在空间及时间以外,不能运动。"恩格斯也同样地说过:"一切存在的根本形式,是空间和时间。时间外的存在,与空间外的存在,同样是极不合理的。"

几何学不是关于认识之纯粹形式的学问,乃是为面积及物体测定之必要上而发生的关于客观的空间的学问。只有在布尔乔亚所颠倒了的意识上,几

---

① 1935 年 6 月版在此处添加了一个"却"字。——编者注
② 1935 年 6 月版将"从而"改译为"因而"。——编者注

何学才能变成没有实体的、失却了实在性的纯粹思维的抽象。

时间空间并不是认识之永久不变的形式。人类关于时间空间的表象，为社会的实践的发展所决定。古代印度人的空间表象把宇宙看作是骑在龟上的三头象所支持的巨大的物体；和这不同，德谟克里特的空间表象，却把宇宙在空间中区分为"上部"和"下部"。牛顿的空间表象，把空间看作静止的绝对的空箱，和这不同，爱因斯坦的空间表象，却把空间看作依存于运动的物体的速度之某种东西。

康德哲学的缺陷在何处①呢？所谓"物本体"是不能认识的那种思想的错误之点，在何处②呢？这，主要的是由于康德在认识过程上把主体（意识）从客体（物本体）割断；其次，由于他断定物本体是不能认识的。然而，意识是不能从其对象割离的。对象作用于意识；意识用意识能动地"把握"对象。在对象作用于意识时，对象自身含有本质，而不能不把自己暴露出来。此外，康德把认识作用当作一时的行为去观察，而不把它当作历史的过程——物，逐渐被认识，逐渐暴露其本质——去观察。人类在社会的实践中，变更物质，同时认识物质。昨日是"物本体"的东西，今日在社会的实践过程上，变成被认识了的东西。挥发油在最近以前，还是不能认识的"物本体"，然而，现在已成为被认识了的东西。这因为技术和化学的发达，不但明晰了石油的化学成分，并且能够用人工从石炭中把石油再造出来。阿里查林在最近以前，还是不能认识的物本体，然而现在已成为我们之物了，这因为人类已经学得了用化学的再制方法，把它造出。从前许多人虽说认知了物质的原子构造，但那只是假说或前提，直至③最近以前，原子还是"物本体"，直到现在，它就变为我们之物了。现在，人们已能把原子照相，把原子分解，研究它的内部构造及其运动法则等。

康德的折中主义，在他的人类道德论之中，最明了地表现着。康德对于自然的认识虽然是观念论的，但他还承认科学的意义；至于在人类的行为上，康德却以为人类必须绝对服从于神，服从于永久不变的道德律——一切人所应遵守的定言的命令，在人类的行为上，因果律的原理失掉了作用，而道德律开

---

① 1935 年 6 月版将"何处"改译为"哪里"。——编者注
② 1935 年 6 月版将"何处"改译为"哪里"。——编者注
③ 1935 年 6 月版将"直至"改译为"所以在"。——编者注

始生作用了。

带有少数派色彩的观念论者们，虽然批判了康德哲学，而他们本身却没有脱离康德主义的影响，这是明显的。

譬如，他们一面辩明论理的范畴之先验主义是相对的，①一面又把这个范畴的先验主义强调了。

德波林主义者，主张论理的范畴是指导实践的东西，是相对的先验的东西，因而落入了康德的哲学立场。德波林写着，"唯物辩证法引入内的联结于具体的内容之中"；这与康德主张论理的范畴引入秩序于感性的经验②之中，是没有多大区别的③。带有少数派色彩的观念论者们，对于在④认识上的感性的东西与合理的东西间之关系如何的问题，也同样的接近于康德。德波林主义者割裂感性的东西与合理的东西，他们认为人类只受论理范畴的作用而发展为论理的认识的那种纯感性的认识，才是可能的。在这种场合，他们与康德合流了，因为康德是把认识分为感性的东西与合理的东西两个原则上不同的领域的。依照辩证唯物论，感性的认识是在它与合理的认识之统一上，而被观察的。即一方面不基于感性的经验，不为感性的经验所贯通的论理的思维，是没有的；另一方面，不具有论理的要素之人类的感性的经验，也是没有的。在人类实践的发展中，感性的东西与合理的东西之间的统一显现出来，二者之分离就被论破了。

德波林主义者没有理解伊里奇的反映论。他们批评了普列哈诺夫的象形论，但在这个问题上，他们没有切断普列哈诺夫的传统与方法⑤。

他们不把认识论和辩证法相联结，而个别⑥地去研究，因此，他们把主体与客体、思维与存在之关系如何的问题，在形而上学的精神上解决了。对于这个问题，他们中有些人落入于照应论，有些人甚至于到达了含有不可知论的要

---

① 1935 年 6 月版此处添加了一个"而"字。——编者注
② 1935 年 6 月版此处添加了"的混沌"三字。——编者注
③ 1935 年 6 月版将"是没有多大区别的"改译为"没有多大区别"。——编者注
④ 1935 年 6 月版删除了这个"在"字。——编者注
⑤ 1935 年 6 月版将"他们没有切断普列哈诺夫的传统与方法"改译为"却没有抛却普列哈诺夫的传统"。——编者注
⑥ 1935 年 6 月版将"个别"改译为"独立"。——编者注

素的结论。

在带有少数派色彩的观念论者,特别是德波林①,可以看出他们在对康德的批判上,企图强调康德的辩证法②。其结果,不是批判康德,而是替康德辩护。德波林在康德的初期著作中去探求辩证法;但在这些著作中,康德没有跳出机械论的限界以外一步,实际上与辩证法没有什么关系,只是展开了两极论或相反之力的冲突论③。

带有少数派色彩的观念论者们,对于康德所作辩护的检讨④,其结果,⑤康德哲学的批判,借伊里奇的话来表示,不是从左方去批判的,而是从右方去批判的。亚斯姆斯对于主观观念论者费希特所加于康德的批判,完全赞同并且采用它。费希特对康德感到不满的地方,就是嫌康德是不彻底的观念论者,并为唯物论留下了某种去路。

第六节　新康德主义

新康德主义是社会法西斯特的理论的武器

　　现代的社会法西斯特们,追随于康德的定言的命令和他的伦理论。他们创造了修正主义的一个特别变种,即劳动阶级的新康德主义的背叛论。康德的哲学是二元论的,是二重性的,他把统一的世界分裂为两个不统一的世界,即物本体与现象、存在与意识、合法则的自然与对于神的义务所支配着的世界。康德哲学是很适宜于作为布尔乔亚和封建领主相妥协的武器。它在现在,结于社会法西斯主义的思想家或领袖们,也是便利的武器。

新康德主义发展了康德的实践理性

　　康德在他的哲学上,划分宗教与科学的活动范围,以融合两者为任务,他把自然科学的领域,委之于科学;把一切人类的活动,人类的实践之全领域,委之于信仰。康德在自然科学上虽然逐出了神,而在社会科学方面却完全崇拜

---

① 1935年6月版此处添加了"一方面"三字。——编者注
② 1935年6月版将"企图强调康德的辩证法"改译为"想力说他的辩证法"。——编者注
③ 1935年6月版将"实际上与辩证法没有什么关系,只是展开了两极论或相反之力的冲突论"改译为"实际上只展开了与辩证法无关的两极论或相反之力的冲突论"。——编者注
④ 1935年6月版将"对于康德所作辩护的检讨"改译为"对于康德作了那样辩护的检讨"。——编者注
⑤ 1935年6月版此处添加了"所谓"二字。——编者注

了神。康德哲学中这种二重性,因新康德主义而深化。新康德主义发展了康德哲学的第二部分,即用信心贯彻了的实践理性。

新康德派,站在康德之观念论的立场,为着和马克思主义作更有效的斗争,把康德越发向着观念论发展。康德的"物本体",在他的时代,是当作物质界看的;而新康德派却放弃了这种见解,因为这种见解,阻碍康德主义成为在观念论上欺骗大众的武器。新康德派的"物本体",变成了论理的"限界概念",变成了认识虽然向着它却决不能到达它的东西,即不受自然法则所支配的神秘的东西。照这样去把康德变为宗教与蒙昧论的公然的奴隶,是新康德派修正主义者特别热心的工作。在这方面特别显著的,是亚德勒。他说:"形而上学不是伪造物理学,而是承认物理学。它替没有灵魂的东西加上灵魂,它通过物理学,而看到物理学所不能看见的远方的某种东西。"这样,物本体就变为在远方的某种神秘物了。

在康德本人,物本体世界与现象世界,表现了他的二元论,他的不彻底的观念论;而新康德派却要把康德变为十足彻底了的观念论者,去修正他。这种修正,和机械论者的情形完全相同,是借口我划分哲学为唯物论与观念论是已经陈腐了的这种见解来实行的。例如佛伦达以为思维与实在之相互关系的问题,不是如恩格斯所提起的那样,即不是一般的"一切哲学上的大的根本问题",而只是"中世纪的议论纷纷的遗产"。亚德勒更巧妙地说,"通过存在而规定思维,只是研究的方法"。老叛徒伯伦斯泰因这样说:"在社会民主主义者方面,攻击唯物论的新康德是必要的"。新康德派全体方面的创始者柯亨,①把康德的观念论充分地发展起来,不仅包括了道德世界,并且包括了自然全体;这自然全体,通过柯亨,就变成数学关系的世界了。柯亨的许多后辈,都想把这种思想,贯彻于各种科学之中。

新康德派自鸣得意的地方,是社会关系的方面。他们的使命,即在于证明:社会关系不是物质的;社会关系不像自然现象那样,受客观的法则所支配;在社会方面,神与神的意思是支配者。柯亨的弟子们,企图证明马克思的科学社会主义自相矛盾。他们不断地攻击史的唯物论,因为史的唯物论主张社会

─────────

① 1935 年 6 月版此处添加了"在其哲学上,"。——编者注

受严格的规律性所支配。譬如,资本主义从封建制度的矛盾中必然的发生出来,复因其内的矛盾的结果,同样要必然的没落。因此,新康德派大叫道,如果社会受那样严格的规律性所支配,如果社会中的一切都是从必然发生的,那么共产主义者为什么去造党,去运动,去组织呢? 共产主义者,尽可坐着不动,等待资本主义命运告终,反正它必然要消灭的。人们没有组织月食促进党的必要。接着,他们作出了结论说,马克思主义是错误的;实际上支配社会的,是理想与观念,不是像自然科学的法则那样的法则。

新康德派把马克思、恩格斯所发展的历史过程之辩证法的规律性,当作机械的规律性,甚至当作宿命论——所谓运命之不可避免性——同样看待;这一点在这里无须证明。他们对于社会的规律性的批判,不是反驳辩证法的唯物论,倒是反驳他们自己在事实上固执着的机械论的世界观。马克思主义不但不否定人类的活动,反之,人类之社会的活动,社会的实践,构成着马克思主义哲学的根底——历史过程的规律性,是通过社会的实践,即通过人类为达到自课的目的所实行的活动,而实现的。

人类是一种特别的生物,他与自然相斗争,他加入阶级斗争。他在社会生活上作有意识有目的的活动。但人类的意识,受社会的规律性的支配。人类的意识不是他们的自由意志的结果,而是受一定经济构造的发展法则所支配的。然而新康德派,硬说马克思主义者把人类看作失掉了动作的机械人;而在他们对马克思学说的曲解与普罗列达里亚所实行的阶级斗争的战术之间,去发现矛盾。他们说,规律性与活动是互相矛盾的。他们对马克思主义者说,你们不彻底,你们要做"彻底的哲学家",要回到康德,你们要知道理想与道德原理支配着社会。

我们不要以为只有布尔乔亚的新康德派,公然这样地下论断。社会法西斯特的修正主义者们,都忠实地追随于自己的主人。他们同样主张,观念或意思或伦理的理想支配着社会;而把马克思所说社会的存在决定社会的意识那个命题,看作是陈腐而不正确的东西。伯伦斯泰因以为:伦理的要素就是在资本主义的界限之内,对于社会过程,仍旧有大的作用。他说:"意德沃罗基是离开物质利害与阶级斗争而独立发展的。"希尔佛丁也说:"资本主义体系的衰减,并不是由于那体系之内的法则发生,而必须是劳动阶级之有意识的工作。"希尔佛丁从资本主义的矛盾、从阶级斗争,分离出劳动阶级的意思和他们的有意识的活动。俄国马克思主义的变动者布尔加柯夫和斯特鲁勃也重说了同样的话。布尔加柯夫说:"依据马克思主义,个性是由经济利害的线,所织造出的傀儡。明白的,在这种构想之下,没有容许自由的余地,也没有容许创造力的余地,也没有任何人类的实用主义,而只有机械作用支配着一切。"斯特鲁勃同样地叹惜马克思主义否定自由;他用那主张经济要素的影响渐次消失、"全体利害"的意义扩大的新康德主义的甜蜜学说,去代替马克思主义。亚德勒也把规定社会运动的伦理的原理,作出如此的公式:"依照人类对于表现为道德法的意欲之规律性所实现的程度,人类成为地球的创造者,成为地球的改造者。"历史既然受"意欲的规律性"所支配,那么,为什么去研究资本主义经济,为什么去实行激烈的阶级斗争呢? 要改造社会制度,不是只希望一下,梦想一下,就够了吗?

社会民主党鼓吹道德与理想的理论

不说阶级斗争,而说全人类的理想与道德的目的之理论,在社会法西斯特公开的党的文件上,也反映了出来。1921 年,社会民主党的邱里希纲领中,这样写着:"德国社会民主党,是都市与农村的勤劳大众的党。德国社会民主党依照战取民主主义与社会主义的理想与目的的共通性,去结合他们,以期统一用自己劳动生产物生活着的一切肉体劳动者与精神劳动者。"

社会法西斯特的一般指导者们,公然说出用康德的伦理学代替马克思主义的思想。例如,他们的一人克拉诺德说:"社会主义,无论对于企业家或①压迫者,都宣传同胞之爱"。"提倡阶级斗争,就是障碍创造社会主义的车轮"。

新康德派的伦理的社会主义

在阶级斗争尖锐的时代,在革命的时代,社会法西斯特们,却鼓吹道德律,甚至对于压迫者也提倡同胞之爱,借以蒙蔽普罗列达里亚大众的意识。修正主义的无耻,到这里已经达于极点。并且这一切背叛的理论,都假装为科学的外貌。最有趣的,就是伯伦斯泰因式的修正派,站在伦理的新康德主义的立场,大胆非难马克思主义是非科学的,是空想的。伯伦斯泰因在《科学的社会主义是可能的吗》的演说中,宣言马克思主义"不是科学,而是艺术"。所谓马克思主义,是先在头脑中描写出将来的制度,然后把一切的活动隶属于自己所

---

① 　1935 年 6 月版将"或"改译为"甚至于"。——编者注

建立的目的。"所以马克思主义,是某种程度的空想"。这篇演说的意思,在新康德派看来,就是要说明只有普遍的道德法支配着的观念体系,才是社会科学,主张社会过程之规律性的唯物史观,在他们就变成乌托邦。伯伦斯泰因的这种主张,我们不要把它看作是单纯观念的愚顽。它是对于马克思主义斗争的一个方向。其他新康德主义者,如佛伦达、鲁德曼,都重复地作过同样的非难。关于这点,斯特鲁勃也说:"社会主义是社会的理想。它有要求分占空想的狮子之不变的神权。"新康德派的伦理的社会主义,如后面所见,是对于马克思主义的直接的正面攻击。并且它对于普罗列达里亚意德沃罗基的攻击,是用已经试验过的观念论的宗教的方法实行的。

新康德主
义与宗教
的联络

　　新康德派的伦理主义与宗教的联络,全然带有公开的性质。新康德派不否定这个联络,也不隐蔽这个联络。他们倒①把对无神论的斗争,把对神的信仰作成哲学的前提,认为是他们自己的功绩。他们说:神是建立全人类永久不变的道德律之超自然的本体。特别在大战后,当社会法西斯特公然叫唤了对布尔乔亚的恭顺及基督教之爱时,新康德的修正主义者们,也宣言追随新康德派之后,复归于宗教了。在以前,这些修正主义者们认为宗教是私人的事情;现在,他们以为宗教是必要的了。他们说:党,必须"把从新复活着的宗教的风气的势力,灌入于"国民的某阶层之中。为着与教会及中央派的加特力教社会主义者缔结同盟之必要,社会法西斯特们作出他们自己的理论。新康德主义者亚德勒这样写着:"神与灵魂不灭,不外是实际的知识……没有它,我们就不能忍受生活。"②不消说,因为持着这样的态度,在亚德勒及社会法西斯特们的方面,关于阶级斗争及革命理论,甚至于一鳞片爪也看不见了。另一位社会法西斯特的理论家,解释亚德勒的话,努力想缓和他的语气,说:"亚德勒所思考着的神,与旧教会的神完全不同。那只是道德秩序的观念,是人类社会的支配,是被革命化了的神。"这位社会法西斯特的"理论家",很笨拙地去改革神,甚至于想把神化为革命家。然而,这样的事情当然不会成功,这位理论家终于尽了极老练的僧侣的任务,这是十分明白的。可是,亚德勒对于这样对

---

①　1935年6月版将"倒"改译为"个个"。——编者注
②　1935年6月版在此添加了一个"这"字。——编者注

他自己的拥护，一点也不满足。他是更彻底的，他知道新康德主义之认识论上的神与教会的神是相同的，把教会的神化为革命家，是"一点希望也没有"。社会法西斯特，绝不怀疑社会主义之宗教的性质，甚至开始议论什么宗教才是很完全的东西，这真是奇谈！例如社会法西斯特的塞里格曼，在党的公开机关报上写道："宗教永久存在，何以故，因为只有在宗教上所解决的社会与个人的矛盾是永久的"。而且他还认为犹太教是最完整的宗教形态。其他的社会法西斯特们，只要各自遵守各自的宗教就行——于是，中世纪的宗教之争，又在开始。真的，为引开对于阶级斗争的注意，这不是再好没有的方法吗？这样，社会法西斯特们，就与法西斯特的党徒的"思想家"，结成了不可分离的弟兄了。

有趣的是，在苏联，马克思主义的机械论的修正之最有名的代表者之一，亚克瑟洛特，也重复地陈述那种永久道德法的主张。在其对于托尔斯泰创作的批评中，在其对于斯宾诺莎哲学的分析中，她是从永久不变的道德法出发。这位普列哈诺夫的女弟子亚克瑟洛特，曾经对新康德派作过许多的论战；但是，因为她轻视辩证法，因为她的思维是机械的，结局，她陷入了敌人的阵营中，陷入了她毕生所与斗争的敌人的阵营之中。在这一点上，她与普列哈诺夫走了一条路。普列哈诺夫本人虽曾与康德主义相战斗，但是他仍吸取了康德的若干思想，譬如所谓象形论或不可知论，道德及法的普遍法则。

亚克瑟洛特也感染了新康德主义

新康德派哲学及基于新康德主义而作出的马克思主义的修正，在新康德主义者里喀尔特的学说中，表现为另一形态。里喀尔特的学说，本质上和康德主义之二分的二元论哲学相同，但具有若干特殊性。

里喀尔特的新康德主义

与其他新康德主义者同样，里喀尔特也是从对置自然与社会出发。自然界受机械的因果律所支配，而社会受目的活动所支配。其他的新康德主义者，在存在与当为之间，在机械的合则性①与伦理的理想或道德的义务之间，认为是有分裂的②。里喀尔特虽在社会生活方面，也看出了规律性；但依他的意见，社会的规律性与支配自然的那种机械的规律性，是原则上不相同的。里喀

---

①　1935 年 6 月版将"合则性"改译为"规律性"。——编者注

②　1935 年 6 月版将"认为是有分裂的"改译为"看出两者的分裂"。——编者注

尔特说："自然法则订立普遍的、永存的、反复的过程；和这相反，历史法则不能不采取个别的、不能反复的、特殊的现象。从而①自然法则不能适用于历史法则。"那么，社会生活为②什么所支配呢？正是对于这问题的回答，表现着里喀尔特的观念论哲学的特性。在社会中，价值支配着。这个价值，并不是人类在其实践的活动中用作评价③种种事件及现象那样的规准。里喀尔特说，这个价值是主观的并且相对的，它依存于各个人的意识。支配社会的价值，不依存于各个人，在这种意义上，它是"客观的"。里喀尔特随后行着极端混乱的论述，表现出他不能给予价值的定义。结局，他之所谓价值④，是我们所知道的那同一道德的原理或"文化的"原理。价值的客观性，结局，存于那同样的意识，即历史的道德原理之中。里喀尔特的议论尽管如何的"深刻"却并不能很好的涂抹他的哲学之根本特性——事实上是否定社会科学的、价值之观念论的性质。里喀尔特的哲学，不但没有为社会的学问或历史树立基础，不过只把现代"最新的"观念论的理论的那内容空虚的绝无科学价值的东西，再度加以强调⑤而已。新康德主义者，在其对马克思主义的斗争上，以武断马克思主义是机械唯物论为前提，热烈地批判⑥着物理学上的机械的因果律及机械的原理。他们不知道机械唯物论与辩证唯物论之间的差异，有时，甚至把两者间的差异完全抹杀了。他们攻击唯物论，同样，他们也憎恶辩证法。他们知道辩证法是革命的普罗列达里亚之可怕的理论的武器。因此，这般资本的奴隶使用一切的方法，去毁伤辩证法。伯伦斯泰因说，在辩证法的庇荫之下，"一切很便利的东西，都能由马克思与恩格斯的著作去证明"。伯伦斯泰因把辩证法称为"在十分彻底的观察现象的路上，所造成的陷阱"。亚德勒不否定辩证法，但是他和康德同样，认为辩证法只能适用于思维，不能适用于现实。斯特鲁勃没有看到黑格尔的观念辩证法与马克思的唯物辩证法之间的区别，以为二者是相同的。新康德派的修正主义者们，把辩证法看作最危险的形而上学。

---

① 1935 年 6 月版将"从而"改译为"因而"。——编者注
② 1935 年 6 月版将"为"改译为"受"。——编者注
③ 1935 年 6 月版将"评价"改译为"估评"。——编者注
④ 1935 年 6 月版将"他之所谓价值"改译为"他所说的价值"。——编者注
⑤ 1935 年 6 月版将"强调"改译为"力说"。——编者注
⑥ 1935 年 6 月版将"批判"改译为"批评"。——编者注

但是,修正主义者们企图用什么方法去代替辩证法呢? 他们最喜欢的方法,就是折中的方法。这就是他们所任意容许混乱的调和的不彻底的方法。不过,这里最值得注意的,即他们对此一点也不隐讳。伯伦斯泰因写道:"折中主义,是选择现象的种种说明及评价方式的方法,他对于那种在许多场合由一个命题引出一切事情、又要依着同一方法去判断一切事情之空论的倾向,是当然的反动。"据伯伦斯泰因的意见,应用多种方法,是可以的。他以为,这种折中的方法能产生好的结果,他可以免除一面性的狭隘的弊病。这种认识方法,是小布尔乔亚的意德沃罗基的表现;小布尔乔亚逃避现实,不愿认识现实,而只梦想美好的在远的将来的社会主义。而且,依他们的意见,这种社会主义是在布尔乔亚社会的范围内徐徐成长的。但是社会法西斯特的领袖们,并不想真正地沉迷于梦想之中。他们之所以这样吹擂,只不过要使大众不去注意那成为大众目标的理论即可怕的阶级斗争①,不去注意革命。社会法西斯特的理论家们,本身都牢守着"二重哲学",言行是不一致的。他们,在行动上,都是拥护布尔乔亚利益的养尊处优的政治家。

第七节　黑格尔主义与带有少数派色彩的观念论

在俄国阶级斗争之理论战线上,成为主要危险的机械唯物论,和基于新康德主义或马赫主义而作出的修正一样,根本上是从形而上学的、反伊里奇主义的立场出发。扼要地说:这一切理论都否定辩证法,用别的种种方法来对抗它。

但是,如现在我们目前所见,德波林一派带有少数派色彩的观念论者,却在马=伊主义理论之中,加入了极巧妙的修正。这种修正的本质,主要的在于他们把辩证唯物论的哲学从社会的实践割离,从党的政治割离,因而作出那种消失了内容的空虚的概念或空虚的范畴之辩证法,陷入于思想之观念论的游戏。德波林派之观念论的性质,正在这点。他们的修正,是造出物质、运动、自

少数派观念论的本质

---

① 1935 年 6 月版将此句改译为"不过要使大众在成为大众目标的理论上,不去注意于可怕的阶级斗争"。——编者注

己发展、阶级等空虚的抽象,不用西欧普罗列达里亚革命及阶级斗争政治内容去充实它们,反而使普罗列达里亚大众不注意于革命所提出的现在的任务。这样,德波林派的修正,在客观上援助了少数派——即以建立对于革命的某种程度的有害战术为任务的少数派。

与机械唯物论同样,带有少数派色彩的观念论,也是以俄国阶级斗争的激化为基础而发生的。在俄国经济复兴期中,商品资本主义的诸关系能够有了某种程度的发展;这个经济复兴期,造成了使小布尔乔亚气质成长的土台,而这种小布尔乔亚的气质,就影响了党内的薄弱分子。这些关系变成一块地盘,在那地盘之上,成长了离开马=伊主义理论及党的方针之偏向。自进入再建期以来,以全境集团农场化为基础,绝灭当作阶级看的豪农,绝灭产生资本主义的小布尔乔亚的基础,一切阶级关系都在激化之中。进入了这样的时期中,各种偏向特别尖锐地呈现出来,这些偏向的危险性,也明白地暴露了。

带有少数派色彩的观念论,其理论上的基础,是采取替黑格尔辩证法辩护的立场。其结果,在他们哲学之中,黑格尔的意义,看得太重大了。甚至于马克思,在黑格尔的面前,也黯然无光。至于提及伊里奇时,他们一般地无视①了伊里奇的理论著作之意义。他们对于伊里奇,只承认其革命实践家的作用。这样把黑格尔哲学对于马=伊主义的意义看得太重,便使得带有少数派色彩的观念论者,犯了对辩证法本身的错误理解。

带有少数派色彩的观念论者们,对于马=伊主义所加的修正,其理论的根源在哪里呢? 为要检讨这问题,我们须先把黑格尔辩证法的本质,作一简单叙述。

黑格尔批判了康德的"物本体"的学说。他反对把世界划分为两个相异的部分。依据康德的"物本体"的学说,物质世界虽然是不能认识,但也不至不主张"物本体"仍然是存在的。至于黑格尔却是完全彻底了的观念论者。他认定只有认识是存在,即认定只有那创造为自己的"外现"的自然之绝对精神的精神是存在的。黑格尔所谓绝对精神,不是个人的意识,也不是主观的意

---

① 1935 年 6 月版将"无视"改译为"忽视"。——编者注

识，而是梦幻的"客观的精神"。不只个人的意识，乃至人类思想的一切创造物、一切社会形态、一切种类的国家——总而言之，一切的存在物，都是构成绝对精神的契机的东西。黑格尔不把世界划分为外界的客体及我们认识的形式。在黑格尔看来，存在的东西，只有他所当作客观的存在的、在其发展过程上创造一切自然及一切社会的、那个绝对精神的自己认识。但是，黑格尔的观念论，因其辩证的方法而与形而上学的观念论有区别。黑格尔的哲学因其辩证的方法而闻名于世界。这辩证的方法，借黑尔滋因的话来说，使黑格尔的哲学变为"革命的代数学"，变为影响于辩证唯物论创造者马克思的源泉之一。

黑格尔辩证的方法的本质，要之在于发展了希腊哲学家赫拉克里特所说的如此的命题："万物流转，万物变化。任何人不能两次插足同一的河流，也不能两次接触人生之性。"但是黑格尔把这个命题作为新论理学的原理，把它完成，并且说明绝对精神是怎样具体的发展，怎样变化它的内容和形态。他建立了整个的哲学体系，在这个哲学体系之中，他说明了绝对精神的发展过程：即，绝对精神、客观意识，从其自身是无、是空虚的概念那一瞬间起，如何发展到创造万物、包摄万物、含有万物的绝对理念那一瞬间止。无疑的，黑格尔的绝对精神，是与精神同样的东西。他说这同样的神的理性，是在人类历史之中，在哲学艺术及法律之中，在社会制度之中，体现出来。不过，黑格尔使神脱出了不动的状态，使神进到自己与自己斗争，依着新的内容而变化自己，日形丰富，因而使神不能不通过长远的发展路程。那么，据黑格尔的意见，绝对精神是怎样的开凿自己之辩证法的路径而前进呢？辩证法的发展路径是怎样发生的呢？黑格尔是在对立的斗争中去观察这发展的本质的。即，他认为：发展的本质，在于各种现象都有内的矛盾，这种内的矛盾推动现象前进，结局，把它引入于死灭。而且，某种现象的死灭，同时就是新现象的发生；这个新现象否定旧现象，同时又把旧现象包含于自己之中。黑格尔把这个命题，根据哲学及艺术的历史去证明，根据人类史的资料去证明。某种哲学体系把别种哲学体系取而代之。黑格尔以前的一切哲学家，都以为只有自己的体系是绝对真理，而把在自己以前的一切体系，看作只是愚妄而已。可是，黑格尔证明了这样的见解是幼稚的，证明了各种哲学体系都是绝对精神之发展的一阶段。绝对的

黑格尔的
辩证法

83

真理,存在于历史的各时期中,表现于与绝对精神之发展相照应的一定形态。及到了他一时代,这个形态陈腐了,就让位于它的后继者。"从时代上看来,后起的哲学,是在它以前一切哲学的成果,因而又必须包含以前一切哲学的原理"。对于宗教、法律与艺术,以及对于社会,也可以同样的说。黑格尔把一切这些绝对精神的领域,都在其联结上去研究;这一切领域,都存有相互密切的交互关系,他说:"一定的国家组织形态,只能在一定的宗教之下存在;又,只在一定的国家组织之下,一定的哲学及一定的艺术之存在,才是可能的。"但是,黑格尔并不像其他某种俗流学者——折中主义者所解释的那样,他没有抱着那样见解,以为一切历史过程的"要因"单只演着交互作用。黑格尔并不曾认为,一切"要因"都同样重要,都互相影响。辩证法论者的黑格尔这样说过:"深入地去洞察事物,不满足于宗教与国家组织之间仅有交互作用,而必须努力去暴露国家组织与宗教所依据的一般基础"。

黑格尔的
唯心史观

黑格尔探求过规定历史过程之基本的根源的原因,规定自然及社会的发展之辩证法的基础。马克思把这个根本原因,在自然界方面,从物质过程的矛盾之中去观察;在社会方面,却从一定社会的构成的生产力与那个社会的生产关系间的矛盾之中,从阶级斗争之中去观察。反之,黑格尔却从充满了绝对精神的矛盾的发展,去观察这个原因。

黑格尔,在他制作辩证的方法之青年时代,同情于法国革命,他把拿破仑军队之侵入耶拿,当作新形态的绝对精神在历史中的体现去欢迎。当时他称拿破仑为"骑白马的绝对精神"。

黑格尔的
辩证法与
论理学

但是,黑格尔到了老年期,丧失了那样革命的思想,以后变成了普鲁士王国的公认哲学家。黑格尔之辩证的方法,使得他在青年期中,能够把当时一切的科学经验及历史过程的全进行普遍化,能够从观念论的颠倒了的立场,去批判当时科学所使用的一面的机械论的方法。他把以前具有支配势力的形式论理学,严格地加以批判,暴露出形式论理学无力认识辩证法的过程。黑格尔实是在观念论的形式上,规定一般的发展法则及某种现象转变为他种现象的公式的最初的一人。

从黑格尔看来,一种现象到他种现象的推移,是依着"否定之否定"的法则显现的。

绝对精神的各阶段，是某种肯定的东西、某种的"是"，分裂为进入于相互斗争的两个命题的某种正命题。与这正命题对立的命题，是它的反命题——某种的"否"。正命题与反命题，"是"与"否"这两个命题的斗争，形成辩证法的运动。是转化为否，否转化为是。是同时为是为否，否同时为否为是。这样，对立互相平衡，相杀，相麻痹。互相矛盾的这两个思想的合一，形成新思想——合命题。这新思想，又再分裂为两个对立的思想；这两个对立的思想，又统一于新思想。这生成过程，生出思想的集合。这思想的集合，依从于与单纯范畴相同的辩证法的运动，把与它对立的别的集合，当作它的合命题含有着。这两个思想的集合，发生新思想的集合——两者的合命题。

从单纯范畴的辩证法的运动，生出集合；同样，从集合之辩证法的运动，发生连续；这连续之辩证法的运动，生出体系的总体……

黑格尔的否定之否定的法则

绝对精神，依其内的矛盾，这样地发展着；所以，绝对精神的各阶段上的东西，都不是偶然的，而是从先行的全部历史发生，并且在自己之中包含着以前的历史全体。黑格尔说："一切实在的东西都是合理的，一切合理的东西都是实在的。"在这句话中，黑格尔所欲表示的是，一切现存的社会制度及意德沃罗基形态，都受绝对精神之发展所规定，都是理性运动上的一阶段。在这里，黑格尔把所谓理性的发展就是实在的发展的辩证法之观念论的矛盾公式化了。这个命题，成为非难黑格尔的根据，即非难他的反动性，非难他把任何丑恶的东西、压迫者的国家制度，都看作正当的。因为他说一切存在的都是合理的。老年期的黑格尔，实际上有把自己的辩证法作如此解释的倾向，但是他的辩证的方法也给予了作出别种社会的结论之根据。因为实在的东西既然是合理的，那么，存在的东西如果不合理，它就是陈腐了的，在命运上是应该死灭的。君主是不合理的，因而君主不是实在的。君主是存在的，但是既然是不合理的了，所以君主国在生活之中早已没有根源，它早已不与社会的新发展阶段相符合，所以它不能不死灭。黑格尔学派的左派，在与宗社党及宗教的斗争中，这样去解释黑格尔的上述命题。他们证明出基督教是不合理的，因而它不能不死灭，因而对宗教的斗争是必要的。在俄国，与沙皇主义相斗争的俄国黑

黑格尔哲学的根本矛盾

格尔主义者,也下过同样的论断。他们证明沙皇政治是不合理的,是落后的,是野蛮的,是必然要死灭的;因而鼓吹对沙皇的斗争。

上述黑格尔的命题,表现出黑格尔哲学的根本矛盾。在黑格尔哲学中,存在着两个互相角逐的动因,进步的东西和反动的东西。进步的方面这样主张——一切都变化;陈腐了的、不合理的、运命上应该死灭的东西,必须被那在旧胎内成长了的一切新东西所取而代之。和这相反,反动的方面这样主张——与黑格尔同时代的实在性,无论到何时都不能不是一样,它是不受变化的。那么,黑格尔怎样能够把这两个相矛盾的主张,互相融合呢?黑格尔如此地说明了,绝对精神在国民的历史之中发现,在宗教、艺术及哲学之中发现,在人类的制度、家族及法律之中发现;最后,在国家中实现最后的最高的目的。绝对精神,到达于自己发展的最高阶段,以后就停止了发展。这样的国家,在黑格尔看来,就是他那时代的普鲁士立宪君主国。黑格尔把这个普鲁士立宪君主国,称之为精神到达了的、与绝对永久的真理相符合的、绝对永久的国家制度。黑格尔这个最后的主张,十分明显地与他的辩证法断然不能融合。辩证法是革命的。辩证法在一切事物之中,看出变化的过程,现象的转变;所以,所谓绝对的静止或永久的不变性那类的主张,完全与辩证法相矛盾。

黑格尔哲学的自相矛盾,是他的观念论的结果。观念论者不能成为彻底的辩证法论者。观念论者否定那离开意识而独立的、又是意识之源泉的物质世界之存在,因此,结局成为自己的思维之俘虏。观念论者的思维,不反映自然及社会中现实的过程,而迟早要作出并组成与现实相冲突的自己的图式。尽管黑格尔往往站在当时科学发展的先头而前进,然而他并不曾减少与现实的冲突。黑格尔注意了他的主张与事实相矛盾的时候,他回答说,事实的方面是坏的。

在资本主义社会的阶级斗争以后的发展中,黑格尔的观念论及其辩证法,都被当作理论的武器使用过。德国自由主义的布尔乔亚,企图把黑格尔哲学用作布尔乔亚革命的理论。但是,他们的经验不久就发现了如此的事实——黑格尔哲学要就是成为布尔乔亚中保守分子之反动的意德沃罗基,而带有理性宗教的性质:否则,他的哲学就要变成革命阶级之革命的意德沃罗基即辩证法唯物论;二者必居其一。

成为反动理论之根据的新黑格尔主义,现在,在英国成为英国观念论学派,它最著名的代表者是布拉德雷;在意国,成为法西斯主义的哲学,代表者是金提雷;在德国,为许多社会法西斯特理论家所使用。

布拉德雷的哲学,是在黑格尔主义中,混合康德的不可知论、休谟的怀疑论以及陈腐的神秘主义的混合物。布拉德雷和康德同样,否认物质能够完全认识。他说,我们所能认识的,只是现象。现象不是物质也不是观念,不是"心灵"也不是"物体"——它是两方面的统一。这两个方面是在互相矛盾之中:而且这互相矛盾,可在经验上被解决。被给予于我们的一切经验,是向着完成了的经验之发展上的一阶段;在这完成了的经验之上,物质的东西和精神的东西,相互完全地调和。这样,布拉德雷认为,我们在我们的认识上向着完成了的经验前进;但是,他之所谓完成了的经验,就是神。布拉德雷的辩证法是相对的,事实上,他否定时间上的运动。"所谓进步或退步,只能够对限定了的未完成的现实去说。绝对的东西,纵然包含着无数的历史过程,但是它不能有什么历史。即,绝对的东西,没有所谓年月时间。一切完成了的东西,一切真的现实,都是不变的"。英国的保守主义者们所喜欢引用的黑格尔,是那个说起发展面同时只在过去承认发展的黑格尔。完成了的社会即布尔乔亚社会,不能有任何发展,任何运动。资本主义是无穷的!

至于金提雷,他的哲学是应用黑格尔去替法西斯特党服务的东西。他的哲学的根本观念,是所谓活动的观念——那通过全世界而支配着、发展着并在其发展过程上采取种种形态的活动之观念。但是,金提雷所认定的活动,不是物质之实体的活动,也不是社会中生产的活动及阶级斗争。这种精神的活动,其矛盾及斗争,是在意识之中发生的。金提雷是忠实的服务于布尔乔亚的寻常的观念论者,他恰好在布尔乔亚压迫革命,扑灭劳动运动所必要的程度上承认活动性。

即在俄国,辩证观念论之鲜明的哲学,用辩证法装扮起来,企图掠过普罗列达里亚独裁的警戒而出现。曾经出版过浩瀚的哲学书籍的哲学家罗色夫教授,截至 1929 年,还在莫斯科教授音乐理论。在他的书籍中,有"宇宙"的问题,有古代希腊哲学者柏拉图、亚里士多德及布罗澄的辩证法,也有音乐问题

(眉批) 新黑格尔主义者英国布拉德雷的观念论

(眉批) 新黑格尔主义者意大利金提雷的法西斯主义哲学

(眉批) 俄国的新黑格尔主义者罗色夫

的理论,甚至处理了象征论及神话学的问题。罗色夫教授,在其全体著作中,不仅攻击唯物论特别是辩证唯物论;而且直接对于苏维埃的权力,对于正在建设社会主义的普罗列达里亚国家,也一贯地实行了攻击。他把自己的观念辩证法,认为是宗教及神秘主义之理论的武器,使之对抗唯物辩证法,他不停止于单纯的理论上的神秘主义,并且作成神秘主义的宗派,他自己做了首领。

罗色夫教授神秘地去解释辩证法,使希腊的神秘论者复活了。他对辩证法下了如此的定义:"所谓辩证法,是自己制约自己的、不依存于任何物之内容的、物之思辩的骨骼。它只是自己依存于自己……"他还有一个定义:"诸君想思维什么,这并不重要;关于怎样去思维这一点,辩证法却给以极正确的规准;要违犯这规准,如不违犯思维的原理本身,就不可能"。罗色夫教授,排除阶级斗争及活动的社会主义建设的辩证法,而提倡了那一点也不接触于物之内容的、只满足于自己"思辩之影像"的、形式化了的、死了的、神秘的观念辩证法。罗色夫事实上否定了辩证法,他不过在辩证法的旗帜之下,引入所有一切神秘思想及反动思想而已。

罗色夫不单是从阶级斗争退却而已。他的退却,还是为了反革命,用神秘主义的武器把自己武装起来,又使自己的战友同化。

少数派观念论者鲁宾的哲学及其批判少数派=鲁宾或埃诺达埃夫斯基及其他,在他们的工作中,也实行了紧闭于抽象观念世界中而离开关于现实的具体任务的战术。他们所使用的方法,是使理论脱离革命的斗争,以空虚的烦琐哲学之概念的游戏,去训练新的干部;表面上好像是辩证法,实际上却拥护黑格尔的观念论及康德的观念论。

鲁宾主张,单纯商品生产,在现实上不存在,它只是思想上的图式。他这样把资本主义的先行的生产方法,看作观念的构想,因此,至于否定资本主义是从单纯的商品生产发生的事实。在他看来,资本主义不从何处发生,因而是决不会消灭的社会制度。这样,鲁宾在他自己的著作中,不是直接地而是间接地到达于这样的结论——资本主义是无穷的。

鲁宾,用表面上形式上理解了的黑格尔辩证法装扮起来,而与西欧社会法西斯主义之新康德主义的理论家,互相提携。他与马克思相反,以为价值不是由于抽象的物质的劳动所造出的。他说:"造出价值的抽象的劳动,应当作为其中一点儿物质的分子也不能看出的社会的范畴去理解。"这样,价值被变为某种观念的东西,被变为心的关系。照这样,价值的发生,就不像马克思所说那样,是在生产过程中,而是在交换过程中。从而①,剩余价值也变成为在交换过程中发生的。但是,这样一来,马克思及伊里奇的阶级斗争,就变成全然无意义了。

如少数派——鲁宾的实例所证明,在普罗列达里亚独裁的国家,即鲁宾那样的马克思及伊里奇之新康德主义修正者,也不能不披上辩证法的外衣。辩证法是革命的代数学;辩证唯物论是普罗列达里亚的哲学。而且,普罗列达里亚已经完成社会的革命,正在地球上 1/6 的地域中,建设社会主义。于是,对资本主义世界抱着反感的、反抗的、有时为革命的心理所驱迫的小布尔乔亚的代表者们,也企图如何去应用辩证法。但是,因为他们之小布尔乔亚的性质,因为他们从普罗列达里亚游离的结果,他们的革命理论和他们的辩证法,总带有虚妄的性质,而变为观念辩证法,变为新黑格尔主义,变为有名无实的革命论。

在俄国社会主义建设的条件下,最重大的危险物,就是带有少数派色彩的观念论者们对于马＝伊主义所加入的巧妙的、隐蔽了形态的观念论的修正。他们表现出站在战斗的正统的马克思主义旗帜之下。他们对于罗色夫及哥尔休式的鲜明的观念论,也往往进行着斗争。他们也用炮火对着机械唯物论。但是,他们把理论从实践割离,把哲学从政治、从阶级斗争之战斗的任务割离;他们无视哲学上的伊里奇的阶段,把伊里奇的辩证法理论歪曲了。这些事实,使得他们幻化为修正马克思主义的一种理论者,幻化为批判党的一般方针的国内小布尔乔亚的留声机。

少数派观念论是新黑格尔主义

带有少数派色彩的观念论者们,所加于马＝伊主义的理论的修正,首先在于此点。即,他们在根本上无批判地接受了黑格尔哲学,并机械地把黑格尔哲学与唯物论相结合;其结果,变成了马克思主义的"黑格尔化"。

黑格尔哲学是马克思主义的源泉之一:我们研究黑格尔哲学,对于理解马克思、恩格斯及伊里奇,大有意义,这是无疑的。但在这里不能忘记:黑格尔哲学是被马克思主义所克服的;马克思主义不是黑格尔学派;为要把黑格尔颠倒

新黑格尔主义者怎样处理黑格尔的呢

---

① 1935 年 6 月版将"从而"改译为"因而"。——编者注

过来,单用物质去代替绝对精神是不够的。

德波林说:"所谓辩证唯物论,是黑格尔辩证的方法和唯物论的自然观及历史观的综合"。所谓综合的名词,自然是很精巧的。但是,这个名词在这里,什么也没有说明,却引到观念论的结论。(页边注:对于黑格尔的无批判的态度)这里的要点,不在于黑格尔的观念论与马克思唯物论的综合,而是用唯物论克服黑格尔之观念论的方法。

无条件地说起黑格尔的方法完全闯进了马克思主义之中,这种主张掩蔽了一种事实——黑格尔的方法,虽为辩证法的性质,但是观念论的,所以它不能是完全正确的那种事实。德波林自己把黑格尔的方法看作是完全可以容认的东西,结局,他自己的哲学被黑格尔的观念论所贯穿了。德波林对于黑格尔之无批判的态度,使得他把辩证唯物论从自然、从物质的现实割离,而且把辩证唯物论变成了支配一切科学的、"搬进内的联结于具体内容之中"的观念体系。所谓哲学,在德波林看来,是从事于"研究横亘于一切知识的一般根底上的范畴"的东西。德波林在下辩证法的对象之定义中,对于辩证法的法则是反映客观的现实而使我们深入于物质的自然的认识的阶段这一层,一点也没有说及。然则,对于伊里奇所尽力强调了的、在他与观念论者波格达诺夫的斗争中所发展了的这个马克思主义的根本问题,默不作声,这不是支持观念论者么?

德波林派
踏袭了普
列哈诺夫
的错误

在这些问题上,德波林及其一派追随于普列哈诺夫的后尘。他们没有暴露普列哈诺夫在认识论上的谬误的本质及其象形论的本质,没有暴露普列哈诺夫根本上不理解反映论。他们从普列哈诺夫所采用了的东西,不是伊里奇所说的"马克思主义中最好的东西",而是普列哈诺夫理论的缺点及谬误。普列哈诺夫的特征,就是:他不理解辩证法的要点即统一的分裂;他无力发现引导到矛盾的根本的东西;他试图把矛盾和解;他不理解辩证法与认识论之辩证法的同一性。一切这些错误了的动因,带有少数派色彩的观念论者们都从普列哈诺夫采用了。

德波林派
之忽视伊
里奇

带有少数派色彩的观念论者们,忽视了伊里奇,不理解伊里奇关于唯物辩证法的著作并且往往加以曲解,这一点,使得他们走入了观念论。他们对伊里奇著作的曲解,在他们完全弃置了伊里奇的辩证法与认识论之统一的命题这一点上,表现了出来。伊里奇写道,从辩证法分离了的独立的认识论是没有的,辩证法就是认识论。自然及社会中所发生的物质的过程,反映于我们意识之中,同时,我们在我们的实践过程上,日益深刻的认识自然与社会的辩证法。我们之认识客观的物质的现实辩证法,是在生产及阶级斗争上,在我们的实践的活动上。但是,德波林却把当作方法论看的辩证法与认识论相分离,甚至于把两者互相对立。他说:"与认识论相对立的、当作方法论看的辩证法,被马克思主义创始者及其最伟大的代表者们所充分认识了"。据德波林的考虑,在马克思主义上,我们认识之物质源泉如何的问题、物质的自然在我们意识上反映之问题,是与认识样式,认识路程及方法的问题相对立的。这样,辩证法从其物质的内容割离,辩证法成为抽象的观念论的形态,幻化为纯黑格尔主义的图式了。但是,黑格尔本人并不曾把辩证法从认识论区别出来。不过在马克思及伊里奇的方面,二者的统一是以物质的自然及社会的实践为基础而实现的;在黑格尔方面,这个统一是基于绝对精神的发展而完成的。这是两方面的不同之点。

对伊里奇的忽视、从现实游离、逃入"纯方法论"之中,使哲学缺乏政治的紧张——这种事情,引到了对辩证法根本法则之无理解。德波林一派在说明辩证法的要点即对立之统一的法则时,好像忘记了伊里奇所说对立的统一是有条件的,对立的斗争是绝对的那个命题。一切过程,由内的矛盾而发展。一切过程是对立的斗争;在这斗争中,互相斗争的诸方面结合于统一之中;某物转变为他物,在一定阶段上,变为同一。这个同一性——伊里奇力说着——是相对的、暂时的、有条件的。反之,对立的斗争是绝对的。对立的斗争使过程前进,规定统一的形态变化及其向他种形态的转变,但是,德波林不力说对立斗争的绝对性,反而力说对立统一的动因。在许多地方,德波林陈说着对立的统一是辩证法的要点,而①并不指出这个统一是相对的、有条件的。但是,这样去力说统一的动因,实际上是拒绝辩证法,拒绝辩证法之革命的内容,而转化为所谓辩证法是统一的和解的那种少数派理论。

对立和解的理论,在德波林对于发展过程的理解中,表现出来。依着德波林,发展通过所谓同一性、单纯的差异及矛盾的阶段。由此,生出了在一定阶

德波林不理解对立的统一

德波林的对立和解的理论

---

① 1935 年 6 月版将"而"改译为"却"。——编者注

段上的过程没有内的矛盾而发展的那种结论。过程怎样发展呢？在德波林主义者的场合，承认无矛盾的过程的阶段，同时就表现出是接近于托罗斯基构想中的矛盾。即，矛盾单只作为拮抗去解释。由此发生的结论是——一切矛盾如果都是拮抗的，那么，在过渡期中普罗列达里亚与农民之间的矛盾也是拮抗的，所以在一国内社会主义的建设是不可能的。

带有少数派色彩的观念论者们，在对立统一的法则上，没有力说矛盾的动因中之根本的东西、主导的东西。因此，他们转入了俗流的相互作用的理论之中。卢波尔主张，辩证唯物论是"以行动为基础的知识的方法论"，他方又是"以知识为基础的行动的方法论"。在这里，行动与知识，实践与理论，被置于同等的地位，互相发生作用。但是，在这相互作用中，哪方面是主导的呢？这相互作用，在什么基础上实行呢？这点却没有说明。

这样，不只在纯粹形式的言辞之上，去承认实践对于理论的意义。马克思和伊里奇所力说的命题——在认识论上实践之主导的、根本的意义；人类只在其实践上认识周围世界——，没有说明，而且被抛弃了。

卢波尔对于相互作用之折中主义的理解，表现出全体带有少数派色彩的观念论对于对立之统一的法则之折衷主义的理解。

在哲学史上，德波林批判了唯物论及经验论，把二者的综合，当作辩证唯物论定义着。正是这样的"综合化"，暴露出带有少数派色彩的观念论者们对于对立之统一的法则之机械的理解；暴露出他们转入了均衡论，那个他们曾经批判了的布哈林的同样的均衡论。他们不去论证，辩证唯物论怎样根据于自然科学及社会科学的具体材料去完成辩证法，借以克服了唯物论及经验论；他们只拥护了那种所谓唯物论与经验论在辩证唯物论内部有同等权利的见解。说辩证唯物论是德国古典观念论及法国唯物论的综合，这种主张不是折中主义吗？这种见地，不是那种所谓把唯物论与观念论对置，已是时代落后，在现时已经"弃去"了的、依着少数派而实行的、对于马克思主义之新康德主义的而且是马赫主义的修正吗？

从实践分离理论的结果，在带有少数派色彩的观念论者们的场合，理论就变成消失了生活力的抽象物，变成图式，变成诡辩的概念的游戏。于是，概念不反映物质的现实，而开始其独立的生活。这种观念论的理论，把他们引到了如此的命题。即,辩证法是"完成了的范畴之体系"。于是,范畴完全被用黑格尔式去发展;一个范畴从别个范畴发生;从"物质一般的概念"与物质的自己运动,构成辩证法的论理学之全体系;等等。

从实践分离理论的结果,带有少数派色彩的观念论者们,不能适应于党及第三国际所碰到的政治上的事件。无论在哲学杂志上,或在德波林一派的著作中,对于多年与党行著斗争的托罗斯基反对派,没有加以研究,也不曾加以反驳。他们虽曾批判过右翼反对派,但他们的批判是落后的,并且是不完全的,不充分的。至对于罗色夫哲学那样的反革命的观念论的理论,他们并没有指摘过;他们甚至于支持了鲁宾及培雷卫尔捷夫(文学理论)的少数派的理论。

从生活、从政治游离了的带有少数派色彩的观念论者们,在哲学上与马克思及恩格斯的原理相背驰,而复归于带有观照之性质的、与现实不关联的、马克思以前的费尔巴赫的哲学。这样,他们在认识论上及辩证法观上,结局都是同样的与机械论者合流了。

第八节　马克思主义哲学之发展, 哲学上伊里奇的阶段

在德国 1848 年革命以前,批判了宗教上的黑格尔观念论之费尔巴赫的唯物论哲学,当时曾强烈地影响了马克思及恩格斯。但是,马克思及恩格斯不久就觉察了费尔巴赫主义的缺点。他们在讨论哲学的初期著作中,早已指摘了费尔巴赫唯物论之直观的性质。费尔巴赫把物质的自然认为第一次的东西,以为意识依存于物质,如果没有脑髓,也就没有思维。费尔巴赫说:"不是神或绝对精神造出了人类,而是人类造出了神。"在费尔巴赫看来,哲学的基础不是意识也不是理念,而是具有肉体的、杂居于他人之间而生活于自然之中的人类。但是,费尔巴赫把人类作抽象的考察,在全体社会之外去把捉人类。究竟什么使人类"思维",使人类造出理论并发达其理论呢? 对于这种事实,费尔巴赫是不①理解的。

费尔巴赫哲学的缺陷

---

① 1935 年 6 月版此处添加了一个"曾"字。——编者注

为了要解决这个问题,费尔巴赫自己到达了观念论的结论。他断定使社会前进的力,是爱、宗教、欲望,即结局是那相同的意识。他和18世纪法国唯物论者们同样,在说明历史之时,也到达了观念论。

这是没有辩证法思维能力的一切唯物论者所同样陷入的命运,只有马克思及恩格斯,能够给予对于历史过程之正确的科学的唯物论的说明。这因为他们的唯物论是辩证法的。马克思建立自己的哲学,不从孤立的抽象的人类出发,而从生活的社会之中的、并且在社会的劳动中造出自己生活资料的人类出发。他在现实的实践,即生产及阶级斗争中,认定了包含哲学在内的社会意识之源泉。哲学,是依存于社会的存在、依存于一定的生活样式、依存于一定社会的阶级斗争之意识形态。

马克思学说之形成

马克思的理论,暴露了社会发展的根本法则,把自然及社会中一切现象之辩证法的发展的一般法则,定式化了。马克思所以能够有此成就,是因为他把一切从来人类历史的经验,统一于自己理论中,因为他表现了以废止社会中一切阶级的分裂为使命的,历史上最后的阶级的意德沃罗基。马克思主义之最初创造者、马克思及恩格斯,深入地研究了先行时代一切科学的知识,体会了人类阶级斗争的经验,所以他们才能够暴露出资本主义的发展法则,社会的发展法则,造出普罗列达里亚的哲学即辩证唯物论。

马克思学说的三个源泉及其三个成分

伊里奇说:"马克思主义,是人类在19世纪所造成的德国哲学,英国经济学和法国社会主义之最好的东西的正当的后继者。"与此相关联,伊里奇举出了马克思主义的三个源泉及三个构成部分。

第一源泉及第一成分

马克思主义的第一个源泉,是哲学史全体,特别是黑格尔的哲学。马克思在青年时代,不但学习了黑格尔的辩证法,并且学习了黑格尔的观念论,醉心于黑格尔哲学。但是在德国的阶级斗争中,在布尔乔亚对于普鲁士王国革命的准备中,马克思参加了政治生活,受了费尔巴赫哲学的影响——这一切,使得马克思不久就转入了唯物论的方向。马克思把唯物论哲学,当作对于教会及布尔乔亚观念论之政治的武器而把握着,不消说,马克思并没有放弃黑格尔的辩证法。费尔巴赫斥驳黑格尔的辩证法也是观念论;而马克思却并不采取形而上学的直观的唯物论的途径。马克思把黑格尔的观念辩证法变为唯物辩证法,把费尔巴赫之直观的唯物论变为辩证唯物论。马克思的唯物论,是"最

完全的、最深刻的、从一面性解放了的、关于发展的理论；是关于那把永久发展
着的物质的反映给我们的人类知识之相对性的理论"（伊里奇）。

马克思把他所发现的物质的一般发展法则，扩大于人类社会的认识之上。
他作成了最伟大的社会发展论——史的唯物论。我们说，在马克思以前，关于
社会规律性的说法都只是臆测，也不为过。布尔乔亚的学者们，没有说明社会
现象的能力，并且不知道怎样去行研究，他们在社会现象之前，茫然自失了。
他们所作出的理论，不过是可怜的尝试，即企图把力学的方法，适用于那实际
上循着独特的法则而发展的社会。布尔乔亚对于社会的发展的规律性之认
识，不感兴趣，这如我们所知，不足为奇。认识社会的规律性这件事，就是认识
布尔乔亚的榨取法则，就是暴露出他们所唱自由平等博爱之说，都是伪善的。
因此，马克思的史的唯物论，就变成了那以暴露出资本主义及一切社会构成之
本质为利益的阶级即普罗列达里亚的意德沃罗基。普罗列达里亚，体会了关
于社会的发展，一种社会构成转变为他种社会构成之唯物论的辩证法的说明。
普罗列达里亚完全理解了马克思的法则——生产过程是社会过程的根底，阶
级斗争存在着的社会的经济全体，规定社会制度及国家制度的性质。马克思
的史的唯物论，又暴露了人类思想领域中的规律性。"人类的认识，反映离开
他而独立存在着的自然，即发展着的物质"，同样，"人类之社会的认识（即种
种见解及学说——哲学上、宗教上、政治上、其他等），也反映社会的经济制
度。国家制度以及一切学说，都是耸立于经济基础之上的上层建筑"。

辩证唯物论及史的唯物论，是马克思主义的第一个构成部分。

辩证唯物论及其在社会过程中的具体适用之史的唯物论，依着马克思的
劳作，不但被定式化，而且在他的主著即暴露了资本主义社会的法则的《资本
论》之中，被展开了。就《资本论》说来，马克思是英国经济学者——斯密斯及
李嘉图——的著书的继承者。布尔乔亚的古典经济学，是马克思主义的第二
个源泉。这些在马克思以前的布尔乔亚的经济学者们，把经济法则的说明，当
作自身的任务。他们作出了劳动价值论；依据这学说，人类的劳动成为经济的
基础。马克思不满足这个学说。他继承这个学说，并指摘了价值是受在商品
生产中被支出了的社会的必要劳动时间之量所决定。马克思的功绩，在于暴
露了商品生产社会到达一定发展阶段时，劳动力怎样变成为商品的事实。雇

第二源泉
及第二成
分

佣劳动者出卖自己的劳动力于资本家,而造出为资本家所占有的剩余价值。伊里奇说:剩余价值说是马克思的经济理论的基础,是马克思主义的第二个构成部分。

资本越发增大,资本就越发集中,资本家及劳动者的对立就越发尖锐化,劳动之社会的性质和生产手段私有之间的矛盾,就越发明白地表现出来。"生产的无政府状态、恐慌、狂暴的市场争夺、人口大部分的生活不安增大。"随着资本主义的成长,普罗列达里亚的威力及团结,也增大了。资本主义自己绝灭自己,产出建设新社会制度即社会主义的、自己的掘墓人。

资本与劳动间的对立,在法国大革命后,充分明了地呈现出来,极端尖锐地暴露出来。在法国革命时代,很多人已经知道布尔乔亚社会制度,与布尔乔亚自身所描出的理想,似是而非的东西。不久,对于革命的结果不满的当时的知识分子的代表者们,遂对资本主义社会,加以严格的批判。

他们中的某一部分人,想要变革资本主义社会,建设社会主义。社会主义,被当作没有人对人的压迫之社会①而描画了。但是,这个在马克思以前的社会主义②,是空想的性质的东西。空想社会主义者,对于布尔乔亚社会的批判,很机敏的,不假借地暴露了富者的不仁、欺骗及伪善。但是,在指示资本主义下普罗列达里亚的困苦状态如何脱出的路线时,却表现了空想社会主义的全然无能力。空想社会主义只能空想、梦想、纸上空谈,确信"强有力的现世",却不能指示出资本主义的法则,不能发现为新社会制度有斗争能力的社会势力及阶级。这种空想社会主义是马克思主义的第三个源泉。马克思的天才,在于从这种空想社会主义学取了对于资本主义的批判,而用资本主义发展的规律性及阶级斗争的认识,把这个批判深化了。在马克思以前,虽然也有关于阶级的议论,但是,只有马克思才指出阶级的本质,显示了资本主义中阶级斗争的必然性以及当作为社会主义的战士看的普罗列达里亚的意义。社会主义不是梦想,也不是乌托邦,而是资本主义中阶级斗争的结果,普罗列达里亚革命的结果所实现的现实——这种事实,马克思把它证明了。阶级斗争的学

---

① 1935 年 6 月版将"之社会"改译为"的理想社会"。——编者注

② 1935 年 6 月版将"但是,这个在马克思以前的社会主义"改译为"但这在马克思以前的社会主义"。——编者注

说,正是马克思主义的第三个构成部分。

苏联之进入社会主义的时代,以最伟大的实践,证明马克思的理论是万古不变的,是社会发展之现实过程的反映。马克思主义的正确性,通过 19 世纪到 20 世纪的历史全体,得着了完全的确证。这是甚至于布尔乔亚的学者也不能不承认的当然的事实。

马克思为确证自己的理论、特别是他的哲学,曾经坚持了许多的理论斗争。首先,马克思离开了他以前青年时代的朋友们——黑格尔左派,与他们在理论上分手了。马克思开始前进,就能作好他的基础图构,形成自己哲学的中心思想——辩证唯物论,并发表史的唯物论之根本观念。反之,黑格尔左派却停止于他们的老地方,在意识之中,继续地反复革命之观念论的理论。他们不去实行政治斗争,不去暴露那社会的基础之经济的矛盾,却依旧继续地去反驳宗教的谎言,继续地去批判旧约及新约圣经中的故事。马克思及恩格斯在所著《德意志观念形态》之中,早就清算了他们,从头到尾地嘲笑了他们,并且完全暴露了他们的斗争之不彻底及理论之观念论的性质。

马克思所实行的理论斗争与黑格尔左派的斗争

对于劳动运动有过很重大的危险的东西,是劳动者出身的移住民、有才能的并且富于著述的著作家蒲鲁东的学说。蒲鲁东热衷于黑格尔哲学,感知黑格尔的方法之革命的意义。但是,他对黑格尔的研究是道听途说的,他对黑格尔哲学的把握方法,也是错误的。他不理解辩证法的根本法则——对立的斗争,统一的分解。他把这个方法,在折中主义上,在和解的意义上去解释。蒲鲁东在研究资本主义的矛盾时,他不理解这个矛盾是必然的,不理解这个矛盾是使资本主义前进的东西,他又没有在普罗列达里亚中看出未来革命的推进力;他却把矛盾看作是某种不好的东西,某种破坏社会调和的东西,某种必须改善的东西。蒲鲁东这样想着:资本主义,听其存在,我们可以从它当中取出好的东西,舍去坏的东西。他认定资本主义中的坏的东西,正是资本主义的必然的要素,他并不设想到资本主义由繁荣到死灭。

与蒲鲁东的斗争

蒲鲁东没有达到科学的社会主义,依然是个空想家。他的理论,是小布尔乔亚的观念论的乌托邦。蒲鲁东反对财产,却不知道怎样去和它斗争。他把一切的财产都叫作窃盗,却不理解各种社会组织各有其特殊的财产形态。生产手段的私有,是资本主义的条件;单只把它叫作窃盗那是不够的。我们必要把资本主义社会中私有财产的源泉及其意义,当作主要矛盾的一方面去理解。私有财产,是与资本主义同时死灭的、应当被新的财产形态即集合的形态所代替的、一种历史的财产形态。马克思,与蒲鲁东及其他空想家不同,他不空想社会主义,而是为社会主义建立科学的基础,暴露了资本主义的发展法则及其死亡之必然性。马克思在其主著《资本论》之中,完成了这种工作;并且把当作世界观及科学方法看的辩证唯物论的意义,也在同书中阐明了。在《资本论》中,马克思证明了资本主义之历史的性质,批判了那种把资本主义看作永久的社会制度的俗流经济学的理论。马克思指出:资本主义怎样历史地发生出来,封建制度的矛盾怎样生根于封建制度中,使封建制度解体,以至于引到那布尔乔亚革命的新经济关系的出现。布尔乔亚的理论,以为资本主义是在封建社会的胎内平和地、渐渐地成熟出来;马克思对此加以反驳。他证明了,以没落的农民为牺牲的资本主义关系的诞生是有革命性的。他暴露出,布尔乔亚为着蓄积资本,并造出于自己有必要的"自由"劳动者,所曾使用的残酷的方法。马克思与蒲鲁东不同,他证明了:对于自由劳动力的需用,怎样引起革命,怎样引起资本主义生产力的增大,尤其是普罗列达里亚——资本主义的掘墓人的成长。

马克思指示了:在资本主义之最单纯的细胞的商品中,已经含着资本主义社会的主要矛盾;从商品开始,这个矛盾在资本主义之历史的发展过程上,怎样激化,采取新的形态,怎样复杂化,导入于恐慌及阶级斗争的新形态。

马克思把资本主义的主要矛盾,在生产过程之中,在剩余价值的产出和剩余价值的私的占有形态之中,暴露出来。他并指明这个主要矛盾,不但在狭义的生产上,而且在与生产相联系的流通及分配上,贯穿于一切资本主义的关系。他更完全暴露出资本主义社会之复杂的现实;显示了在资本主义社会中,与资本主义的关系同时,还保留着封建关系的遗物(土地所有及地租),这些遗物依存于资本主义社会中的主要矛盾。马克思在其全部著作中,又论证了资本主义的经济即资本主义的基础,怎样规定阶级斗争的形态,怎样在这个基础之上,生长出政治的及意德沃罗基的上层建筑。在那对于社会的矛盾之辩证法的发展,提供了光辉样本的历史著作之中,马克思指示了辩证唯物论怎样地体会阶级斗争的经验,以及普罗列达里亚怎样地把这个理论作为武器去使用。马克思及恩格斯深刻地研究了 1848 年革命的失败,他们因此明白了普罗列达里亚运动之革命的意义,明白了当作革命之主要的主力军看的普罗列达里亚的任务,以及普罗列达里亚和农民及小布尔乔亚联盟的作用。巴黎公社的经验,使得马克思能够把普罗列达里亚革命的独裁性,作成定式。他们指导劳动运动,使一个①运动向着革命的变革;他们很严慎地堵止了在革命运动中引入机会主义分子的一切尝试。他们对于想站在普罗列达里亚革命运动前面的自由主义者,宣布了残酷的战争;他们和巴枯宁决裂了,因为他呼引普罗列达里亚去行无政府主义的行动;他们批判了拉沙尔,因为他正想实行与封建领主俾斯麦同盟的机会主义战术。他们警戒了一切想用观念论的及形而上学的哲学去束缚普罗列达里亚的尝试。恩格斯用其论争之才的全力,袭击了形而上学的唯物论者杜林。杜林想要把他从黑格尔抄袭来的而且自己经手弄歪曲了的图式,去压住德国的劳动者。恩格斯在其攻击杜林的著作《反杜林论》中,把马克思及他自己关于哲学、经济学及科学社会主义的见解,精博地说明了。

马克思主义的创造者们,不仅对于当时政治的事件,并且对于一切科学的发现及理论,都精深地研求了。马克思及恩格斯,不单只从事于社会科学,并且研究了数学及自然科学,在各种科学领域中,暴露它的辩证法的性质。他们很喜跃地欢迎达尔文学说,看出达尔文学说对于有机界发展过程的解明,根本上是辩证法的。

马克思理论的正确之证明

最近我们所发表的恩格斯关于自然辩证法的觉书,显示出恩格斯何等精深地研究了自然科学,他是怎样普遍化地使用辩证法的方法,以及他能够预见今日自然科学所艰辛到达的发现。

马克思及恩格斯都死于前世纪的末叶,这时,恰好是资本主义在其发展过程上,开始采取所谓独占资本主义——帝国主义的新形态之时代。马克思的理论,从前世纪 70 年代起,即已征取欧洲许多国家的普罗列达里亚大众。马克思的理论,变成了社会民主党的公认理论。不但社会主义的政党以及一切名为小布尔乔亚的政党(俄国的民粹主义、英国的费宾派、种种无政府主义团体),不能忽视马克思主义;就是布尔乔亚本身,也不能不适应于马克思主义

修正主义之腐化

---

①　1935 年 6 月版将"一个"改译为"这个"。——编者注

对普罗列达里亚广泛大众之影响的增大,而实行种种对策。布尔乔亚对于马克思主义的"兴味"之显明的增高,是帝国主义时代的事实——在这时代中,金融资本为达自身的侵略目的,有在普罗列达里亚大众之中,争取支柱的必要。所以,自进帝国主义时代以来,布尔乔亚企图使普罗列达里亚解体,买收普罗列达里亚的落后分子,开始从内部来攻击马克思主义,把社会民主党的一部分理论家勾引为自己的党羽。于是,用马克思自己的言辞掩护身子而来攻击马克思主义的修正主义发生了。修正主义者们集中其主要炮火,轰击马克思主义的"灵魂",即他的辩证法,那个"革命以及普罗列达里亚的革命论"。

在修正主义者的手中,马克思主义被恶俗化了;由劳动阶级的革命理论,变成了"布尔乔亚的普罗列达里亚"及小布尔乔亚的理论,变成了资本主义的辩护人的理论。

于是修正主义和布尔乔亚自由主义在意识形态上的结合过程发生了,随着在政治上的结合过程也发生了。"内部腐败了的自由主义,当作社会主义的机会主义而更生了。"(伊里奇)

修正主义,逐渐腐蚀社会民主党的公机关,变成采用"琐屑事情"的理论的党职员的意德沃罗基,把革命看成前途辽远的东西,喜欢附和于伯伦斯泰因的"运动是一切,目的没有"的口号。修正主义的危险,竟到这样的程度。

但是,帝国主义的时代,引起了阶级对立之极端的尖锐化,使革命的马克思主义不能不去研究资本主义及劳动运动中所发生的新过程及其转变。我们要求对于修正主义作不假借的斗争,要求必须去暴露修正主义的背叛及其机会主义的性质。因此,把马克思主义理论具体化,以资本主义新阶段的内容去充实它,这种工作是必要的。

革命的马克思主义在这个时代的当前任务,就是根据帝国主义时代阶级对立的材料,去完成修正主义者想要"忘掉"的马克思的命题。普罗列达里亚革命的具体问题,即普罗列达里亚的专政、与农民层的联盟、民族问题、殖民地问题等一类问题,不能不列入议事日程了。

对于这一切问题之革命的马克思主义的解决,都和伊里奇名字联结着。

伊里奇不但对修正主义实行了无忌惮的斗争,把修正主义不留余地地尽情地加以批判,不但使马克思的真的学说复活起来,他还更进一步,把马克思的学说发展了。"伊里奇主义,是帝国主义及普罗列达里亚革命时代的马克思主义。正确地说,伊里奇主义一般的是普罗列达里亚革命的理论与策略,特殊的是普罗列达里亚专政的理论与策略。"在这个伊里奇主义的定义之中,把伊里奇主义之历史的根源力说了。由于把伊里奇主义的特征看作帝国主义时代的马克思主义,指明了伊里奇主义之革命的性质,指明了伊里奇主义是马克思主义的继承与发展。

右或左派都无视伊里奇的哲学

但是,这个伊里奇主义的定义,不仅受了社会法西斯特方面的反驳,而且受了右倾及"左"倾派理论家方面的反驳。季诺维埃夫、布哈林及普雷奥布拉纯斯基,也都反对这个定义。最显著的特征是背叛者里亚乍诺夫对于伊里奇主义之敌对的立场。里亚乍诺夫这样说:"我不是多数派,也不是少数派,也不是伊里奇主义者。我只是马克思主义者,我是马克思主义者的革命主义者。"

对于伊里奇主义,不能理解其为马克思主义之更进步的发展,这在机械论者以及带有少数派色彩的观念论者的场合,是特别明显的。机械论者及带有少数派的观念论者,也都赞成伊里奇在马克思主义中添加了许多新的东西,但他们坚决的主张,在哲学领域中,伊里奇主义不过是单纯的复归于马克思主义而已。例如普雷奥布拉纯斯基在《马克思主义者》,及《理论家的伊里奇》论文中,把马克思主义全然机械地分成为"具有寿命的种种阶级的"种种要素。他以为在马克思主义之中,有些是应当完全照原样保存的要素,有些是应当补足的要素,有些是应当用新东西去代替的要素,据他的意见,伊里奇发展了马克思主义,并且把它补充了;但对于马克思主义的方法,伊里奇却未加以变更,也没有补充,在他看来,伊里奇在哲学上,没有给予任何一点新的东西。布哈林也说过和这相同的事情。布哈林说:"但,马克思主义,如果不在马克思的场合所有的思想总和的意义上去解释,而在构成马克思主义根底的方法论的意义去解释,那么,伊里奇主义,并不是什么不同的、变更或修正了马克思方法论的学说,这是不待言的。反之,在这种意义上,伊里奇主义,是由马克思及恩格斯造成定式的、那种马克思主义的还原。"

带有少数派色彩的观念论者,对于机械唯物论者们关于这个问题的见解,给予了满腔的同情。他们两方面,都完全无视了哲学上之伊里奇的阶段。加列夫甚至于这样说,那主张马克思主义上有新"时代"的说法,在意德沃罗基上,在政治上,都是有害的。

斯太林在 1924 年,对于这个问题,给予了正确的端绪①。即,他这样写着:"在伊里奇方法中被给予的东西,根本上是在马克思学说中所已经有了的东西;借马克思的话来说,'在其本质上是批判的,是革命的'。正是这种批判的而且革命的精神,自始至终的贯彻于伊里奇的方法。所以,那把伊里奇的方法认为是马克思所给予的东西之单纯的复活等主张,是错误的。事实上,伊里奇的方法,不是马克思之单纯的复活,而是马克思那种批判的革命的方法即他的唯物辩证法之具体化,并且是马克思方法之进步的发展。"

实际上,一方面既然同意伊里奇主义是帝国主义及普罗列达里亚革命时代的马克思主义;既然是认定伊里奇把马克思主义具体化了并且充实了新的内容;同时,另一方面却又否定哲学上的伊里奇的阶段,这真是不可思议的矛盾。马克思的方法不是教条,它是行动的指针,并不曾矜夸其永久性及完全无缺。马克思主义理论,马克思主义哲学,随着社会之实践的发展,而具体化、而发展。那说马克思主义的某部分是永久不变的,某部分是相对的,是可以掉换的主张,乃是切断马克思主义活生生的肉体的东西,乃是把理论从实践割离的东西,这样看来,德波林把马克思看作理论家,把伊里奇看作单纯的普罗列达里亚革命的实践,绝不是偶然的。

伊里奇暴露了资本主义的新阶段、帝国主义的规律性。伊里奇和修正主义者相反,他指出资本主义的主要矛盾,在帝国主义时代不仅没有减弱,反而尖锐化,并且把普罗列达里亚革命列上日程。一切流派的修正主义者们,都想证明资本主义具有依据改革而消除其矛盾的力量;反正,伊里奇却证明了这样的命题是不可能的,是乌托邦的,是机会主义性的,他并且把普罗列达里亚革命的必然性力说了。机会主义者们忘记巴黎公社的经验,努力想去歪曲马克思及恩格斯关于普罗列达里亚革命的主张;反之,伊里奇却彻底地阐明了并且发展了所谓国家是阶级压迫的机关之马克思主义的学说,及所谓在革命之际必须推翻布尔乔亚的统治机关及树立普罗列达里亚政权之马克思主义的

---

① 1935 年 6 月版将"给予了正确的端绪"改译为"已经正确的提起了"。——编者注

理论。

右翼机会主义者,采取与布尔乔亚自由主义联合的方向;左翼机会主义者,在革命一切阶段中,拒绝与小布尔乔亚同盟。反之,伊里奇却在辩证法上研究这问题,学习从来的革命的经验,依据马克思及恩格斯来研究这问题,提供了普罗列达里亚独裁政治的辉煌的范本。伊里奇严格地嘲笑了并判定了机会主义者们,说他或是不想革命,或是没有辩证法的思维能力,忘掉整个的过程,用死板的图式代替生动的斗争,只使阶级斗争的某一方面发展。伊里奇对于阶级斗争的一切问题,不使用从外部引来凑合事实的图式,而要求很深刻的注意的研究。伊里奇阐明一切规律性的辩证法、内的矛盾,在全部具体性上研究其规律性,在其中发现了主要的东西、本质的东西、构成链子上的主要的环的东西。伊里奇反对那种是客观论的而又是直观的历史观,指出了为劳动阶级的前卫的党的意义,指出了理论在阶级斗争的意识性发展上所有的大作用。他彻底批判了渐进主义、自然生长性及尾巴主义的理论,这在俄国马克思主义之父普列哈诺夫,是望尘莫及的。借伊里奇的话来说,普列哈诺夫是写出了"马克思主义中某种最好的部分"的优秀哲学家。但普列哈诺夫不能彻底应用辩证法,转入于费尔巴赫的直观的唯物论的立场。普列哈诺夫之所以这样,是因为他在前世纪 90 年代,毫无定见,有时和伊里奇一同反对经济主义,有时又采取经济主义的立场。他所以没有理解 1905 年革命的规律性,而采取少数派的立场,在某种程度上,也是起因于此。为了要正确的暴露出 1905 年革命中自由主义布尔乔亚的战术,为要能够在反动的风暴中维持明晰的头脑,而指导劳动运动向着胜利,就必须和伊里奇同样是辩证唯物论者才行。

这种辩证法的思维能力,理论与实践之深刻的辩证法的结合——在这里,理论常出现为由实践的内容而充实的具体的东西,实践出现为在理论上被阐明被理解的东西,是伊里奇的实践的及理论的活动之全部之特征。伊里奇首先是革命家。他最关心的是普罗列达里亚革命。阶级斗争的实践中的新现象,一切都对伊里奇提供了哲学的思维的材料。辩证法,在伊里奇方面,贯穿着阶级斗争的一切问题。关于苏维埃应当采取什么态度这个问题,在二月革命的种种动因中,被解决着——伊里奇对于党给予了在辩证法上处理这问题的教程。苏维埃不是形而上学的永久的实体——它是一种革命的制度，党对于它的态度要看它的内容怎样，要看它归什么人所把持——归多数派或归少数派，是可以变更的。

布列斯特讲和的问题，也是很好的范本。许多的同志们，都是形而上学地、一面地解决了这个问题。有的人说这是战争的继续，有的人采取折中主义，说战争与讲和是有区别的。伊里奇对党指示着，布列斯特讲和，应当作为一个历史现象去看待。即是说，必须放弃公式，要把布列斯特讲和，在其具体性上去考察它，即在其一切联结上去考察它；还要研究其一切矛盾，并在这些矛盾中找出主要的东西。那些动因中的主要东西，在当时就是休养的必要。因为当时国内的对立，比较俄国与法国的对立，更为重要。在伴随着一切矛盾的这一复杂过程中，伊里奇发现了主要的环，凭借这个环，引出了全体的链。

此外，关于普罗列达里亚专政时代的劳动组合的本质的问题，关于新经济政策的问题，又关于合作社计划的问题，关于革命的一切其他问题，都可以用上述的同样的方法去研究。

伊里奇不但在政治上的著作中发展了马克思和恩格斯的辩证的方法，并且在哲学上的专门著作中也发展了它。1908年，伊里奇发表了一部专门处理哲学的著作《唯物论与经验批判论》，在那部书当中，把马克思恩格斯以后自然科学发达的成果普遍化了，他对于马赫、亚芬纳流斯、俄国马赫主义者及主观观念论者们想在观念论上解释那些成果的尝试作了严厉的批判。

从前世纪末叶到本世纪①初期，自然科学成就了一大进步，到达了显然与机械论的世界观相矛盾的结论。但观念论却不但利用它来攻击唯物论，并且利用它来攻击唯物论一般。伊里奇在上述著作上，论证了观念论的主张，是欺骗的，是虚伪的。伊里奇对于物质、时空、运动、经验等自然科学上的概念，给了唯物论的说明。他在上述著作中，以现代自然科学的成果的研究为基础，对于哲学与自然科学的问题之解决，给予了辩证法的无比的标本。还有，最近由"伊里奇研究所"发表出来的他的信札、读书的批评以及杂记之中，重新说明着马克思的许多命题，并且暴露着普列哈诺夫的一面性；他的辩证法的思想，

伊里奇不仅是革命家并且是哲学家

---

① 1935年6月版此处添加了一个"的"字。——编者注

其内容实在是非常丰富。

　　唯物辩证法的根本法则,即对立的斗争的法则,经伊里奇异常深刻地暴露了出来。许多的哲学家,连普列哈诺夫也在内,都把这个法则解释为两个力的矛盾,对立的和解;而伊里奇却力说了这个法则的要点,同时是构成统一的内的对立。这些对立,在斗争上形成同一性,两者互相推移,于是这些对立间的斗争,采取种种色色的形态。对立的同一性是相对的,而对立的斗争却是绝对的。

伊里奇发展了对立的统一的法则

　　普罗列达里亚与布尔乔亚之间的斗争,是绝对的;这个斗争,绝不停止。这两个阶级的对立,不能融合,但两者的斗争,在资本主义的一定发展阶段上,同时是这两阶级的相对的有条件的互相渗透。一切现象都是发展的——这就是说,在那个现象中,发生着统一物的分裂过程,发生着内的矛盾的激化的过程。伊里奇依据关于革命的种种问题的研究,论证了这个矛盾是怎样具体地被实现出来。他不以知道现象的本质为满足,他还在一切形态上、在一切发现上、在与它实现的一切条件的联结上,去研究那个现象。伊里奇要求从一切方面去研究一切现象,研究那些现象的一切复杂的交互作用的过程;要求在那些现象中发现根本的主要方面的能力;要求考察过程的一切实在的可能性,考察这些可能性之一成为现实性的条件。并且,他力说了,从可能性到现实性的这种推移,不是自发的任意的过程,而是以能动的作用为前提的。

　　在认识论的问题上,伊里奇批判了普列哈诺夫和带有少数派色彩的观念论者等把辩证法和认识论对置的一切人们。伊里奇主张辩证法、认识论与论理学是同样的东西,他说"三个名词是没有必要的"。实际上,只有在社会的实践之历史中,人类才能暴露出自然及社会的辩证法,而人类的认识,也只有在实践过程中,其内容才能丰富。伊里奇所以批判普列哈诺夫,是因为普列哈诺夫在论及哲学的一切著作中,离开了辩证法去考察认识论。关于认识论的这样的态度之所以发生,是普列哈诺夫的形式论、象征论当中的他的谬误。把认识论与辩证法对置,结局便弄到不能理解辩证唯物论的本质,即不能理解对立的统一的法则。普列哈诺夫站在皮相的非辩证法的立场,去批判马赫与波格达诺夫,批判康德与法国唯物论者,也是由于他把认识论与辩证法对置。普列哈诺夫,一点也没有阐明为马赫主义哲学的基础的自然科学的意义,也不曾

伊里奇对于哲学上的认识论之深刻的理解

想把自然科学上的发展的经验实行普遍化。普列哈诺夫只从俗流唯物论的立场批判了康德,并且对于机械唯物论,是无批判的一概排斥,既不暴露这种唯物论的谬误的根底,也不用辩证法的解决问题的方法去对付它。

在辩证法的问题上,普列哈诺夫往往只记述辩证法为止,既不暴露各种现象的充满矛盾的发展,也不联结各个现象于全体的过程。

伊里奇完成了哲学的党派性的问题,并且使它深化,唤起了党对于这问题的注意。因为在普罗列达里亚革命的时代,辩证唯物论,不能不发挥其一切活动的性质,而和党的政治保持不可分离的联系。伊里奇在其著作中,提供了理论与实践相结合的辉煌的范本,提供了从党派的立场去考察理论上任何问题的辉煌的范本。

伊里奇的世界观与伊里奇的方法论的上述一切特性,使得伊里奇成为马克思恩格斯的事业的唯一彻底的继承者,使得他把包括哲学在内的马克思主义提升到未曾有的高处,使得他把马克思主义理论化为普罗列达里亚专政之革命的实践。现在,伊里奇的世界观及其方法论的上述一切特性,把一种任务课责我们,去研究这种构成马克思主义哲学发展上的新阶段的伊里奇的理论的遗产。

第二章　当作认识论看的辩证法

第一节　认识与实践、主体与客体之统一

如前章所说,唯物辩证法,在马克思主义中,是决定的要素。据恩格斯的定义,辩证法是关于自然、社会及思维的一般发展法则的学问。辩证法与形而上学不同。形而上学把事物及其知的反映即概念,当作不变的东西、凝固了的东西去观察,而辩证法却在其相互联结上、在其运动上、在其发生与消灭上,去把握事物及其知的反映(即概念)。辩证法教给我们,不但客观的现实是发展的,并且认识也是发展的。辩证法在事物的联结运动与发展上把握事物

1917 年七月革命以后,讨论"一切权力都归苏维埃"这个口号的问题时,伊里奇这样写着:"在历史成就急速转换时,就是前卫党,在多少长期内,也不能通晓于新的形势;一个口号,在昨日是正确的,到今日就失却了一切意义——正如历史的急速转换是'突然'一样,它也同样失却了意义——;这样口号的重复,是很常有的事情。对于一切权力都归苏维埃这个口号,也做了和这相似的重复。这个口号,譬如说,在 2 月 27 日到 7 月 4 日即我们的革命永久过去了的期间,它是正确的。但到今日,这个口号,却明明不正确了。"就政治口号举例

伊里奇明白地指出,应当理解变化了的现实怎样使人们认识新的矛盾,新的联结。他指出了"一切权力都归苏维埃"这个口号,到七月革命为止,它正确地反映了 1917 年革命中的阶级势力和党的相互关系。在 1917 年革命的一定阶段上,一切权力都归苏维埃这个口号"是向着和平发展的道路前进一步的、能够直接实现的第一步的口号。它是革命的和平发展的口号,从 2 月 27 日到 7 月 4 日为止,是可能的,当然又是最有望的东西,但在今日,却无条件地变为不可能了。"——伊里奇指出阶级势力的配置在根本上起了变化,并且这认识随现实变化

样写着。这个口号,在今日已不正确了。因为在新的情势之下转移权力,只有依据公然的革命才是可能的。

现实变化着、发展着。我们关于现实的认识,也随着现实一同变化。但是,我们不要以为我们的认识是受动的反映现实,不要以为我们的认识像照相镜那样,无条件地撮映在自己眼界中的一切对象。人类的认识,是当作一个动因被包含在多方面的社会的实践之中的能动的过程。在生产和阶级斗争中,人类的认识,表现为能动的起作用的动因,参加于世界的改造。

例如伊里奇提起一切权力都归苏维埃这口号怎样变化了的问题,不把这个口号当作受动的反映革命的现实的东西去观察,而把它当作在革命的实践上决定大众可以前进的方向,并团结他们的力量去观察。他证明了:这个口号,在七月革命以后,不但不正确地反映现实,并且在阶级斗争上会迷惑大众。他这样写着:"把权力移归苏维埃这个口号,在现时恐怕只能鼓起不合时宜的勇气或闹出笑话。这个口号客观上欺瞒民众,向民众鼓吹如此的幻想。这个幻想就是:在今天苏维埃还想取得权力,为取得权力只要喊出这个口号就行;又苏维埃之中没有辅助反动分子的恶名的政党是存在着;过去的事情可以不把它当作过去。"如伊里奇所说,变化了的现实,如何地引导到新的口号、新的认识;并且这新的认识,能动地反映出现实的新矛盾,它本身是向着现实的变革的一条道路。"看前面勿看后面。勿用陈旧的阶级和政党的范畴,要用新的,七月革命以后的范畴。"

从 7 月到 9 月这个阶段上变化了的阶级关系,变化了的革命的实践,使伊里奇能够再度提出苏维埃的问题,作为在阶级斗争中夺取国家权力的手段。在革命的实践过程中造成的这个新口号,自己变成了引导普罗列达里亚推倒布尔乔亚的革命的实践之能动的动因。这个新口号,并不是重复着与七月革命以前所定出的东西相同的口号,它是由于革命的实践之新内容而被弄得丰富了的东西。新的阶段上的苏维埃,不论从阶级的构成上看,或从革命的变革中它的作用看,都与以前的苏维埃不同。

对于现实的认识过程,是充满矛盾的过程。我们的认识上这种充满矛盾的运动,显现于社会的实践中,而这种社会的实践,表明我们的认识在反映现实之辩证法的过程时,指示变革那现实的具体的道路。

　　阐明了这种认识过程中的辩证法,阐明了现实与认识的充满矛盾的运动 认识主体
在社会的
实践过程
中起变化
的人,首先是马克思。马克思指示了,现实与认识——客体与主体——之辩证
法的统一,实现于社会的实践之历史的发展中。不只认识客体,并且认识主
体,也在社会的实践过程中起变化。人类作用于外部自然,一面变革它,同时
又变革自己的性质——马克思说。马克思对于在现实与认识、客体与主体的
相互关系如何的问题上,追随于形而上学的唯物论的费尔巴赫的哲学,曾加以
严格的批判。与形而上学的唯物论一样,费尔巴赫也不把认识看作历史的过
程。在费尔巴赫说来,认识是不变的自然之不变的反映。在他说来,认识主
体,也和认识客体相同,是不变的,不发展的东西,而是在实践过程之外被把握
的。他以为主体与客体的统一,是一成不变的东西,不是在人类的社会活动上
发生的东西。他没有看到社会的实践变化了认识的客体。马克思批评费尔巴
赫说——费尔巴赫,“譬如在百年前的曼彻斯特,他只看到手纺车与手织机,
所以现在他在那里只看到工厂与机械;又如在罗马的汉巴尼亚平原,他只能看
到奥古司脱时代罗马资本家的青茂的葡萄园与庄园,所以现在他在那里只看
到牧场与沼泽”。在费尔巴赫说来,为认识主体的人类,也和这一样,是不变
的,在历史上不发展的东西。他把人类看作是具有感官并藉感官而知觉环境
的物质的实体。他并不理解:物质的=感性的人类,连同他的五官,都是世界
史的产物。他不知道:人类的五官,在人类的劳动过程中,在人类的实践之历
史的发展中,都不是不变的东西而是发展的分化的东西。至于马克思,就和费
尔巴赫不同,他说明人类的社会性,说明人类是在社会的实践中发展的。费尔
巴赫把人类当作离社会关系孤立了的个人去观察了。费尔巴赫心目中的人
类,不是由于社会的活动而能动地改造世界的主体,而是直观的实体。马克思
批评他说:“他不离开抽象的理论之范围,他不在使人类变成现在这样的一定
社会关系中、不在周围的生活环境中去考察人类,所以他绝不能到达于现实的
存在着活动的人类,而停止于所谓‘人类’的抽象物的境界,只能感觉上稍微
认识‘实在的、个别的、肉体的人类’。”马克思指示了,认识的主体,是出现为
社会的人类,为阶级的代表,为阶级斗争的参加者。马克思说明了,就是费尔
巴赫所特别注意的人类的感性,也只有当作感性的活动,只有当作实践才能

理解。

马克思说过,认识的主体与客体的变化,在革命期中显现得强烈而明了。这一层,可以用革命的实例表示出来。普罗列达里亚,在俄国革命过程中,一面变革现实,同时在根本上变革着他们自己的性质。普罗列达里亚,在资本主义之下,被剥夺了生产手段,大多数都被夺去了学习科学和文化的成果的可能性,现在他们从被压迫阶级转变为支配阶级,他们在社会主义革命中,学习了科学和文化的一切成果,并且使其长足发展,他们变成生产的组织者。普罗列达里亚,建设社会主义社会,根本的变革社会关系,使俄国的形象一变,造出了新的大产业,并使农业集团化。这样做去,他们在革命的实践的过程中,已不是雇佣劳动者,而渐渐变为社会主义社会的劳动者。他们在革命的过程中,逐渐脱离旧社会的势力和传统,逐渐脱离与他们无缘的思想、见解、气习、感情的遗物。

黑格尔对于认识的能动性之观念论的见解

马克思和恩格斯指明了,认识是实践的动因,它有能动性。力说了认识的能动性的人,在马克思以前,还有黑格尔。不过黑格尔是观念论者,他不承认离意识独立的客观世界之实在性,所以主张认识的能动性,首先是在于思维或绝对精神能动的创造出为这种精神的"他在"的自然。能够成就独自的发展的东西,据黑格尔说来,只是能动的思维,自然界一切种类的发展阶段,都被给予于精神之中。思维、"主观精神"对于自然之能动的认识,虽是发展的,而自然本身却不发展。能动的精神,据黑格尔说来,在认识自然,即认识客观世界时,就是认识它自身的"他在",即认识自己。照这样说,认识之能动的主体,与其客体,在绝对精神上变为一致的东西,同一的东西。黑格尔不用这个来解决认识上主客关系如何的问题,却把客体解消于观念的主体中,离这个问题的解决愈远了。

费尔巴赫对于认识的主体与客体的见解

费尔巴赫暴露了把主客看作同一的见解之观念论的性质。他说,把认识主体与认识客体视为同一,弄到使任何认识都成为不可能:因为认识不是与现实同一的东西,而是现实在人类的感官及思维上反映了的东西。费尔巴赫主张,认识客体与主体不同,它是离人类意识独立的自然。不过费尔巴赫未曾理解主客统一之辩证法的性质,这是在前面说过的。

蒲列哈诺夫对于认识论的理解,并不曾注意于马克思与恩格斯对费尔巴赫所下的深刻的批判,仍没有超出费尔巴赫的范围。蒲列哈诺夫,与费尔巴赫一样,没有理解辩证法的本质、对立的统一的法则,所以他没有在辩证法上考察认识论。他不能阐明认识的充满矛盾的性质,不能阐明认识与社会的实践之结合,关于主客统一问题,仍旧站在费尔巴赫的立场。他与费尔巴赫一样,虽然表示了主客统一的物质,而这种统一,在他说来,带有与实践的活动无关的直观性。他与费尔巴赫一样,主张主客的统一,被给予于在自己为主体同时在他人为客体的个人之中。他不但没有批判过费尔巴赫,并且追随于费尔巴赫之后,重说人类的本质是他的肉体,没有见到人类的本质并不是肉体的东西,而是社会的性质。认识论中蒲列哈诺夫的反历史主义,是从这种地方发生的。

蒲列哈诺夫的弟子亚克瑟洛特,以及带有少数派色彩的观念论者德波林,根本上都站在和这相同的立场。亚克瑟洛特,继承蒲列哈诺夫的衣钵,对于主客关系如何的问题,采取了直观的、无辩证法的解决。她在人类这个客体的物质性中,认出主客的统一,因而把斯宾诺莎哲学中的物心的统一,看作是与马克思、恩格斯所说的真正的主客的统一完全一致。机械论者亚克瑟洛特不能理解对立的统一之辩证法的本质,机械地考察了主体与客体的关系。即在这种关系中,只看到相互的关系,没有看到历史的实践过程中两者的相互渗透之辩证法的统一。

德波林虽曾和机械唯物论斗争过,而在主客关系如何的问题上,却仍然站在同一的立场。德波林虽曾力说过对立统一的辩证法的法则的意义,却没有理解主体与客体之辩证法的矛盾的能力。他没有理解这种统一是在历史的实践过程中实现的,所以把费尔巴赫的见解与马克思、恩格斯的见解,看作同一。他在专门研究费尔巴赫的著作中,这样写着:"费尔巴赫的唯物论哲学,不从抽象的主体出发,也不从无生命的抽象出发,而是从那个同时为客体的具体的主体出发的。"费尔巴赫的"具体的"主体,是在社会关系以外的某种抽象的物质的人类,这是我们已经说过的。可是德波林却把这样抽象的人,误认为马克思、恩格斯所说的具体的认识主体。德波林常常说起主体与客体的辩证法,说起两者的相互渗透,却不曾理解这种相互渗透是在实践上实现的,因而在事实上证明了他没有理解这辩证法的能力。对立的相互渗透,在德波林之下,没有

蒲列哈诺夫在认识论上的反历史主义

亚克瑟洛特在认识论上的错误——机械地考察主客的关系

德波林对于主客关系的不理解

111

辩证法的性质,只有外的性质,而终结于主体与客体之单纯的移动。他说,主体变为客体,客体变为主体。于是我们依据蒲列哈诺夫及其门徒的谬误的实例,看到如下的事实。即,从实践分离认识,不理解认识上的辩证法的作用,到了解决主客统一的问题时,必然要走到直观的立场,走到费尔巴赫主义。

第二节　认识过程的阶段与动因

认识的运动过程

前面说过:主体与客体的统一,以实践的发展为基础而实现;人类如何认识周围世界的问题,在实践以外是不能解决的。现在我们来详细研究认识的运动的路程;说明认识的运动在其发展上通过什么样的阶段,说明这种运动是由什么动因构成的。

认识的阶级性

当作认识物质的现实之主体而出现的东西,如前节所说,不是从社会游离了的个人,而是社会的人类、社会的阶级。在阶级社会中,周围世界的认识,带有阶级的性质。在阶级斗争上,从“自在的阶级”转化为“自为的阶级”的普罗列达里亚的认识之发展,成为阶级的认识之运动的标本。马克思和伊里奇,在许多古典的著作上,把普罗列达里亚的认识的一种①运动的姿态,指示给我们了。

普罗列达里亚认识的发展阶段

然则普罗列达里亚的认识,是怎样发展,并通过怎样的阶段呢?

普罗列达里亚,在其发展的最初期,还不曾完全意识到在自己周围发生的事实。这一层,在英国的产业革命时代,就可以明了看出来。当时,普罗列达里亚对于资本主义的理解,非常浅薄,劳动者们虽然随着机械的采用而成为产业预备军而被抛弃于街头,但他们却不能在资本主义的生产关系中,看出自己的贫困的原因,而只是在机械当中去寻找那原因。他们不对布尔乔亚作意识的阶级斗争,而做出了反抗机械的暴动(这是普罗列达里亚最初发展阶段上的显著特征)。然而这并不是说,对于成为阶级的布尔乔亚的普罗列达里亚的运动,是在劳动者完全理解并认识资本主义的本质,而自觉到自己是与敌对的布尔乔亚相斗争的阶级的那一瞬间开始的。普罗列达里亚,由于抗抵机械

---

① 1935 年 6 月版将“一种”改译为“这种”。——编者注

的运动,就已经是和成为阶级的资本家或布尔乔亚斗争过了,只因他们不曾理解资本主义的本质,所以才做出了错误的斗争方法。那时普罗列达里亚,虽不曾理解资本主义的剥削的本质,而对于自身所受的一切压迫和剥削,却已经是感觉到意识到了。他们为饥饿所苦,又不能满足迫切的生活的必要,他们被放置在今日或明日就要和家属一同挨饿的运命之下。正因为这样,所以劳动者们只知道恼恨自己所属的企业家,还不知道那企业家即是剥削者阶级的代表。普罗列达里亚是自然的起来反抗的;他们的斗争,不是基于资本主义发展之科学的理解,而是基于在奴隶生活条件下得到的体验与知觉。然而他们与企业家作日常的斗争,与其他企业中的劳动者相接触,以及资本家们互相支持的事实反复等——这一切事情,就弄到使劳动者理解资本主义的本质(雇佣劳动与资本间的斗争),教训他们在自己的主人一个人物之中,去看出一个剥削者阶级、布尔乔亚的阶级。阶级斗争的日常的实践,使得普罗列达里亚对于周围现实的认识,从自然的感觉和体验的阶段,提高到革命的变革现实的水平。于是说明资本主义的矛盾及其没落的必然性的马克思学说,在劳动大众方面,就能够依据他们自己的阶级斗争的实践去理解了。革命的普罗列达里亚,已经不是盲目的了。于是阶级对阶级的战争,就以现在世界为舞台而开演。

普罗列达里亚对于资本主义的现实之认识的路程,最初从感觉、表象与对象的直觉的阶段,进到对于现实的较高度的理解的阶段,其次再从这个高度的阶段,进到革命的实践,进到要实现从前只蕴藏在头脑中的东西的阶段。"从生动的直观到抽象的思维,从抽象的思维到实践,这是认识真理的辩证法的路程,是到达于客观的实在之认识的路程。"(伊里奇)

这一段话,包含着说明我们的认识发展之辩证法的路程的很深的思想。认识的要点,认识的终极目的,在于发现周围的现实之法则,而把我们在感觉、知觉和表象上所领受的材料,作论理的理解。但我们的认识之到达于论理的理解,是认识过程全体的结果。何种动因占优胜的那种差异,也决定认识本身的发展阶段的差异。因而认识过程的阶段,是不能被用不可逾越的界限去互相区别的。

在普罗列达里亚对资本主义的现实的个别现象作自发的斗争时的发展阶段上,普罗列达里亚也曾企图用一种方法去认识并理解那些现象。普罗列达

认识的终极目的是暴露现实的法则而达到于论理的理解

感性的认识之阶段

113

李达
全集

第十卷

论理的认
识之阶段

感性的认
识与论理
的认识之
相互关系

里亚自身的发展阶段还在低级状态,他们还没有暴露资本主义的本质的能力——这也是因为现实自身在某种程度上还没有充分展开它内在的矛盾——,这种种事实的结果,使得普罗列达里亚对于现实的一切认识,只在理解现实的各个方面或现象的感性的认识形式上表现出来。

但是,资本主义的现实以及阶级斗争的发展,使得普罗列达里亚感到有在其内的联结上,在其全体性上去认识各个现象的必要,使得他们把资本主义当作特定的社会制度,当作基于剥削的生产方法去理解。感性的理解,对于普罗列达里亚,不表明资本主义的矛盾,不发露那矛盾的"内容"。因为劳动者没有理解资本主义之内的矛盾(剥削关系),所以他们不能说明资本主义的现实之一切方面,是怎么样并为什么去互相结合的。例如劳动者一经为资本家的工场所雇佣,就常常随着受压迫,正如勤劳大众的营养不足、睡眠不足,及贫困化一样,失业也成为劳动阶级的永久不变的附属物——这些现象,劳动者虽然看得到,却是说不出理由来。资本主义的各个现象,在他们的认识上,只单是外的联结的东西。但是阶级斗争一进到较高的发展阶段而转化于"自为的阶级"时,普罗列达里亚就开始把从前各个散乱的资本主义诸现象的总体,当作内的联结的东西去把握了。论理的认识所以和感性的认识不同,是因为它先暴露周围世界之内的矛盾,而能在其总体上,在其一切方面的联结上去把握现实。

伊里奇发展了感性的认识与论理的认识的相互关系的问题,并说明我们在物质世界的认识过程中所领会的概念,比较感觉和表象,更为深刻。他说:"每秒有三十万基米的速度的运动,我们不难想象出来,至于光用那样快的速度而运动这件事,我们却不能理解。"为要理解诸现象之内的联结,单靠感觉是不够的。和这同样的思想,马克思在论价值时,也曾说起。[①] 价值是表现各商品所有者间的关系的范畴。这种关系,是不能靠感觉去把握的。能够看,能够触的东西,只是各个的商品,而不是价值,不是商品所有者的关系,也不是当作全体看的资本主义。这些东西,是不反映"于肉眼"之上的。关于这点,马克思曾经爽直地说过:"商品价值的实体,在不知道它的所在这一点上,与胡

---

① 1935 年 6 月版将此句号改为"过"。——编者注

尔斯达夫的情妇郭克里寡妇不同……各个商品，无论怎样把它反复舞弄，依然不能抓住它的价值。"

从感性的认识推移到论理的认识，就是从各个的方面和现象的理解推移到法则，即现实之内的联结的理解。感性的认识，不从论理的认识分离。它在已经萌芽的形态上，包含着我们后来藉概念之力所实行的普遍化。

费尔巴赫所谓某种普遍化已被给予于现实之感性的知觉的那个思想，伊里奇是表示赞同的。伊里奇引用过费尔巴赫所说的"只看见树叶不看见树么？"这一句话。不过费尔巴赫虽然述说过人的感官常与思想相联结这句深刻的话，却不曾力说到这种联结只是外的顺列的联结；现实的法则，只有依据以实践为基础的思维才能发现。费尔巴赫把在直观和表象上被给予着的联结，当作论理的认识。反之，伊里奇却力说到认识之深化的运动，力说到从感性的认识到论理的认识之推移。他这样写着："物质的抽象、自然的法则、价值的抽象及其他等等，即一切科学的（正确的、重要的、非瞎说的）抽象，都比较深刻，比较正确，比较完全地反映自然。"

伊里奇把感性的认识与论理的认识，当作人类认识周围世界过程中两个不同的阶段，又说明了把握实在过程时的感性的知觉与思维的特性。在低级阶段，认识显现为感性的东西；在高级阶段，认识显现为论理的东西。但任何阶段，都是统一的认识过程中的各阶段，不是被用不可逾越的界限互相分离的。依实践所证明：并不是我们感觉到什么东西，就立刻开始理解它；反之，也不是理解到什么东西，就不感觉到它；只有在理解了什么东西时，才更正确、更深刻地感觉到。我们与曲解党的一般方针的人们斗争时，不一定是在最初就把握着那事实的本质的。最初我们只感到有些地方不对，往往不能彻底证实它，这只有在实践的过程中，才开始理解到反对者的错误的体系。虽然那样，但我们在最初仍然理解着，关于某一问题，左翼或右翼是怎样离开党的一般方针的。以伊里奇的中委为首班的党，当着和托罗斯基派及右派相斗争时，多数的党员虽知道两派的各个的错误，却没有知道两派错误的全体系。只有在实践的过程中，即托派和右派的曲解到最后完全结晶时，我们才能在其全体上，在其内的联结上理解了托派与右派的反党的见解。

当我们理解某件事之时，我们当然不仅是说明它，而且还悲欢，还发怒，还

从感性的
认识到论
理的认识
之推移

两种认识
是认识过
程中不同
的阶段

115

愤慨。当我们和世界资本主义斗争而为阶级的敌人所乘时,我们就首先举行抗议的集会,用演说和印刷品来把我们的愤慨憎恨的力量,表示于阶级的敌人。(页边注:认识与情感之关系)

多数派党员的显著的特征,就是:在他们底下,思想感情与兴趣,并不抵触,如激流一般向着阶级的敌人斗争,去实现社会革命所苛责于我们的伟大的任务。

感性的认识与论理的认识,互相发展,互相丰富其内容,这一层,可举实例来说明。我们就一个到都市进工场做工的中农来设想一下。他是带着小布尔乔亚的意识走进工场的,他对于那企业中发生的新奇事情,抱着疑心,有时存着反感。他直接加入于工场时,就生出新的感觉和体验。他参加于社会主义建设,沾染着工作伙伴中通行的风气。这种风气,生出新的思想,使他渐渐理解普罗列达里亚所创造着的大事业。于是从小布尔乔亚意识到社会主义建设者的意识之急速转变,就在农民之中发生了。可是随着对于现实的新理解,随着普罗列达里亚意识的成熟,又现出新的感觉。从前伟大建设的欢喜,在他是一场空。于是劳动变成于他不适宜的东西了,在他看来,劳动只是"绞汗",只是压迫。于是,就怎么样呢?对于现实的这样的理解与感觉,就发生出与之相当的行动,即尽可能的怠工,务求早早停止工作,如有可能就去赚钱。他从工场生活得到的新感觉,常因对于现实之小布尔乔亚的理解所压倒了。但是做了工场劳动者以后,就和以前不同地去把握现实,因而开始发生与以前不同的感觉。于是不同的习气、不同的体验,以及对于现实的不同的知觉,就在他身上发生了。一旦上进到有意识的社会主义建设者的水平,就已经感到生活的充实,感到自己所创造的事业的伟大了。于是劳动对于他已不但不是压迫自己的负担,而渐渐变为"名誉、勇气与光荣事业"了。

感性的认识与论理的认识,只是反映了离我们的意识独立存在的客观的实在的不同阶段。感觉是当作外界作用于感官的结果而发生的。至于概念,就是从感性的经验发生的。概念是把认识主体在感觉或知觉现实的过程上所得的材料,加以改造,加以普遍化的东西。

感觉和概念,都是对象的肖像,即离开我们意识独立显现的过程的模写。

我们的感觉和概念,是客观的现实之正确的反映么?答复这个问题的,就是实践。"对象的真理到达于人们的思维与否的问题，不是什么理论的问题，而是一个实践的问题。人们必须在其实践上去证明真理，即证明其思维之现实性与力，证明其此岸性。从实践游离了的思维之为现实的与否之论争，是一个纯粹烦琐哲学的问题。"（马克思）

实践是认识运动的基础。实践正是真理的标准（尺度）。当作总体看的社会之发展，尤其资本主义之发展，产生了马＝伊主义的理论。普罗列达里亚与布尔乔亚的阶级斗争的一切历史，以及普罗列达里亚革命，证实了马＝伊主义理论的正确。

在实际上实行理论，也就是试验理论。为真理之标准的实践，并不是真理向它前进，停在那里试验它的努力而又进行的那样的阶段。实践并不是一种"装饰"。一切社会生活，并不是像垫子那样用理论与实践的布片缝合了的东西。为真理之标准的实践，贯穿着我们的认识的全路程。整个的革命，实行了马＝伊主义，即只有革命，纠正了并论破了马＝伊主义的曲解。 实践贯串于全认识过程

为真理标准的实践之完成认识的路程，这是在理论被实现于实践之中的意义上说的。但在实践上能够实现的理论，必须是从现在之社会的实践产生，而正确反映自然及社会的现实之发展路程的那种理论。

照上面所说，唯物辩证法，是认定"生活的见地、实践的见地为认识论的第一而且根本的见地"的。

然而反马＝伊主义的理论，也是依赖于实践的。它们究竟是怎样解释实践的呢？ 反唯物辩证法的实践观

就资本主义美国"流行的"布尔乔亚的实用主义，举例来说。实用主义这个潮流，借伊里奇的话来说，它是"认实践为唯一的标准的。……从这一切事实的当中，只①把形而上学所无的、便于实践的、实际的东西，当作目的，而其实很便利地把神引出来"。实用主义的实践观，是逃回过去的阶级的、具有利己主义与私有财产的阶级的、适合于布尔乔亚状态的布尔乔亚的见解。资本家是所见不远的。对于利润的渴望，使他们不能洞察将来。"捉住这一刹那呵！"——这是美国"实业家"的口号。这就是典型的实利主义的实践观。 实用主义的实践观

---

① 1935 年 6 月版删除了这个"只"字。——编者注

实际上,少数派也附和这样的实践观。"运动即是一切,目的是没有的"——柏伦斯泰因这个有名的公式,表明了同样粗陋的实际主义,盲目的实利主义,与对于被限制了的资本主义的现在之投降。(页边注:少数派的实践观)

布尔乔亚的=少数派的实践观,我们的托派和右派,也是有的。埋没弱点;不把握整个发展而盲目地屈服于各个事实之前;没有看穿现实的矛盾的深处之能力——这些,便是机会主义的实践观的特征。对于实践作这样的解释,就是从科学的理解——只有科学的理解,才能使人们把握并理解整个的现实与整个过程的运动——分离出行动。

马=伊主义的实践观,和它完全相反。马=伊主义的所说的实践,是伴随着洞察和究极目的之理解的实践,是当作展开了的阶级斗争看的实践。

在马克思以前的唯物论的认识论,也和观念论的认识论一样,想在物质的实践、在社会的=历史的实践之外,去解决认识的路程如何的问题。因而在认识的种种阶段与要素(感官与思维)之间,就缺乏了联结。这种分离,就进到了从论理的认识分离感性的认识之方向。哲学家之中,有认定感性的经验为认识的真实源泉而轻视思维的意义的人;反之,也有只认定思维为真实的东西而怀疑地去处理感性的经验的哲学家。前者是从含有"经验"意义的希腊语的"Empiria"采取的,被称为经验论;后者是从含有"理性"意义的拉丁语"Ratio"采取的,被称为唯理论。

经验论者和唯理论者,都不能从感觉过渡到思维,不能联结这两者。感觉以实践为基础而发生,那感觉更以实践为基础而被改变为概念,——这个问题的解决,是辩证法的,是唯物论的。经验论者与唯理论者,对于这件事,都不了解。

经验论的创始者,是英国哲学家培根。但他的学说,没有如后起的洛克的学说,以及主观观念论代表巴克列与休谟的学说中那种粗笨的一面性,也没有使感性的东西与论理的东西相分离,至于巴克列和休谟的哲学,是从极端的经验论出发,从专承认知觉一事出发的,他们否定论理的概念对于认识所具有的意义,把论理的概念,看作是由悟性引入于我们的认识中的制造品。

近世哲学中唯理论一派的代表,是笛卡儿、斯宾诺莎与莱布尼兹。17 世纪的唯理论者们,否定感觉背后有真实的东西,即正确的知识的可能性,因此把感觉的作用减低了。据他们的意见,感性的东西,只是混杂淆乱的东西,只有思维才能给予明了而显著的知识。但这种明确的知识,从什么地方发生呢?这个问题,唯理论者们是不能解释的,结局,他们就达到了这样的结论:理念在我们是与生俱来的东西。

唯理论重视论理的东西,轻视感性的东西

唯理论有两个重要的缺点。第一,是否定概念由经验而生,所以最初的概念,从他出发而到达于真理概念,究竟是从什么处所发生的问题,他们是不能说明的。第二,唯理论是同样从否定经验的认识的真理一事出发的,所以不能从抽象的思维过渡到各个感性的事物之认识。唯理论的这些缺点,在它的发展中显现了出来。

唯理论的矛盾,使得莱布尼兹不能不在与唯理论见地一致的"理性的真理"之外,去承认事实的真理,即承认观察及经验的真理。因而唯理论,在莱布尼兹的阶段上,已告破产。

康德想克服经验论的一面性,而建立感性的概念与论理的概念之联结。但他不能好好地解决这个问题。他说,概念不是从感性的经验造成的东西,而是在一切感性的经验以前已被给予了的悟性之经验的范畴。

康德的先验论批判

伊里奇对于近时康德主义者与马赫主义者分离感性的东西与论理的东西这一点,曾经加以批判,并暴露了他们所以把这两者分离的阶级的基础。伊里奇批判他们分离感性的东西与论理的东西这件事实时,常是诉诸实践,诉诸社会发展的进行全体。伊里奇说:"马赫很知道:在实践上,人们不可避免地就变为唯物论者。人们在社会的活动上,直接与自然联结着,因为要做出某种事物,人们必须从自然所供给的材料出发,即在实践上承认物质的第一次的性质,而变为唯物论者。所以马赫应用观念论者的全气力,要从认识论排除实践。因为这件事是把认识论变为观念论的东西的唯一手段。"实践的标准"被马赫排除于科学的界限之外,于认识的界限之外,这种处所,正是那种假造的大学教授的观念论"。——伊里奇这样去责问马赫。当作认识论看的辩证法,据伊里奇的意见,其中必含有实践。"在马赫一方面,实践与认识论是完全不同,前者不规定后者,可以把两者并列。"伊里奇批判着康德主义者与马赫主义者,并把这种批判与布尔乔亚科学的危机状态联系着,与布尔乔亚科学

康德主义与马赫主义

因拒斥辩证法而陷于末路的状态联系着,这布尔乔亚科学的末路,又表现出资本主义体系全部的一般的末路。

对于蒲列哈诺夫的认识论的批判,与对于康德主义者和马赫主义者的认识论的批判不同。蒲列哈诺夫超出论理的证明之界限以外的事是很稀少的,但他对于实践却看得很轻。譬如,一切观念论对于现实的曲解,其本质与根源,是在于从认识过程分离实践,是在于放弃为真理之标准的实践,这种地方,蒲列哈诺夫并不曾用力说来。

蒲列哈诺夫轻视了实践在认识发展上所占的任务,因而就走到了反历史主义的方向。蒲列哈诺夫的反历史主义,是他不理解对立统一的法则的结果,而这种反历史主义,形成他的错误的象形论的基础。依据象形论说来,我们的感觉和概念,只是象征,只是条件的记号,并不是存在于我们的外部的对象之反映。

伊里奇也同意于恩格斯,主张了反映论。据反映论说来,我们的感觉和概念,是对象的像、肖像或映像。而蒲列哈诺夫的象形论,却从正面和辩证唯物论的认识论相对立。象形论必然转向于不可知论,转向于康德所谓"物本体"不能认识的学说。如以为它们的概念只是象征,当然就不能借象征之力去认识自然及社会中的现实的联结。

在伊里奇严格地批判了这种象形论之后,蒲列哈诺夫也不能不承认自己的理论的谬误,但他把这种错误委诸无意思的语法,不曾理解这种错误是含有康德主义的本质。

反对伊里奇的批判而拥护象形论的人,是今日机械论者阿克色洛特。她批评伊里奇的见解说:"批评蒲列哈诺夫、排斥象征,而把感觉看成物的肖像或'不正确的'肖像的人,是站在二元论的立场,从反面去宣传柏拉图主义,断然不是说明从统一的端绪出发的唯物论哲学的。如果感觉是物的肖像或模写,我就要问:物究竟为什么是必要的呢? 物在这种情形,就会变为绝对意义上的物本体。把感觉看作是对象的肖像或模写,那就是再度在主体与客体间设立不可逾越的深渊。"亚克瑟洛特这样批评伊里奇,并说明象征论是"现代科学的同调"。亚克瑟洛特曲解伊里奇的反映论,以为我们只认识物的肖像或模写,而不能认识物的自身。她这样去拥护康德主义的象征论,而巧妙地要把康德派分离现象与"物本体"的事实,硬加在伊里奇身上。

机械论者亚克瑟洛特所以蹈袭蒲列哈诺夫的错误,并特别采取他的象形论,这不是没有理由的。这种象形论,与蒲列哈诺夫接近于迂回的经验论那件事,是有关联的。迂回的观念论,轻视实践之历史的发展,因而又轻视思维的能动作用,而象形论那东西,就含有与之相似的性质。这一点,正是机械论者认识论的特征,他们分离感性的东西与论理的东西,又从科学的理论分离实践,这样的实践观,是和右翼机会主义的赚钱主义相接近的。两者不同的地方,只是:蒲列哈诺夫的机械论,还不是展开了①世界观的体系。然而,蒲列哈诺夫的机械论中的萌芽,往后却发展起来,并推进到极处,展开了今日机械论的谬误的全系列。

还有一个蒲列哈诺夫的弟子,是带有少数派色彩的观念论者的德波林。他这样写着:"伊里奇反对象征论或象形论,是完全正确的。一般地说来,蒲列哈诺夫,不曾站在象形论的见地上;并且,他承认了自己的用语的不正确,这是读者所知道的。在蒲列哈诺夫一方面,问题只是用语,而不是问题的本质。"

像德波林这种说法,他虽然没有直接拥护象形论,但他也和蒲列哈诺夫同样,只把象形论归着于用语上的错误,而以为象形论是和蒲列哈诺夫认识论的本质,可与他的反历史主义无关。

第三节 论理的东西与历史的东西

随着社会的历史的实践之发展,我们的认识也发展。所谓认识阶段之发展,就是说,我们的认识逐渐深化,而现实的真实联结及其规律性,就反映于我们的认识之上。对于现实的认识之深化,及其内容之更趋丰富,这一层,可以就普罗列达里亚革命的理论之发展,即就马=伊主义引例来探求它。

认识随社会的实践之发展而发展

马克思和恩格斯,从资本主义的诸关系出发,造出普罗列达里亚革命的理论,证实了资本主义的崩溃与普罗列达里亚政权确立之必然性。但马克思和

---

① 1935 年 6 月版此处添加了一个"的"字。——编者注

恩格斯所生活着的时代之实践，还没有给他们以可能性，去完全展开由资本主义到社会主义的过渡期之具体的形象，去设计普罗列达里亚的国家具体形态。

到了后来，社会的历史的实践进到新阶段，即帝国主义代产业资本主义而出现了。帝国主义，给伊里奇以一种可能性，去提高马克思主义理论到比较高级的新发展阶段。帝国主义阶段上资本主义的发展，逐渐暴露出新的规律性，更深刻地暴露出资本主义之本质的矛盾，更明了地表现出资本主义发展的不平衡。于是伊里奇就能够根据这些新材料，把马克思恩格斯的普罗列达里亚革命的理论加深，并且使它具体化了。伊里奇从这方面出发，对我们指明了：帝国主义是资本主义的最后阶段，是普罗列达里亚革命的前夜；而普罗列达里亚革命，由于资本主义的不平衡的发展，最初在一个或几个资本主义国家得到胜利。新时代给伊里奇以可能性，去发展马克思恩格斯的普罗列达里亚革命论，并设计那革命之具体的形态（苏维埃）。过渡期的规律性的研究，给伊里奇以可能性，把马克思恩格斯关于阶级及阶级斗争形态的学说具体化。

进到了社会主义时代这件事，又表现出社会发展的新规律，表现出这新规律与旧规律遗物的错综。现实，要求着在其全体性上，在其矛盾上，去把握新的联结。于是伊里奇主义，在斯大林的著作上，内容更加丰富，更成就新的发展。斯大林现时又把社会主义建设条件的可能性与现实性问题、伊里奇的合作社论与工农联盟论等，发展起来，并使其具体化。

照这样，社会的历史的实践之发展，使得我们对于现实的认识，越发上进到高级的阶段，越发变为完全的东西，越发反映出现实之合法则的联结。

伊里奇发展了当作认识论看的辩证法问题，并且明了地分明地力说了人类的思维越发上进到高级阶段去的过程。思维从外的联结之理解而更趋深化，进向于过程的"本质"，越发暴露出新的方面，从那样不深刻的联结转到更深的联结。我们的认识的这样式的深化，在概念之中被表现出来。概念在意识之中发生、发展；在意识之中，表现出社会的历史的实践之特定阶段，更因其实践而加强。

我们用概念和论理的范畴，来①表现物质世界的认识阶段。如前所述，概

---

① 1935 年 6 月版将"来"改译为"去"。——编者注

念表现内的联结，表现物质世界所由发展的法则。例如，把人类社会看成生产关系总体的马克思主义社会观，表现着人类社会的本质及其发展法则。价值这概念，表现着商品所有者间之本质的联结。伊里奇说，范畴是世界认识的阶段，是"帮助认识世界并抓住世界的纲的结孔"。范畴和概念，并不是凝固了的、死板的东西。它随着现实的发展而发展，而丰富其内容。例如，进到了社会主义时代这件事，就把社会主义的概念弄得丰富，弄得具体化了。随着社会的活动之发展，不但旧的概念变得内容丰富，并且许多新概念也显现出来。历史上也曾有过那样的时代，在那时代的社会中，我们今日所使用的诸概念，几乎一个也不曾有过。

概念的发展依存于现实的发展

　　我们的认识依从怎样的法则发展？人类对于现实的理解通过怎样的阶段？从某一认识阶段到别一认识阶段的推移是怎样显现？研究这些问题的科学，叫作辩证法的论理学。辩证法的论理学，指示范畴的联结及发展。它指示物质世界与我们认识之发展是如何进行，指示论理的范畴怎样随着现实的法则的发展而发展，它指出论理的范畴在根本上反映现实与认识之历史的发展及路程。伊里奇说："论理学是关于'一切物质的、自然的及精神的东西'之发展法则，即关于世界及世界认识的具体内容之发展法则的学问。总之，它是世界认识的历史之总计、总和与结论。"

辩证法的论理学是什么

　　辩证法的论理学，把在社会发展过程上所得的科学的知识之总和做基础。论理学的内容，随着具体科学的发展而更趋丰富。新的法则与新的联结，是具体科学在实践过程上深深透入于周围的现实时才发生的东西。伊里奇说："论理学是贯通于发展的全体的知识。"装载于蓄积的知识总体所招致的具体内容中的东西，并不是已经完结的东西。正因为这样，所以伊里奇力说了全体的知识的发展、历史的动因。在今后应如何研究辩证法的他的遗言之中，他暗示着许多具体科学的历史。就是，他暗示着哲学史，各个科学的历史，儿童的智识的发展及言语等的历史。他说："认识论和辩证法，必须从这些知识领域去构成。"这样，唯物辩证法，把具体的知识的全内容都包含着。辩证法的论理学，包含着人智全体的历史。因为它放弃一切非科学的东西，采取人智最良的科学成果，采取人智的过程、结果及结论，即采取最接近于现实之正确的反映的东西。辩证法的论理学，纯化了不照应于现实的一切之后，在其前进的与

辩证法的论理学之内容

总和的形态上,去采取知识的历史。

过渡期的社会,是以前一切社会的发展之结果;同样,当作论理学看的唯物辩证法,是"世界认识的历史"之总计、总和与结论。在比较高级的社会发展的阶段上,有比较高级形式的科学——唯物辩证法与之相照应。这件事表示着:与某些带有少数派色彩的观念论者的主张相反,唯物辩证法或论理学,不单是认识的历史之结论,并且是现实之历史的发展过程之结论。因为唯物辩证法,是在从偶然性纯化了的形态上,再现着现实的发展过程。

马克思在《资本论》中,给予了论理的东西与历史的东西之统一的辉煌的范例,即对象的理论与其历史的发展之照应。他论证了:资本主义,内包着以前一切的发展史、单纯商品经济及货币经济等。反映比较初期的社会发展阶段的概念(价值、货币、地租),在马克思对于资本主义社会的分析中,也同样地被发现出来。伊里奇力说到这一点,对于《资本论》这样说着,"在《资本论》之中,资本主义的历史及要约那历史的概念之分析",都被给予着。换句话说,反映那发展造出资本主义的商品经济的诸方面诸阶段的概念之分析,是被给予着。马克思所把握了的东西,简直是"要约"资本主义历史的概念。但是,马克思为什么在《资本论》中所说的顺序(价值、货币、剩余价值等)上给予这些概念,而不在和这不同的顺序上给予这些概念呢? 这不只是由于价值、货币等在资本主义社会中所演的意义、位置及其任务,才配置那些概念的。他那样地描出资本主义,就是在根本上照应于资本主义的现实上的历史发展过程。所以,对象的理论,对象的论理,在其根本上,也反映着对象的现实上的历史。

那样的一致,是怎样发生的呢? 例如说,马克思从当作商品资本主义经济的基础的价值开始,反映了资本主义历史的现实上的端初,这是怎样发生的呢? 这是因为马克思不在头脑当中去描画资本主义的理论,而完全是从实践出发,并依据实践,而在实践上建立自己的《资本论》的。但实践究竟指示了什么? 实践指示了:商品经济的初期的当初的阶段,再行发展,也包含着当作商品经济的最高发展阶段的资本主义,①变成了商品经济的较高阶段的基础,

---

① 1935 年 6 月版此处添加了一个"而"字。——编者注

照这样,论理的东西与历史的东西之统一,对象的理论与对象的历史之统一,就由实践而发现。

　　辩证法的论理学,在概念和范畴中,反映认识自身与对象之发展的法则与阶段及历史,并暴露这两者的统一,即存在与思维的联结。恩格斯说过:"……它(辩证法)依着从种种知识部门采取的许多实例,证明了思维过程与自然及历史的过程之间,存在类似之点;反之,——又证明了在这一切过程中,有同一的法则支配着。"①

　　照那样,辩证法的论理学,是存在的论理学,同时又是思维的论理学;是对象的理论,同时又是认识的理论。辩证法的论理学,是把思维当作依从同一法则发展的统一的物质世界之一方面暴露的,所以它又是辩证法的认识论。伊里奇指出这一点说:"辩证法正是(黑格尔与)马克思主义的认识论。忽视事实的这一'方面'(它在这里,不是事实的'方面',而是它的本质)的人,是普列哈诺夫,即令不说别的马克思主义者。" 辩证法的论理学又是辩证法的认识论

　　辩证法的论理学,论证思维与存在的统一,以我们的认识能反映在周围世界中发生的东西一事为基础。如果我们的认识不从物质世界的发展而发生,也不依从于与周围世界相同的法则而发展,那么,我们怎能够深深地反映周围的世界呢? 伊里奇深深地理解了存在与思维的法则的统一,所以他能够理解论理学,与辩证法及认识论的统一。他对于论理学与辩证法及认识论的相互关系,这样写着——"三个名词是不必要的,它们同是一个东西"。 辩证法、论理学、认识论三者的相互关系

　　这一层的正确,普列哈诺夫未曾理解。

　　普列哈诺夫忽视了现实的认识具有历史的性质的问题,忽视了现实的认识与社会＝历史的实践之联结的问题,因此在认识论的问题上,暴露了他离背了唯物辩证法。这种错处,在他无批判地容纳了费尔巴赫的认识论一点上,也表现了出来。普列哈诺夫把费尔巴赫的认识论与马克思的认识论,视为同一。他说:"还有,如下的一件事,也不能不承认。即,马克思的认识论,是从费尔巴赫的认识论一直线出来的吗? 或者如不愿那样说,那么,马克思的认识论,本来是费尔巴赫的认识论,只因为马克思对它所加的天才的修正而深化了。" 普列哈诺夫不懂得辩证法与认识论的关系

---

　　① 《反杜林论》。

但是,在实际上,马克思的辩证法的认识论,与费尔巴赫的形而上学的认识论,根本不同!

普列哈诺夫,由于把马克思与费尔巴赫视为同一,证明了他不懂得当作认识论看的唯物辩证法。

不理解当作认识论看的辩证法一件事,是普列哈诺夫弟子,带有少数派色彩的观念论者德波林的特征。德波林深化普列哈诺夫的谬误,至于把辩证法和认识论对置。他在某一著作中这样写着:"当作与认识论对立了的方法论看的辩证法之意义,马克思主义创始者们,其最伟大的代表们,都充分认定着。"

德波林硬说马克思主义的创始者们把辩证法与认识论对置,事实上转入了普列哈诺夫与费尔巴赫的立场。在他看来,一方面有当作方法论看的辩证法,别方面有无辩证法的唯物认识论。

唯物辩证法,暴露出思维与存在之统一。它证明现实的发展法则与思维的发展法则是同一的东西。这件事情,通过我们一切的活动,演出极重要的作用。因为我们的思维的法则,不与对象自身的发展法则相矛盾。在思维中再现出对象之真实发展的形象时,我们就可以引出实践的结论;预见事件,并知道那些事件以后是怎样的,并且循着怎样的道路而进行。照这样,唯物辩证法,对于为行动的指导的理论,就给予了坚固的基础。

第四节 真 理 论

只有辩证
法的认识
论建立认
识的客观
真理之基
础

实践是承
认客观真
理的决定
的论据

承认在我们意识之外的、离我们意识独立存在的客观的实在,这是一切唯物论的根本命题。从这个命题出发,唯物论的认识论,认定客观世界为认识的对象。

一切唯物论都认定客观世界有认识的可能,但能够说明物质世界的法则与人类认识的法则之统一的,却只有当作认识论看的唯物辩证法——只有它能够真实的建立人类认识的客观真理性的基础。

唯物论所说的客观真理,就是它的内容"不依存于主体、不依存于各个人、也不依存于一般人的"那样的我们的表象。但在认定客观真理上成为决定的论据的东西是什么？如前面几节所述，马克思主义认定为"决定的论据"、真理的标准的东西，是社会的＝历史的实践。马克思主义，把我们在实践外能认识客观真理与否的问题，看作是烦琐哲学的问题。

恩格斯当证明人类认识的客观真理时，引用了如下的实例。某种植物根中所含有的染料——阿里查林，到一定时期为止，它依然是"物本体"。后来，有机化学与化学工业，就能够更简单地更廉价地从柯尔达尔当中采取这种染料了。这样，阿里查林就从"物本体"转化为"我们的东西"了。哥白尼的理论，在长期间内，依然是臆测，是假说。但到 19 世纪中叶，天文学家卢维里，就从这理论所给予的东西出发，证明了太阳系中还有未经发现的第八大行星存在着，并且算定了这些行星在空间中所占的位置。还有一个天文学者，根据这个计算，在一定时期中，适宜的用望远镜去观测，就发现了这些行星之一的海王星。于是哥白尼的理论之客观真理性被证明了。

社会的人类之历史的实践全体证明着人类认识之客观的真理性。虽然这样，我们当然还不能说：我们的感觉和思想常是真理，没有幻想，也没有谬误。幻想和谬误是存在的。只有实践，才是人类认识的真理性之决定的实验，是真理的标准。在社会的历史的实践过程中，错误的见解被舍弃，"幻想消失，事实存留着"。例如实践证明宗教是迷误，证明科学①到达于真理。生产上的实践，证明自然科学的客观真理。劳动阶级革命斗争的实践，证明科学社会主义的客观真理。

照上面所说，客观的真理是存在的。但客观真理之承认，还没有解决"表现客观真理的人类的表象，能够一定②地、完全地、无条件地、绝对地表现它吗？或者只能近似地相对地表现它吗？"这个问题。乍看起来，好像这个问题，只能有两个解答：第一，绝对的真理之承认；第二，绝对真理之否认，认识的相对性之承认。但实际上，这个问题，除以上两种解答之外，还有第三个解答。形而上学者是承认绝对真理的。他们承认一切存在物的不变性，主张人类的知识是不变的，是绝对的。一切相对论，都否定绝对真理，只承认知识的相对

实践证明真理消灭幻想

---

① 1935 年 6 月版此处添加了一个"之"字。——编者注
② 1935 年 6 月版将"一定"改译为"一次"。——编者注

性。至于辩证唯物论的见解,是与形而上学及相对论的见解相对立的。辩证唯物论,对于上述客观真理如何显现的问题,可用伊里奇下述的话来答复——"人类的思维,在本质上能够把那由相对真理总体而构成的绝对真理,给予于我们,并且正在给予着,科学的发展上的各个阶段,添加新的颗粒于绝对真理的这个总和,而各个科学的命题之真理的界限,都是相对的,由于知识的渐进的增加而伸缩"。

现在我们来批判形而上学者及相对论者的真理观,并阐明辩证唯物论的见解。

上面说过,哥白尼关于太阳系学说,是客观的真理。但这学说究竟是绝对的真理吗?绝不是的!证明哥白尼学说的客观真理的那个发现——海王星的发现,同时证明了哥白尼学说的相对性。因为那个发现,说明了在海王星发现以前,太阳系之科学的形象中,缺乏了实际存在的第八大行星。不过,就是在海王星发现以后,太阳系的形象,还不是绝对的东西,这是第九大行星的最近的发现(1930年)所证明的。不待说,就是在这个发现之后,太阳系的形象,也还不是绝对的东西。天文学者们,有时会发现今日所不知道的别的行星的。还有,太阳系认识的问题,只是归结于太阳系中所有的行星的发现的。天文学不能不更深入地去研究已经发现的天体。并且我们知道,天体也和世间一切东西同样,不是永久不变的,而是继续发展的。即令今日得到了客观世界之绝对的形象,而这个形象,到了明日就不会表现它的原型。宇宙,无论就其广大之点去看,或就其质的多样性去看,都是无限。各个有限的对象,从其联结的多面性去看,是无限。人类的认识,在各个被给予的历史的瞬间,不能完全究明无限的这些联结。所以各个一定历史的瞬间中所得到的知识,是被限制着。绝对的知识固是不可能的,而知识之渐趋于完全和深刻,却是可能的。

形而上学的绝对真理说,是错误的。和这个学说相反的相对论,为什么也不是真理呢?相对论之所以不是真理,是因为它在其必然的归结上,要与不可知论相结合。实际上,单只认定人类认识的相对性,还不能区别真理与谬误。怎样的科学的理论才是真理呢?相对论者当然不能不这样说——是"然"又是"否",是"对的"又是"不对";因为一切科学的理论都含有谬误的要素。从相对论的见解说,一切科学的理论,都只是相对的真理,因而又只是相对的谬

误。我们现在来提出一个问题,究竟怎样的宗教学说才是谬误呢? 相对论者
对于这问题就不能不这样答复——是"然"又是"否",是"对的"又是"不对",
因为一切宗教学说,都含有真理的要素。从相对论的见解说,一切宗教学说,
都只是相对的谬误,因而又是相对的真理。在科学与宗教,真理与谬误之间设
立区别,这在相对论的见解上,是不可能的。但是,从辩证唯物论的见解说来,
设立这种区别,是有可能的,并且是必要的。成为设立这种区别的手段的东
西,是由我们的实践所研究的知识的客观性的命题。宗教是迷误,科学是客观
的真理。伊里奇说:"马克思恩格斯的唯物辩证法,无条件的含有相对论,但
不归着于相对论。即,虽然认定我们的知识的相对性,但承认这种相对性,并
不是在否定客观真理的意义上,而是在我们的知识接近于客观真理的界限为
历史所规定的意义上。"

　　不可知论的古典的代表,是康德和休谟。19 世纪末叶以来,在布尔乔亚
社会腐烂的前后,不可知论与相对论合为一体,流行一时。不可知论与相对论
的代表,是马赫与阿芬那流斯。相对论很普及于科学——物理学的领域,在这
个领域中,相对论便发展为所谓物理学的观念论。现世纪初期成就的电子的
发现,证明了机械的物质论的无能。物理学不理解客观的认识之发展,因而开
始了物质"已经消灭"的主张。

　　现世纪开始以来,不可知论和相对论,不但流行于布尔乔亚哲学与布尔乔
亚科学之间,并且传染于劳动运动之中,造出了哲学上的修正主义。

　　哲学上的修正主义者的代表之一,是波格达诺夫。波格达诺夫造作真理
的"普遍妥当性"的理论,去代替真理的客观性的学说。他这种①理论,埋没了
真理与谬误的界限。因为,科学的真理,没有绝对普遍妥当性;反之,种种的谬
误,往往也有很广的"普遍妥当性"。波格达诺夫感到了自己的缺点,特别附
了一个条件说,树妖家鬼是不被当作客观存在的东西看的。但这个条件,断然
不能够从波格达诺夫的理论发生。伊里奇这样写着:"波格达诺夫不把树妖
家鬼等社会的经验'包含'在客观的经验之中,这在我当然是很愉快的。不
过,否定信仰主义的精神上这种小订正,一点也不矫正波格达诺夫全部立场上

波格达诺
夫相对论
之批判

---

　　①　1935 年 6 月版将"这种"改译为"那种"。——编者注

的根本谬误。波格达诺夫的客观性和物质世界的定义，无条件地发生了破绽。因为宗教的教诲比较科学的教诲，在广大程度上是'普遍妥当的'。因为人类的大部分，现在还固执着前者的教诲。"

相对论又从波格达诺夫传染到布哈林。布哈林的相对论和不可知论的表现，是在于他把一些思想认为"见解"，并且不问那些思想的客观真理性如何，而认定它们是多少便利的认识方法。（页边注：布哈林的相对论批判）布哈林特别在其所著《过渡期经济学》中，犯了这种错误。例如他说："当着分析社会层的移动以地理学的类型所不能有的速度进行的时代之际，注重诸形态的连续变化性的原理，即注重过程认识的原理的辩证法的＝历史的见解，不能不力说出来，这是完全明白的事情。"伊里奇读到布哈林这部书，就上述处所这样附注着："从这一句话就可以显明地看出：在感染了波格达诺夫的折中主义的著者说来，辩证法的'见解'，只是许多同等见解之一。错了！"在别的处所，布哈林还这样写着："各个的要素，即令在脱离社会的生产过程时，也是在连续的影响圈之内，它自身是被从社会的生产体系的立场所观察的。这些要素，即令在极端游离的时机，当作社会的引力的对象看，当作新社会体系的潜伏的构成分看，在理论上是有兴趣的。"（傍点①是伊里奇所加的）关于傍点的字句，伊里奇附记着说："这样的字句不对。波格达诺夫的谬误，在表面上显现着——是主观主义，唯我论。重要点并不是谁去'观察'、谁'有兴趣'，而是离人类意识独立的这一层。"

伊里奇的
真理论　相对论者不能够批判形而上学者的绝对真理论。② 恩格斯不是拥护人类认识之绝对的相对性的人，他说："人类的思维，是至高的，又不是至高的；人类的认识能力是无限的，又是有限的。从其本质、本分、可能性，及历史的最终目标说来，它是至高的，并是无限的。从各个的现实及各种情形的现实说来，它不是至高的，并是有限的。"恩格斯拥护辩证法而不拥护相对论，这是很明显的。但相对论者波格达诺夫却责难了恩格斯的折中主义。伊里奇起来，反对波格达诺夫及其他相对论者的见解。他把恩格斯说明了的相对真理与绝对

---

①　原书为竖排版，"傍点"（书中有时称为"傍圈"）即着重号，下同。——编者注

②　1935 年 6 月版此处添加了"恩格斯批判杜林的形而上学的绝对真理论之时，不曾陷入相对论。"——编者注

真理之辩证法的关联的教示，发展为全体的理论。他说："在辩证唯物论说来，相对真理与绝对真理之间，没有不可逾越的境界。……从近代唯物论即马克思主义的见地说来，我们的知识接近于客观的、绝对真理的界限，在历史上虽被附上条件，但这种真理之存在，却是无条件的。我们逐渐接近于这种真理，也是无条件的。绘画的轮廓，在历史上虽被附上条件，而这绘画之模写客观存在的模特儿，却是无条件的。我们认识物的本质，究竟在什么时候，在怎样条件之下才到达于发现柯尔达尔中的阿里查林，发现原子中的电子，这件事在历史上是被附上条件的；但这些发现之'无条件地向着客观的认识'前进一步，这件事却是无条件的。做一句话说，一切意识形态，虽在历史上被附着条件，而对于一切科学的意识形态，有与宗教不同的客观的真理及绝对的自然去照应它，这是无条件的。你也许会说，相对真理与绝对真理之区别是不确定的。我的答复是，这种区别在足以防止科学变成坏意思的信条，即变为死板的、凝固的、化石的东西的那种程度上，它是'不确定的'。但同时这种区别，在足以使我们最坚决而勇往直前的脱离休谟和康德的信徒的信仰主义和不可知论，脱离哲学的观念论和诡辩论的那种程度上，它是'确定的'。在这种处所，有你所不注意的境界。因为你不注意这一点，所以你陷入了反动哲学的无底的泥沼。这正是辩证唯物论与相对论的境界线。"① 伊里奇所说的这个境界线，就是承认客观的真理。辩证唯物论承认客观的真理；相对论者追从② 休谟与康德，否认客观的真理。依据辩证唯物论的见解，随着认识的发展，我们就接近绝对真理，所以绝对真理由相对真理构成。依据相对论的见解，认识只是相对的，并没有真理的任何客观的标准。人类认识之历史的进行全部，证明辩证唯物论的正确，而排斥相对论。从前人们以为地球是平面的，后来却到达了地球是圆球的思想。从相对论者们的见解说，这些表象中哪一个是对的，哪一个是不对的，他们就不能解释。辩证唯物论，把实践的标准，引入于认识论之中，这样去区别真理与谬误。世界一周的实践，明白地证实了上述关于地球形态的表象中的后一种表象之客观的真理性，并没有争端的余地。但这种表象

---

① 《唯物论与经验批判论》。

② 1935 年 6 月版在此添加了一个"于"字。——编者注

也不是绝对的。更精密的研究，又证明了地球并不是圆球形，而是向着两极变为扁平的椭圆回转体。这椭圆回转体的形状，不充分照应于地球的真正的形状，这一层又被更精密的研究阐明了。人类知识的发达，是这样式进行的。绝对的真理是许多相对的真理所构成的。只有辩证唯物论，在相对的东西中认定绝对的东西。相对论在相对的东西中，只认定相对而排除绝对。因为相对论反对绝对的东西，所以乍看起来，它好像是与形而上学相对立，而实际上它是形而上学的一个变种。因为，它把相对提高到绝对的阶段。真正与形而上学对立的东西，只是辩证唯物论。只有辩证唯物论，把相对与绝对的差异，当作相对的差异去理解。

真理论与当作认识论看的辩证法的命题一致

　　绝对真理与相对真理的学说，伊里奇在其所著《唯物论与经验批判论》当中，使其发展了①。这个学说，与伊里奇关于当作认识论看的辩证法那个命题，完全一致，这是不难理解的。这个命题，如前所说，就是说明，只有辩证法，只有关于对立的统一的学说，才是彻底承认人类认识的客观真理性的唯一条件。绝对真理与相对真理的学说，主张我们随着认识的发展，就逐渐接近于客观真理之认识。当作认识论看的辩证法，指示出进向于物质世界过程的深处的我们的认识之运动；把这种运动当作我们关于现实的理解去阐明，并且愈加正确的在思维中再现出这个现实。当作认识论看的辩证法这个命题，和《唯物论与经验批判论》当中所展开的真理论之间，明明没有矛盾；这两者是互相补足，互相发展。

真理的具体性问题

　　为组合辩证唯物论关于真理的说明，我们不能不考察真理的具体性问题。形而上学的特征，是承认抽象的真理。反之，辩证唯物论，承认具体的真理。为什么一切形而上学都承认抽象的真理呢？因为形而上学，如前面所说，是一个抽象，是忽视一切现象的普遍联结的结果。唯物辩证法，与形而上学不同，它是关于具体的东西的科学，是关于世界过程的普遍联结的科学。认识过程，从直观开始。这种直观虽是具体的东西，但它只把捉现实的外面，表面的联结，这是已经说过的。认识过程中第二个动因，是抽象的思维。为这抽象的思维加上特征的东西，是分解对象之具体的全面性，考察并研究其各个的联结。

① 《唯物论与经验批判论》。

形而上学不能超出这个动因以上。因而形而上学是使现实的诸方面互相分离的。在这样处理之下，对象的全体性及其具体性，就被忽视了。由此可知，形而上学只是抽象的知识，只到达于抽象的真理。但思维并不停止于抽象的概念的阶段。由于辩证法的思维，我们在认识过程中，再现出具体的东西，到达于具体的概念。这个概念，是多少比较深刻的、全面的、客观的现实之反映。唯物辩证法就把它看作真理。这真理是尽可能地考察对象的联结的具体的真理。因而它变为实践的活动之真实的武器。

我们前面从认识的客观性的基础开始了辩证唯物论的说明。现在，与真理的具体性问题相关联，不能不区别具体的客观主义与抽象的客观主义。黑格尔是拥护客观的知识的人。但他是观念论者。因而黑格尔的客观主义，是抽象的。马克思说："黑格尔的哲学上的工作，不向着用政治上法令的内容充满抽象的思维这个方面，而是向着发散现存政治上法令的内容而把它作为抽象的思维那个方面。"从前的斯特鲁勃，也是表现为用马克思的衣裳掩弊了的客观主义的代表。斯特鲁勃，对于人民派害怕俄国资本主义的发达而期待俄国以特别非资本主义的方法发展经济的见解，曾经加以批判。他证明了，俄国资本主义的发达是不可避免的，并且资本主义比较落后的农民经济前进一步。斯特鲁勃的这些主张，在客观上是正确的。但他的客观主义，却是抽象的。他忽视了随资本主义发生的各种矛盾，忽视了资本主义社会中固有的阶级对立，忽视了劳动运动发展的必然性。因此，他在事实上，变为资本主义的拥护者，变为布尔乔亚的思想家，绝不是马克思主义者。至于暴露斯特鲁勃的本体这种工作，是伊里奇所实行的。伊里奇说："客观论者只说及一定历史的过程之必然性，而唯物论者却正确地确定一定社会的经济构造及其所产生的各种对立关系。客观论者证明一定的一系列的事实之必然性时，常迷入于辩护这些事实的见地；唯物论者却说起由一定经济秩序'所支配'、而造出对于他阶级的种种反作用形态的阶级。所以，唯物论者一方面是比较更彻底的客观论者，更深刻更完全的贯彻自己的客观主义。唯物论者不单是指出过程的必然性，还进而说明怎样的社会经济构造给这过程以内容，怎样的阶级规定这个必然性。……在另一方面，唯物论把党派性包藏于自身当中，估评事实时，总是负有直接地公然地站在特定社会集团的见地。"

具体的客观主义与抽象的客观主义

抽象的客观论者——黑格尔与斯特鲁勃

133

斯特鲁勃是抬头起来的、进步的布尔乔亚的思想家,所以他是客观论者。同样,少数派,在事实上也是布尔乔亚的思想家。所以,他们也同样的往往表现为客观论者。(页边注:抽象的客观论者少数派与普列哈诺夫)例如,少数派对于1905年革命家的估评,就是抽象的客观的。少数派在1905年当时说过,在俄国,只有布尔乔亚革命是可能的。他们在当时说这样的话,本是正确的。但是不正确的地方,就是忽视了1905年布尔乔亚革命的特殊性。他们忽视了:1905年当时,俄国劳动阶级的发达,比较17世纪的英国,18世纪的法国,或19世纪的德国劳动阶级,都达到了为他们所不能比拟的程度。他们忽视了俄国资本主义发达的特殊性,和俄国布尔乔亚的特殊状态——他们胆小,容易被收买,并且随时想和沙皇主义妥协。因为忽视了这些特殊性,所以少数派没有看到能够做俄国布尔乔亚革命的盟主的,只是普罗列达里亚。他们在1905年革命时,只是说起布尔乔亚的领导;到了劳动运动发达了的情势之下,即到了帝国主义时代,它们也不能理解布尔乔亚已不能做布尔乔亚革命的盟主。1905年,普列哈诺夫这样写着:"社会主义和政治的关系如何这个问题,被万国空想社会主义者错误地解决了。俄国的情形,也不在一般原则的例外。我们的人民派和人民意志派,很拙劣地处理了这个问题。不单是他们,就是在今日俄国社会民主主义者之间,关于劳动阶级之政治的任务,也流行了相当奇怪的见解。那种奇怪见解,在今日我们当着布尔乔亚革命的时期,只要想起社会民主主义者提倡夺取权力的事实,就充分了。那些相信夺取权力的人们,都忘记了这个事实:即只有在社会主义革命成为问题时,劳动阶级的独裁才有可能。伊里奇与其徒党,以及马赫主义派,应当留心考察这一点。"普列哈诺夫在这些语句中,极明了地表现了他的抽象的立场以及缺乏具体的思维的能力。他断定多数派对于1905年革命的见解是空想的,他用所谓"实际的"即所谓客观的革命观去与多数派的见解相对立。实际上普列哈诺夫的见解,是最坏的客观主义,是抽象的客观主义。普列哈诺夫,从1905年革命是布尔乔亚革命这个前提出发,对于劳动阶级之政治的任务,引出了布尔乔亚自由主义的结论。他不能理解:在帝国主义形势之下,布尔乔亚革命能够转变为社会主义革命;在1905年革命的时代,普罗列达里亚与农民之革命的民主独裁的伊里奇这个口号,是唯一正确的口号。

　　抽象的客观主义，背叛唯物辩证法，拒绝具体的真理。对于认识作抽象的考察的另一种表现，是诡辩论。诡辩论是分离整个发展过程而采取其各个方面的，多半是采取其外面的方面的。诡辩论把这个外面的方面，表现为本质的东西。它把客观现实的内部矛盾之分析，置之度外。因此，诡辩论变成主观的，对立于是消失了。在某种情形出现为抽象的客观论者的那些同样的哲学者或政治家，在别种情形又出现为诡辩论者的名角。普列哈诺夫的抽象的客观论，我们刚才已经指摘过。借伊里奇的话来说，普列哈诺夫"在以诡辩论代替辩证法的那种有名誉的工作上，打破了纪录"。他的打破了"记录"的事实，是他在帝国主义战争时代企图为社会排外主义造出正当理论的当时做成的。他倡导了所谓战争"发起人"的理论那种愚劣的理论。他说，开始战争的是德国人，所以俄国人、法国人和英国人，都不能不拥护自己的"祖国"。伊里奇反对这种背叛的社会主义理论，这样写着："诡辩论者虽然抓住一个'根据'，但如黑格尔所正当的说过那样，'根据'可以为着世界中的一切东西而去正确地探求出来。辩证法要求把一定的社会现象，在其发展上作全面的研究，而应当把外部的东西把外见的东西归着于根本的推动力，归着于生产力的发展及阶级斗争。普列哈诺夫从德国社会民主党的机关报，引出了所谓德国人自己在战前也认定奥国和德国是发起人的引用文——这已经很多了。俄国社会主义者们，曾经好几次暴露了沙皇主义关于加里西里和亚米尼亚之侵略的计划的，但普列哈诺夫对于这一层，却沉默不语。"用社会排外主义，用"发起人"的理论做辩护，实是拙劣的粗恶的诡辩论。还有更奸巧的诡辩论，就是普列哈诺夫和考茨基引证马克思和恩格斯主张劳动者在特定情形参加某一类战争的理论，去辩护第二国际对于国际劳动运动的背叛。例如，马克思在1848年，曾经主张西欧国民参加于对俄战争。恩格斯在1859年，也曾表同意于德国对法国的战争。但马克思和恩格斯为什么在当时陈述那样的意见呢？这是因为在1848年，当时封建的俄国演着国际的宪兵之任务，演着扑灭波兰及匈牙利的革命之任务；在1870年当时，德国对法国的战争，含有对拿破仑三世的世界帝国的战争的意思，含有德意志国民的统一的意思。伊里奇说："一切诡辩论者的方法，就是随时采取明明在原则上已经错误的实例。"普列哈诺夫和考茨基，虽然引证马克思与恩格斯，却完全不考察帝国主义时代的特殊性。社会爱国主义之诡辩论的辩明,伴随着用抽象的客观论代替辩证法的事实。伊里奇说:"伟大的布尔乔亚革命家,有可以说起与封建制度斗争而把数千万新民族提高到文明生活的布尔乔亚'祖国'这个名称的、世界史的权利,对于他(伟大的布尔乔亚革命家)如不怀抱极深的敬意,就不能成为马克思主义者;普列哈诺夫和考茨基的诡辩论,关于德帝国主义者在比利时的蹂躏,关于法俄意诸帝国主义者在奥地利及土耳其的掠夺协定,提倡了'拥护祖国',对于它(那种诡辩论)如不怀抱轻蔑之意,就不能成为马克思主义者。"如前面所说明,只有具体的真理,才成为实践的活动之真实武器,抽象的真理,无补于实践的活动。例如,单只知道建设社会主义所必要的东西,社会主义是不会建设起来的。为着建设社会主义,就必须知道社会主义是怎样被显现的。这在种种的动因中,在种种条件下,有种种不同的显现。关于社会主义建设之具体的学说,例如在某种情形,必须集中斗争于托罗斯基主义,在别种情形,必须集中斗争于右翼派;又在某种情形,必须限制豪农之剥削倾向,在别种情形,必须清算当作阶级看的豪农。

　　带有少数派色彩的观念论者们,不能理解真理的具体性。他们之理解辩证法,没有超出黑格尔。他们虽曾几次说起真理的具体性,而他们的哲学的活动,却是抽象的,不是具体的。这种错误,是因为他们脱离了社会主义建设与革命斗争的实践。能够成为实践的活动的武器的东西,只是具体的真理。只有为认识论的唯物辩证法,给我们建立具体的真理之基础。只有唯物辩证法,是真正革命的理论。

第三章 辩证法的根本法则——由质到量的转变及其反面的法则[①]

第一节 发展之质的规定性

如前章所述,在离开人类及其意识而独立存在的客观现实之中,没有什么不运动的东西。一切东西,由于矛盾的运动,互相排除的对立之斗争而发展。科学的认识之任务,在于渗入过程的深处,暴露过程之发展的原因,认识过程的根本矛盾及内的规律性,并由此去阐明多种多样的现象与现象间的相互联结。但,我们并不是一次就认识现象的法则,而是经过许多的阶段才认识它。我们在社会的实践上,首先碰到相互联结的极复杂的种种现象。我们的思维集中注意于这些现象时,首先必须[②]确定一种现象和他种现象的差异,这种事物和别个事物的差异。

我们当观察在与他种事物相互作用中的某种事物、某种现象之时,首先不能不确定这种事物和他种事物不同的所在,这一过程和另一不同过程的所在。

苏维埃经济,究竟和资本主义经济有怎样不同的处所? 苏联进到社会主义时代的阶段,和新经济政策最初的阶段,究有怎样不同的处所? 认识任何过程时的第一任务,就是确定那过程的特性。这即是暴露那过程的"质"。所谓"质"的范畴,自古以来,就已知道了。古代希腊哲学者们,譬如说亚里士多德,首先就要求了研究任何过程的质。

所谓暴露过程的质,就是指示过程之最单纯的、最根本的规定性。我们暴

科学的认识首先要暴露过程的质

---

① 1935 年 6 月版将"由质到量的转变及其反面的法则"改译为"由质到量及由量到质的转变的法则"。——编者注

② 1935 年 6 月版将"必须"改译为"要"。——编者注

露出过程的质,就踏上认识的第一阶段。在认识了过程之质的特性后,我们就更进到过程的深处。

质,是唯物辩证法最初的范畴。(页边注:质是一定过程之最单纯最根本的范畴)过程的质,不是如机械论者莎拉比雅诺夫所主张[1]那样,也不是如一切主观主义者所主张的那样,它不单是我们思维能力的产物,它是在实在的现实中存在着而被人类意识所反映的东西。进到社会主义时代那个阶段的特殊性,不是人类头脑所规定的东西;不论人类意识它与否,它现实地存在着。

资本主义社会现实地存在着,具有使它和以前的社会形态相区别的许多特殊性。即,发达了的商品交换,剩余价值的占有,产业预备军,资本家的企业,利润,商业的利益,利息,货币地租,加特尔,托拉斯,金融公司,产业恐慌,等等。我们仔细去考察资本主义的发展时,就看到这些现象是贯穿于自由竞争时代及帝国主义时代的各阶段的。帝国主义时代,同时具有自由竞争及独占,同时具有个人企业及托拉斯、加特尔、金融公司,同时具有商品输出及资本输出,等等。

于是,我们要问,资本主义的质究竟在哪里?为确定它的质,单只是数出资本主义社会的全部标帜,就充分了吗?

前面说过,质就是一定过程之根本的最初的规定性。我们要确定资本主义的质,不可以单只数出资本主义的全部特殊性就算了,还有阐明它的最初的规定性之必要。资本主义之最初的规定性,是当作商品交换的发展及生产手段从生产者分离了的过程之结果看的、所谓劳动力那种特殊商品的发现及存在。资本主义的其他特性,完全受这个根本的特性所规定。如果只把一定过程的标志一齐数出来,那还不能探出那个过程的发展法则。例如培根那样的经验论者,他分析某种事物、某种过程时,是数出那过程的一切标志的。固然,这种工作是必要的;但只是这样,还不能认识一定过程的运动法则。反之,暴露出最单纯的规定性时,我们就能够确定运动法则。因为,法则的本身是被包含在这样最初的最单纯的规定性之矛盾的发展中。

适应于资本主义发展的程度,那个最单纯的规定性也随之而发展,愈益获

---

① 1935 年 6 月版此处添加了一个"的"字。——编者注

得新的方面,并丰富其内容。商品交换越发发展、扩大,劳动力出卖者的质,就越发增加。不论资本主义通过如何的阶段,这个资本主义发展之最单纯的规定性,就在每一阶段获得特殊性而被保存着。在一定的过程存在而没有消灭的限度内,那个过程的质是被保存的。

　　帝国主义时代,虽说由于许多特殊性而与自由竞争时代有区别;但是,整个资本主义的质,在帝国主义时代,仍然保存着,发展着。

　　对于任何过程之具体的研究,不仅要求研究整个过程之质,并且要求在其相互的质的差异上,去研究这个过程的种种发展阶段。

　　例如,苏维埃经济,在其发展中,经过了两三个阶段。即,经过战时共产主义、新经济政策的复兴期、再建期,现在进入社会主义的时代。每一阶段都把全体的苏维埃制度的根本特性发展了,并且加强了;同时,各①阶段又各自具有相异的质。

　　战时共产主义时代的特征,是企图立刻一气完成社会主义,其特征即是:自由买卖的废止,包含最小产业在内的产业国有化,食粮征发及极端的集中化,货币消灭政策,及其他,等等。到了新经济政策的第一期即所谓复兴期,其特征就是:自由买卖,限制资本主义要素发展的政策,食粮税,私人农业的发展,新的十卢布纸币之发行,等等。

　　再建期和复兴期相异之点,在于重整产业,采行从商工业驱逐资本主义要素的政策,加强对于豪农的限制,增加集团农场的运动,及转移于当作阶级看的豪农之扑灭。

　　我们经过新经济政策的最后阶段,进入了社会主义时代。这,从国内势力关系的见地看来,就是"苏联中社会主义的胜利,已获得确实保障",社会主义的关系已经占取支配的地位了。同时,我们确定货币制度,节约浪费及苏维埃买卖,并经由这些中间形态,确保社会主义关系的成长;在这个范围内,我们并使亚尔特尔集团农场发展。

　　固然,各个发展阶段之间,并没有不可逾越的界限,先行的阶段是以后各阶段的准备,但各个阶段,都独特地发展了整个苏维埃制度之规定的特殊性,

一定过程中各种发展阶段上的质的差异

就苏维埃经济举例说明

────────

①　1935 年 6 月版此处添加了一个"个"字。——编者注

即"质";我们必要记住这一层,去考察各阶段之质的特殊性。

发展的各过程阶段之质,显现于许多特性之中。(页边注:过程的质在许多特性上显现)

进到社会主义时代这件事的质,显现于种种特性之中,即显现于失业者的绝迹、社会主义的劳动形式、社会主义的浪费节约、勇敢的劳动姿态的样本、苏维埃买卖的发展等种种特性之中;这时代的质,以苏联中社会主义关系在根本上的胜利为特征。

过程的质规定过程的固有性

不单是社会过程如此,即客观世界的任何过程,也都具有为其固有的质之发展所规定的许多特性,都具有许多的固有性。

我们知道,所谓孤立的过程是没有的,一切过程都依一定方面互相联结着。例如,苏联即处于与世界资本主义的联结之中。这个联结,显现于许多固有性之中,这些固有性,如以对外贸易的独占及苏联之强化为目的的许多条约关系,以及巩卫苏联之必要的军备等即是。

各过程相互间的联结,显现于在根本上为那过程的质所规定的许多固有性之中。

过程之质的发展①,规定过程之固有性的发展。例如,随着资本主义的根本特性的发展,恐慌也发展起来,尖锐化起来;产业循环期,每次都呈现为新的独特的形态。譬如,在战后帝国主义时代中,恐慌及不景气的期间延长了,好景气的时间显著地缩短了。

固有性有本质的与非本质的区别

固有性有本质的及非本质的。例如,产业循环期之周期的交替,对于资本主义是本质的东西;但在好景气之时,某部分的恐慌高涨起来,那是非本质的。某种固有性,对于运动过程的各阶段,都是本质的。某种固有性对于以前的发展阶段,虽不是本质的东西,但在一定的条件下,对于现阶段却变成本质的东西。② 这在相反的情形也是一样。例如,独占在自由竞争时代不是本质的;到了帝国主义时代,却变成了本质的。反正,商品交易所对于自由竞争时代,完

---

① 1935 年 6 月版将"过程之质的发展"改译为"过程的质之发展"。——编者注

② 1935 年 6 月版将这两句改译为"就运动过程的各阶段说来,某种固有性虽是本质的,但在一定条件下,在以前的发展阶段上虽不是本质的东西,而在特定阶段上却变成本质的东西。"——编者注

全是本质的;到了帝国主义时代,却变成了非本质的。

对于固有性之本质的东西及非本质的东西,如没有区别的能力,就要引到错误的结论。例如,许多布尔乔亚的理论家及社会民主党的理论家,看见帝国主义前期有非本质的部分的独占,就认为独占在以前即已存在。因此,他们以为资本主义并没有进入什么新的发展阶段、帝国主义时代(埃诺达埃埃夫斯基)。

我们的敌人,常常拉出苏维埃经济之非本质的固有性,硬说是俄国制度之根本的特性,从而对于苏维埃的现实,作出不正确的描写。

任何过程之根本的规定的特性,即它的质,只有通过各阶段的固有性之发展而发展。 **过程的质通过各阶段的固有性而发展**

例如,浪费节约的发展,浪费节约的组织之出现,货币制度之确立。按出品给工资的制度之发展,这些都促进了有计划的社会主义关系的发展。在一定的阶段之上,后者只有在前者的形态上,才能发展。

保存整个过程的质的固有性之变动,促进那过程的发展,招致由一发展阶段到他发展阶段之过程的转变。

各过程互有质的区别,同时,又具有被一个规律性所联系的多数方面。例如,在资本主义社会中,生产、分配、消费,表现为一个生产形式①之质的差异的方面。 **辩证法要求研究过程的各方面的质**

唯物辩证法,要求尽可能的研究许多过程之各方面的质(伊里奇)。

要处理现实的任何方面,要把捉任何问题,首先,我们必须确定它的特性,它的质。暴露出整个过程的质及其各种固有性,研究那过程的方面、形相、阶段之质的特性,尽可能地研究多种的质——这是处理任何过程时的辩证法的根本要求之一。

质的规定性,只给予我们以过程的一方面的认识。在确定了过程的质及其固有性之后,我们的认识更加前进,进到下面的阶段——过程的量的规定性之认识。

---

①　1935 年 6 月版将"形式"改译为"方法"。——编者注

第二节　发展之量的规定性

任何过程,不仅具有发展之质的特性,并且还具有发展之量的规定性。例如,在资本主义之下,有商品交换的发达,劳动阶级的成长,榨取率的增大,恐慌及不景气期间的延长,经常的失业的增加,及其他种种现象。在苏联,如私人农民之量减少,集团农场①之量增加,社会主义的工业成长着,社会主义的关系全体成长着,等等。

我们在一切过程上,都与量的规定相接触。过程之量的规定性,不是我们头脑的创造物。它不像怀疑论者及主观主义者所想的那样,它不单是我们的表象,而是存在于客观的现实之中。不具有量的规定性的事物,一个也没有;又,不依一定方法使其自身的要素、自身的方面成就量的发展的过程,一个也没有。

量与质,不是各自独立地存在着的东西。

所谓发展,不是抽象的事物一般之发展,而是被规定了的事物或物质上被规定了的过程之发展。但,过程之质的方面,不能离开量的方面。过程渐次发展,过程的要素及方面,或增加,或减少,于是整个被给予了的过程自生变化。在客观的现实上,质的方面及量的方面都是在统一之中,质和量的统一,名为质量。不同的过程,具有不同的量的规定性。布匹不能用里特(公升)去测量,人的寿命不能用启罗格兰姆(千克)去测量。资本主义,描画着腐朽的曲线而发展;苏维埃制度,描画着成长的曲线而发展。过程之量的规定性,其发展的期间及速度,依存于过程之根本的特性,为过程之质所规定——这一层,从前面关于质的陈述看来,是不难理解的。

实际上,布匹所以要用米突去测量,是受布匹的性质所规定;液体所以要用里特去测量,是受液体的性质所规定。各种社会组织之质的特性,规定生产力及社会生活一切方面的发展速度。例如,封建制度的特性——自然经济,基于手工技术的都市的行会风习——,规定了很贫弱的社会的发展水准。自从脱出封建的轨道以后,生产力的发展速度变化了;但那个速度,随着资本主义

---

①　1935 年 6 月版将"集团农场"改译为"集农场体"。——编者注

发展阶段的不同,采取了种种形态。在工场手工业时代,其速度还是不足道的,但转到机械技术时,却大见增加了。

无论考察什么现象,它都具有自身之特殊的量的规定性。各种植物,具有不同的生命期间,具有不同长短的枝叶。动植物和人类之各不相同的生命期间,是受有机体的构造即特性所规定。

腐烂着的资本主义的发展线,为资本主义的质所规定。无政府状态的增大,生产之社会性及私有制度间的矛盾(这个矛盾形成周期的产业恐慌,使得一部分生产装置不能不停止大部分时间的活动,而且在今日资本主义的一般危机的时代,不能不停止全部时间的活动),劳动力那种主要生产力的浪费,周期的失业乃至今日经常的失业,市场的狭小,寄生生活,金利生活者等——这一切,形成全部资本主义之腐烂着的发展曲线。

反之,在苏联,计划性的任务不绝的增大,金利生活者及资本家消灭,劳动的社会主义关系得着保证;这普罗列达里亚的国家,即原则上和资本主义不同的社会构造,确保着苏维埃经济的成长及发展。

任何事物,任何过程之特殊的量的规定性,都为那事物的质所规定。

特殊的被规定了的量之变动,起于过程之各阶段的发展之中。

苏维埃经济各发展阶段之质的特性,又规定了那增大的种种量的指数。例如,在复兴期中,经济的增加率每年为 40%—50%。在再建期的最初数年中,经济发展的可能性如何? 尽量发展的结果,其发展率虽是必然的低于战前的水准;但再建期的 20% 的增加率,无论在质的方面及量的方面,都比复兴期的 50% 的增加率,大很多。

计划经济的发展及强化,社会主义关系的优势,农业的半数以上引入了社会主义关系,这些事,使得进到社会主义时代的速度显著得增高,超越再建期及复兴期的速度,而使经济上发生质的变化,促进社会主义经济基础工事的完成。这样,苏维埃经济之规律的发展现象,变成为沿着加速曲线的成长。①

确定量与质之不可分的联结,确定过程之量的方面之特殊的规定性,是唯

量在过程的各阶段中起变化——量的方面之特殊的规定性

---

① 1935 年 6 月版将此句改译为"这样沿着加速曲线的成长,变成苏维埃经济之规律的发展现象。"——编者注

物辩证法最重要的要求之一。

右翼、左翼以及一般害虫们的见解之理论的基础之一,即在①他们不能理解量之特殊规定性。(页边注:左翼、右翼的理论的基础在于不能理解量的特殊规定性)

孔德拉捷夫、克鲁曼、查亚诺夫及其他害虫们,都以为苏维埃经济不能成就在资本主义经济以上的发展速度。他们以为,前者和后者一样,也是沿着腐朽的曲线发展。这种速度论是从哪里发生的呢?这种速度论,是由于把苏维埃经济看成资本主义的一个变种;至于对竞争的有害的压迫,不实现扩大再生产的可能性之资本主义要素,以及对高的工钱之行政的策略等,作为别论。这种速度论,是由于他们没有理解资本主义体系及社会主义体系在原则上是两个相异的体系。右翼机会主义者们,也宣传了同样的腐朽曲线的理论。在路易柯夫指导之下所起草的五年计划案,是从主要生产部门的生产总量每年减少的增进率出发。托罗斯基主义者,在观察苏维埃经济的发展时,也支持了腐朽曲线的理论。他们在任何一方面,都不理解苏维埃制度的特性,开拓着生产力之未曾有的新的发展速度之可能性。他们的任何一方面,都把资本主义的产业发展速度,机械地转用于异质的俄国的条件之上。

右翼之机械论的立场,在 1928—1929 年,当布哈尔、路易柯夫、特姆斯基等主张要减低党所公布的速度时,特别明显地表现出来。他们以为俄国经济的发展,应当按照与复兴期最后数年间相同的速度进行。他们不能理解新的质给予了发展之新的量的规定性,不能理解进入②再建期就是意味着新的发展速度——这种无理解,是他们那种见解之方法论上的基础。在苏联进到社会主义时代的今日,右翼及左右两派反对党所采纳的发展速度;其反对的论据,也是这个同样的方法论上的特征。

对于过程及其各个阶段上量的发展之特殊的规定性,没有理解,这在托罗斯基的场合,特别显明。托罗斯基在第十五次党大会以前,就已要求国内之过度工业化。但是,在俄国进入社会主义时代,用非常的速度向前发展之

机械论者们不理解质与量之辩证法的关系

① 1935 年 6 月版此处添加了一个"于"字。——编者注
② 1935 年 6 月版将"进入"改译为"进到"。——编者注

时,托罗斯基却不能挖住这一时代之特殊的特性,却反对这个速度,以为过于极端。

对于辩证法的量与质的联结,不能理解,这不仅在一切机会主义对于政治经济过程的分析中,表现出来;同时,在机械论者及带有少数派色彩的观念论的哲学著作中,也可以看出来。

机械论者们不以暴露过程的质为任务,他们以为科学之唯一的任务只在作出现象之纯量的说明。

近代俄国的马赫主义思想的指导者波格达诺夫,以机械论为基础,建立了统一的哲学体系。波格达诺夫认为所谓"质"这个名词是卑俗的用语。斯特巴诺夫=斯克窝尔左夫及亚克瑟洛特、窝尔德克斯,明说"质"的探究是形而上学的。他们以为,生物学的现象能够单把它还原为物理化学的现象而行研究。波瑟把伊里奇在《唯物论与经验批判论》中曾经断然反驳过的波格达诺夫及巴查洛夫之俗流的定言,反复陈说,明说社会现象可以只用物理化学的方法去研究。布哈林在《史的唯物论》中,大声疾呼把力学的现象和"有机的现象对立起来……是没有意义的"。机械论者们,要求只研究过程之量的方面。斯特巴诺夫=斯克窝尔左夫说:"存在在现时对于我们的认识(我不是说知觉。因为在知觉说来,没有多质性,就是意味着死灭)依然这是多质的那种事实,种种的质之量的研究还没有充分进步的那种事实,我所仰慕的批判者诸君,如诸君所想象的一样,这不是证明科学的进步,而只是证明科学还在极幼稚的时代。"

这样,依机械论者的见地,我们之所以把存在认为是多质的,不过是因为我们的无知;所谓认识的发展,就是存在之质的多样性的消灭。质,不存在于现实之中,只存在于我们感觉之中。

机械论者莎拉比雅诺夫率直地写出,质是主观的范畴,它不存在于现实之中,存在着的东西只是种种量的关系的组合。于此,机械论者的意想走入于观念论。

恩格斯批评那否定质与量之联结的机械论的思想,他说:"机械论的意想,在从地点的移动去说明一切变化,从量的差异去说明一切质的差异;至于质量相互之间所有的关系,质到量的转变,量到质的转变,其中的相互作用,是没有注意的。如果一切质的差异及变化，不能不归约于量的差异及变化，不能不归约于机械的移动①，那么，我们就必然地到达于如次的命题。即，一切物质皆成于同一的极微体②；物质的化学要素之一切质的差异，都起于这些极微体在原子中被统一时之数量的差异及空间的集结。"

带有少数派色彩的观念论的一般代表者们，在他们的著作上，几乎全然没有注意到"质"的研究及质的见地之必要。实际上，在他们的方面，这个辩证法的要求只是虚悬空中的抽象的要求。他们无论在什么地方也没有提出：采取承认过程之差别的立场的问题，研究过程一切方面之质的特性的问题。他们对于政治现象及经济现象的说明，只是抽象地一般地去研究，而不能暴露这些现象的根本特性。例如，德波林对于根本的过程，只字都未涉及；他关于精神劳动和肉体劳动之对立的消灭过程，结局，照下面那样写道：突击主义及社会主义竞争的成长，工艺教育制度，高等工业学校，数百万人参加国家行政等。一面大声疾呼地要求质的认识，而在事实上，当着分析具体问题时，却把质忘记了——德波林一派所展开的理论之危险性，正在于此。

第三节　由量到质的转变及其反面的法则③

如上所述，没有无量的质，也没有无质的量，——质量这两个方面，在客观的现实④，是在统一之中被给予着。质在量之中发展，即一定的、特别的、被规定了的过程在量之中增大，使其一切方面或要素发展。量，特别地被规定着。过程发展其一切方面而转化为其对立物。过程之量的增大引导其自身转化为新质。——量转变为质。

另一方面，新质的生成，同时就是新量的发生。——质转变为量。

---

①　1935年6月版将"移动"改译为"转动"。——编者注

②　1935年6月版将"一切物质皆成于同一的极微体"改译为"一切物质都由同一的极微体构成"。——编者注

③　1935年6月版将"由量到质的转变及其反面的法则"改译为"由量到质及由质到量的转变的法则"。——编者注

④　1935年6月版此处添加了一个"上"字。——编者注

恩格斯把由量到质的转变及其相反的转变①，认作辩证法的三个根本法则之一。他说："这个法则，为着我们的目的，可以这样表示出来。即，在自然界中，质的转化，只有依着各个场合中正确地被规定了的方法——物质之量的增减及运动，才能发生。"

质量的转变是辩证法的根本法则之一

无论观察任何过程，过程之量的增大都引到新质。在气压不变的情形下，温度降至摄氏零度，水变成冰；温度升至摄氏百度，水变成蒸气。

量的增大引起新质的发生

如达尔文所证明，有机体中渐次的量的变化，引到有机体种之质的变化。资本主义的独占之量的增大及扩张，和资本主义的现实的其他方面的增大相并行，导入了资本主义之新阶段的发展，即帝国主义。在苏联，贯通于国民经济全线之社会主义要素的成长，引起了由复兴期到再建期的转化。

都市及农村中的社会主义扇形的成长，基于全境集体农场化而实行的对豪农阶级的扑灭，形成了苏联进到社会主义时代的条件。

各过程之量的增大，受那过程的构造所规定，各以独特的方法显现。苏联向社会主义的推移，向过渡期的社会主义时代的转化，也各以独特的方法显现着。

过程间的转变的方法

所谓量到质的转变，就是一定的质及其量的规定性，同时转变为具有别种量的规定性之别种质。

把一种过程到他种过程的转变和过程内部的转变相区别，把一种质量到他种质量的转变和质量内部的转变相区别，这是必要的。

过程间的转变与过程中的转变之区别

一种质量到他种质量的转变，例如资本主义到社会主义的转变，就是到新型式的规律性的转变。反之，质量内部的转变，例如，由单纯的资本主义协业转变到工场手工业，更进而转变到机械的生产方法，乃是质量之特性的发展，乃是质量由一阶段到他阶段的转变。各阶段，使从前阶段的各方面在量之中发展着，并且添加几多新的方面和属性，而与从前的阶段有质的区别；但是，截止某一定的瞬间，还没有引导到全体的质量向新的质量之转变。

一切质量，到达某一发展阶段时，就中断其一定的发展过程，而转化为别

---

① 1935 年 6 月版将"由量到质的转变及其相反的转变"改译为"由量到质的转变及由质到量的转变"。——编者注

种质量。（页边注：飞跃的发展说是辩证唯物论的中心）

一种质到他种质的转变。一种质量到他种质量的转变，通过飞跃而显现。例如，资本主义到社会主义的转变，是通过革命而显现的。

承认飞跃的发展的道路，乃是辩证唯物论之中心的特性之一。

不论在客观的现实之一切领域中，或在思维之中，都发生飞跃。一种质到他种质的转变，完全是飞跃。这因为在那一瞬间即转变的瞬间，旧质失去了作用，以旧质为基础而生长了的新质开始发展。一切飞跃，都是"连续性的中断"。这因为在那一瞬间，旧物之量的发展被中断，而新物的发展及新质量及新质的规定性开始发展。

新质不是一时突然出现的。旧质之一切从来的发展，是新质的准备。机械的生产方法是由工厂手工业的发展所准备的；手工业之部分作业的细分，准备了向着机械的推移。社会主义，是由资本主义发展的全进行，资本的聚积及集中，普罗列达里亚的成长等，所准备了的。

新质从旧质生长出来，而且在长时间还保存着若干旧来的特征及方面。资本主义，在长久期间，还保存着单纯商品关系及若干封建的遗物。

我们不仅要考察一种过程到他种过程的飞跃，一种质量到他种质量的飞跃，例如由封建主义到资本主义、由资本主义到社会主义的飞跃；并且还要考察过程内部或质量内部的飞跃。在资本主义以及苏维埃经济中，由一发展阶段到他发展阶段的转变，是一个飞跃。这因为它在质的方面转变到新阶段。

这种飞跃是与一种质量到他种质量的飞跃有区别的，因为它是在当作全体看的过程之一定规律性的范围内所发生的飞跃。

如我们所知，资本主义以及苏维埃经济的种种方面，一面在量的方面发展，同时通过种种新质的状态即通过飞跃而发展。

质量内部的飞跃、种种方面的飞跃的发展路程，是客观现实的一切过程之发展中所固有的。在动物及人类的有机体中，显现着万千的飞跃的变化；生物学上的种，通过若干的飞跃而变化；化学上的元素，其形成及分散，都是飞跃的。

各种质量，以其独特的方法，转化为他种质量。唯物辩证法要求认识特殊性及规定性，要求认识转变及飞跃。

由新经济政策的再建期到社会主义时代的飞跃,和那到资本主义过渡期的转变,带有完全不同的性质。

飞跃的特殊性及形式、期间、速度及强度,都受旧质的特殊性——它的构造及新生长着的质的特性所规定。由水到冰的飞跃,在极短的时间内进行;但是,由资本主义到社会主义的飞跃,却必须伴着资本主义内部的发展的若干飞跃的方面所经历的长时间。唯物辩证法要求认识过程之质,要求摘出飞跃的特殊性。

德波林一派,对于飞跃的特殊性虽曾给以一瞥,但他们之中,谁也不能用具体的实例去指示这种特殊性。德波林一派,更没有提出质量内部的飞跃的问题。
德波林派不能具体的说明飞跃

不能理解飞跃的本质及其特殊性,这是把不同时代不同过程的飞跃作同视的托罗斯基的特征。

对于飞跃的发展方法之否定,是机械论者的特征。机械论者否定质,只承认量的发展,因此,他们当然也否定飞跃。
机械论者否定飞跃

波格达诺夫肆口嘲笑了辩证法之神秘的飞跃。有些现代机械论者,以为飞跃只存在于我们头脑之中。现实中存在的东西,只是不断的量的发展。机械论者,是站在所谓渐次的发展、过程的渐次的增减之见地上的。这种渐进主义的见地,正是一切修正主义的基础。在 18 世纪 90 年代,伯伦斯泰因高唱反对飞跃;在今日,考茨基也同样反对。渐进主义,是所谓资本主义不经革命而转生为社会主义的一切社会民主主义理论之根底。
修正派及改良派的渐进主义

渐进主义的见地,又是那不理解苏联发展的速度而脚踏两边的一切右翼机会主义的基础。

在布哈林看来,十月革命及内乱以后,什么飞跃也没有了。进化的发展时代到来了。社会主义关系之渐次的强化的时代到来了。
布哈林等否定飞跃之证据

豪农平和的转生于社会主义,小商品关系不是资本主义的成长而是和平的成长①——布哈林这种右翼机会主义的思想,简直就是渐进主义的见地。

---

①　1935 年 6 月版将"不是资本主义的成长而是和平的成长"改译为"没有资本主义的成长而成就和平的成长"。——编者注

孔特拉捷夫、克鲁曼、巴查洛夫等,不注意苏联经济之飞跃的发展路程及基因于这个路程上的苏联的发展速度,其一切有害的理论,都以渐进主义的见地为基础。渐进主义的见地,陷于鄙薄的经验论及拜金主义,忘记阶级之根本的利害,导入于基尔特气习的游戏。

第四节　当作辩证法的本质看的
对立的统一与斗争

以上,我们确定了过程的特殊性、其质的特性及量的特性,现在,要进而考察过程的发展之内的规律性。

在人类思想的历史上,有关于发展的两种根本的见解。依照第一种见解,所谓发展,是存在物之单纯的增减。这种见解,现在还流行于许多领域中。例如,有人主张生动的有机体之发展,只是它的细胞之量的增大;又,金融资本主义之单纯的量的增大,使得金融资本主义和平地转化为社会主义。又如我们的机会主义者们那样,主张单只由于社会主义工业之单纯的量的增大及私人农业之商品性的成长,我们就可进入社会主义。

第二种见解,以为一切事物都由于对立的斗争、由于统一物的分裂而发展。例如,在资本主义社会中,有互相对立的阶级即布尔乔亚和普罗列达里亚的斗争。

第一种见解是机械的。这种见解,从现象的表面出发,只能从外面去记载过程的增减,而不能说明过程的运动之内的原因,不能指示出一定的过程怎样发展并为什么发展。例如,如果抱着这种见解,就不能够指明为什么资本主义由于普罗列达里亚革命及普罗列达里亚独裁的树立,不可避免地转化于社会主义。这种见解,不能说明一切事物怎样转化为其自身的对立物,不能说明飞跃即旧事物之破坏及新事物的发生。这种见解,不能暴露一定过程之发展的内的根据,而从一定过程之限界外,去探求运动的原因。

第二种见解,不停留于现象的表面,而深入于过程的底奥,暴露过程的发展之内的法则,确定一定过程之发展的原因。在这种场合,不在过程的外部而在过程的内部去发现发展的原因,主要的注意在于暴露过程的"自己运动"的

旁注:
发展的规律性之考察
关于发展的两种见解

第一种见解是机械的

第二种见解是唯物辩证法的

源泉。依照这种见解,所谓认识过程就是暴露出过程之充满了矛盾的各方面,确定这些方面的相互关系,追求过程之矛盾的运动。这种见解,给予着到达"飞跃"的钥匙,论证过程转化为其对立物,说明旧事物的破坏及新事物的发生。例如,在暴露了资本主义的主要矛盾,指摘了这个矛盾的发展以后,我们就能够阐明资本主义为什么以内的必然性为普罗列达里亚革命所推翻,就能够暴露社会主义出现的原因。

第二种见解,是辩证唯物论的主张。

伊里奇说,统一物的分裂及其充满了矛盾的部分之认识,是辩证法的本质。这是说,把过程在其分裂上去认识,考察其充满了矛盾的部分以及这些部分之相互关系时,我们就能认识过程由发生到消灭的发展。这个法则,贯穿于客观的现实及我们的思维之一切方面。

统一物的分解及其充满了矛盾的成分之认识

暴露出质、量及质量这件事,使我们明白各个过程具有互相区别的、互相对立的许多方面。各个过程,具有内的联结着的,互相依存的种种对立方面。但是,为解答一切事物为什么发展这问题,单只确定过程之若干方面与属性以及这些方面与属性之单纯的结合,那是不够的。我们必须在任何现象之中,暴露出规定其发展之进行的根本的矛盾。

但是,普列哈诺夫只停留于对立的方面之单纯的确定,并没有暴露过程的自己运动的源泉。关于普列哈诺夫,伊里奇写道:"对于辩证法的这个方面,普通在普列哈诺夫的场合,都没有加以注意。对立之同一性,被解释为实例的总合……不被解释为认识的法则(而且是客观的世界之法则)"(《唯物论与经验批判论》)。

在普列哈诺夫方面,对立之单纯的结合,极明了地表现于他的政治的著作之中,德波林也站在这样的普列哈诺夫的立场。德波林在所著辩证唯物论的哲学入门中,单只设定所谓对立的规定之结合那问题,并不曾要求暴露"自己运动的源泉"。自从伊里奇的《哲学笔记》印行以来,德波林也说应当去暴露"自己运动的源泉",然而,他那种说明,也终止于抽象的空论。这因为在分析政治及经济上的问题时,德波林本身的尝试,并不曾指摘出这些问题的根本矛盾。

第五节　统一物之分裂，本质的对立之暴露

马克思前后的布尔乔亚经济学，认为布尔乔亚制度不但现在存在着，今后也将永久存在。那种经济学不理解资本主义发展的历史性，不认识资本主义走到死灭的内的矛盾，甚至于亚丹斯密、李嘉图一流的进步学者，虽承认价值是体现于商品中的人类劳动，却仍不能暴露资本主义之根本的发展法则。这是由于他们没有看见资本主义的矛盾。马克思以资本主义之现实的辩证法，去对抗布尔乔亚经济学的形而上学，他说："不要矛盾的独断，而代置以构成那独断所掩蔽了的基础的矛盾的事实及实在的矛盾，才能使经济学成为实证科学。"

马克思暴露了布尔乔亚生产方法的主要矛盾，由此说明了资本主义的发展法则。

马克思在《资本论》中，指摘出资本主义制度的发展及其"自己运动"的主要源泉，论证了资本主义的生产力及生产关系间的矛盾规定着资本主义的发展。这个矛盾，在于：生产力之发展，在剩余价值生产的名义上显现，而又成为产生剩余价值的手段。资本主义的生产力之发展，陷入于和那狭隘的目的即剩余价值的产生之间的日益不能相容的矛盾。

马克思在那顺次的周期的反复的恐慌所表现的、生产之社会性及私有形式间的、日益尖锐化的矛盾之中，看出了布尔乔亚制度的这个主要矛盾。在今日，这个主要矛盾惹起了资本主义现时所经历的一般的危机。马克思论证了这个矛盾不可避免的引入普罗列达里亚革命，引入社会主义的过渡期，他并论证了布尔乔亚社会之其他一切矛盾，都由这个根本的矛盾发生出来。

伊里奇指示了资本主义在其最后的发展阶段，转化为资本主义体系的主要矛盾极度激化的帝国主义。从分析金融资本主义时代的主要矛盾出发，从各国的帝国主义之不均等的发展法则出发，伊里奇论证了帝国主义的锁链中最弱的一环被冲破的现实性，科学地证明了一国中革命的胜利及社会主义建设的可能。

伊里奇和斯达林，在其著作中，指摘出过渡期之根本的主要矛盾、社会主

义和资本主义的斗争，并证明使这个矛盾不断的再生产的根底，是大规模的社会主义工业和分散的小布尔乔亚农业之间的矛盾，是主要阶级的普罗列达里亚和农民层之间的矛盾，——这农民层中的勤劳者是普罗列达里亚的同盟者，但农民层中的小所有者，却时时刻刻产出资本主义。他们指示了苏联普罗列达里亚和资本主义要素之间的对立（不能相容的矛盾），是怎样产生并怎样成长的。

过渡期的
主要矛盾
及其解决

过渡的制度之全部发展中的其他一切矛盾，就受以上的主要矛盾所规定；但是，由于现今苏联的工业化、基于全境集体农场化而对富农阶级的清算，以及国营农场建设的成长，这个主要矛盾正在被解决之中。

他们暴露了过渡的经济之主要矛盾，证明了苏联具有站在社会主义的基础上，用内部之力去解决这个矛盾的完全可能性。即，证明了苏联中社会主义的完全胜利的可能。

内部矛盾，不但使社会现象发展，并且使客观现实的一切现象发展。

内的矛盾
促进事物
的发展

现代科学早已不把原子看作物理学上的物质被分解的最后界限。现代科学发现了原子是阴阳电子的统一，并且阐明了这阴阳两电子的交互渗透规定原子之物理的及化学的性质。不仅如此！在二三十年前，物理学及化学尚被认作①绝对不变的东西。基于历史的见地，去考察化学元素的性质。还是最近的事情。化学元素在发展着。化学元素之发展的内的根据，就是元素的内的矛盾之运动。

生命现象的自然过程之辩证法的性质，特别明了地表现着。不论在有机体的生命中，或在各个细胞的生命中，生和死、发生和消灭、同化和异化（物质和能力的新陈代谢），都是被给予的内的统一。

在生存竞争中的变异性及遗传性之充满了矛盾的统一，是有机体发展的主要原动力。

对立的统一和统一物的分裂，是我们思维的普遍的发展法则。如前所述，我们对于客观世界的认识，运动于相对真理及绝对真理的矛盾中。我们虽认识绝对真理，但在各个特定的发展阶段上，我们的认识是相对的。

统一物的
分裂是思
维的普遍
法则

我们的认识，受我们的实践状态及一切从来社会的历史所规定。

———————————

① 1935 年 6 月版将"被认作"改译为"被认为"。——编者注

统一物的分裂，是客观现实及一切思维过程之普遍的发展法则。辩证唯物论——伊里奇说——"是把发展当作对立之统一（统一物分裂为互相排除的对立以及这些对立间的相互关系）"去观察，因此，"主要的注意在于认识自己运动的源泉"。统一物的分裂，正确地摘发出过程的本身，过程的内容、过程的矛盾、过程之自己运动的源泉的主要矛盾。

一种过程之内的矛盾，和他种过程之内的矛盾，是不同质的。那只有依着社会主义革命才能解决的资本主义的矛盾，和过渡的经济之矛盾，各不相同。

托罗斯基主义的特征，在于①不理解各过程之内的矛盾的特殊性。托罗斯基不知道帝国主义时代中资本主义之主要矛盾的发展的特性，不知道不均等的发展法则。他之反对一国内社会主义的胜利之可能性，其第一论据就是从此产生。在托罗斯基看来，苏联中普罗列达里亚及农民层的矛盾，和资本主义经济中普罗列达里亚及布尔乔亚的矛盾，是同型的矛盾；后一矛盾和前一矛盾同样，只有由于国际革命才能解决。他反对一国内社会主义的胜利之第二论据，就是由此发生。实践，反驳了托罗斯基的理论，证明了不同质的矛盾要用不相同的方法去解决。在资本主义条件下的普罗列达里亚和布尔乔亚的矛盾，被革命所解决，被普罗列达里亚的社会主义革命所解决；而在苏联条件下的普罗列达里亚及农民层的矛盾，却由国内的工业化及农业的集体化所解决。实践，把一国内社会主义的胜利是可能的理论，精当地确证了。

在另一方面，国际的社会民主主义不理解普罗列达里亚和布尔乔亚之矛盾的特殊性，而到达于一种结论。以为这个矛盾可以在资本主义的范围内，用和解的方法去解决。

右翼机会主义者们，不论对于苏联中普罗列达里亚和农民层的矛盾之特殊性，或对于苏联中普罗列达里亚和资本主义要素的矛盾之特殊性，都没有加以注意，他们把两者看作同型的东西。由此，他们产生了豪农和平地向着社会主义成长的理论。

与托罗斯基主义及与右翼机会主义相斗争的课题，教给我们有暴露任何过程之内的矛盾的特殊性之必要。同时，认识那为全体过程的矛盾所规定的

---

① 1935 年 6 月版将"在于"改译为"就是"。——编者注

过程各方面的矛盾之特殊性,也是必要的。马克思在《神圣家族》中这样说过:

> 普罗列达里亚和财富,是互相制约的对立。并且两者形成一个总体。
> 两者都是私有财产的世界产生出来的。问题就是,这两个对立,在矛盾之
> 中,各个占着怎样的特定的地位呢? 单只说明统一物的、整体物的这两个
> 方面,那是不够的。

为理解资本主义的主要矛盾,必须认识普罗列达里亚及布尔乔亚的特殊
性,必须认识两者相互的关系及其具体的依存关系,必须认识被资本主义生产
方法所规定的两阶级的相互制约性。

第六节　对立的互相渗透

内的对立互相结合,对立的一方面如不存在,另一方面也不能存在①。 内的对立
互相结合

新经济政策,内部存有矛盾。斯丹林说:"在新经济政策中,必须保存两
个方面——一方面与战时共产主义相对抗,以买卖之一定自由的保证为目的;
他方面与买卖之完全自由相对抗,以国家的市场统制的任务为目的。这两个
方面中,去掉一个方面——那样,在我们之下,就没有新经济政策了。"

正因如此,所以党反对那想废止新经济政策这两个方面的任何一方面之
一切尝试,与之斗争。

充满了矛盾的方面这样不可分的联结,在客观现实的一切过程中,也可以 对立的互
相结合及
其转变即
是互相渗
透
看见。

对立,不仅处于不可分的联结中,并且一个对立转变为别一对立,相互地
渗透着。

矛盾的一方面以他一方面为前提,向着他一方面转变。资本主义的生产
力,变动并制约资本主义的生产关系之发展。但是,后者又在其本身上变动并

---

① 1935 年 6 月版将"对立的一方面如不存在,他一方面也不能存在"改译为"对立的一方
面如没有他一方面就不能存在"。——编者注

制约资本主义的生产力之发展。资本家的工场之生产过程,表现为资本主义的生产关系之总体,资本家和劳动者的关系,同时,又表现为生产力的总体(劳动力、生产手段)。由工厂手工业到机械的生产方法之发展,同时是生产力的发展,又是新生产关系的发生。劳动力和生产手段的统一,同时是生产力的联结,又是生产过程中人与人的联结即生产关系。工厂手工业中的分业,是生产关系,又表现为生产力。以此为基础,即以生产力和生产关系的交互渗透为基础,展开普罗列达里亚及布尔乔亚间之激化的矛盾的过程。

对立的相互渗透存在于一切过程中

　　对立的相互渗透,一个对立向他一对立的转变,存在于一切过程之中。为要暴露及指摘这种相互渗透的性质,必须具体的分析过程。

　　我们进入了社会主义时代,但又经历着新经济政策的最后阶段——这是一个矛盾。我们巩固货币制度及信用组织,实行节约冗费及统制卢布,以节约冗费为基础发展着苏联的商业。货币制度及银行的强化,同时又是社会主义会计、计划训练的造出及强化;冗费节约的实施,同时又是社会主义的计划化,伸张到作业场、工作组及集团农场。苏维埃商业的发展,同时又是作出生产物之社会主义分配的要素的路程。集团商场是在内部分配利益的亚尔特尔,同时又是社会主义的企业之一种模型,并且这种企业不久就会变成彻底的社会主义的企业。在国家问题之中,也有与此同样的对立之渗透。社会主义是以国家之消灭为目标的制度。但是,我们正在策进普罗列达里亚独裁的强化。我们所以使国家发展,因为要造出把国家引到死灭的条件。"国家权力之最高的发展,是以准备消灭国家权力的条件为目的——这是马克思主义的公式。它'矛盾着'吗? 是的,它'矛盾'。但是,这个矛盾正在生动着,它完全反映着马克思的辩证法。"[1]

　　在民族文化和国际关系的交互关系的问题中,也有与此同样的相互渗透。我们使民族文化发展,但是那种发达,同时是使民族文化死灭、是准备融合民族文化为一个共同的国际社会主义文化的条件。对立的统一及相互渗透,"使得多数派能够在民族问题的领域中,建立坚固不拔的要塞,反映着活生生[2]的真理"。

---

[1]　1935 年 6 月版此处添加了"(斯太林)"。——编者注
[2]　1935 年 6 月版将"活生生"改译为"生动"。——编者注

　　正是这个对立的相互渗透,伊里奇名之为对立的同一性。暴露任何过程中对立的相互渗透及同一性,是我们的认识论、我们的辩证法之中心任务。

　　伊里奇说:"辩证法,是关于对立怎样能是同一性? 又怎样是同一性(怎样变成同一性)? 在怎样条件之下,对立变成同一性而互相转化? 为什么人的悟性不把这些对立当作死的、凝固了的东西去观察,却当作生动的、附条件的、可变动的、互相转化的东西去观察? 等问题学说。"

　　对立的相互渗透、同一性,又是我们的认识过程的特征。人类认识的主要矛盾之一,如前所述,是相对真理和绝对真理的矛盾。相对真理在种种形态上反映绝对真理;绝对真理由顺次的相对真理所组成。

　　对立的同一性及其相互渗透之暴露,要在过程之具体的研究以后,即在过程之充满了矛盾的方面、这些方面的联结及相互制约性的特殊性之具体的研究以后,才有可能。带有少数派色彩的观念论者们虽则纷纷地主张了对立的相互渗透,而实际上,他们并不能把它指示出来。这是因为他们对于任何一个问题都没有具体的研究的缘故,抽象的见地、没有具体的分析之一般见地、对于对立的同一性之无理解等,使得德波林一派,不能暴露出认识上历史的东西及论理的东西之辩证法的统一,不能把握伊里奇所说相对真理及绝对真理之统一的问题。

　　在这里,我们不能像许多德波林主义者所做的那样,单只附上一个对立以他一对立为前提的条件。我们不能不深入地加以洞察,暴露运动的根底,并具体地研究过程。

　　研究对立的相互渗透、同一性,就是认识过程之充满了矛盾的方面的运动、发展、被制约性及其一切限界的可动性与这些限界的互相转化。

　　机械论者,不理解由矛盾而生的运动。布哈林在其所著《史的唯物论》中,彻底地直截明了地表现了机械论的见解。

　　　世界之中,存有作用不同的、互相反拨的诸种之力。这些力在极短时间的相互抵消,只是例外的场合。那时,处于"静止"的状态之中,即力之实际的"斗争"被隐藏着。但是,诸力之一发生变化时,立即现出力之"内的矛盾",发生均衡的扰乱。一会见,新的均衡发生;它是在新的基础之

对立物的互相渗透即是对立物的同一性

对立的互相渗透也是认识过程的特征

机械论者不理解对立的相互渗透

157

上,即力之相异的结合之下发生的。这是怎么一样事呢?"斗争","矛盾",即不同方向的力之颉顽,形成运动。①

依照布哈林的意见,互相独立的力存在着,它们互相作用。而且,运动之引起,由于不同方向之力的外的冲突。伊里奇要求首先要认识过程之内的矛盾,发现自己运动的源泉;但布哈林却要求去确定互相冲突的外力。伊里奇要求论证统一物的分裂,暴露对立的同一性,即确定对立的诸方面之不可分的联结;但布哈林却要求只去考察互相独立的力,各自能够个别存在的那样的力。布哈林把对立之统一的法则,机械地去理解。这是由于他从力学的概念、互相独立的力之单纯的冲突出发的缘故。

从对立的互相渗透之机械地解释出发,对于现时帝国主义的研究,就会产生这样一种理论,即不把各国之内的矛盾而把世界市场中各国之外的矛盾,看作是帝国主义时代的根本东西的有组织的资本主义的理论。

布哈林和一切机械论者同样,把矛盾和拮抗看作同一的东西。这是不正确的。拮抗,是用革命的方法能解决的对立之斗争。例如,普罗列达里亚和布尔乔亚的矛盾,带着拮抗的性质。但,一切矛盾并非都是拮抗。例如,使用价值和价值的矛盾之中,没有互相反拨的两力。普罗列达里亚和农民层的关系,不带有拮抗的性质。这两个阶级之中,存有许多共同的利害。把矛盾和拮抗视为同一,这件事在一方面,变成和托罗斯基主义者一样,认为普罗列达里亚和农民层之间既有矛盾,这个矛盾就带有和普罗列达里亚及布尔乔亚的矛盾相同性质,即认为这个矛盾带有阶级的拮抗关系;在他方面,变成和右翼机会主义者一样,认为普罗列达里亚和农民层既有许多的共通利害,这两个阶级之间就不存有矛盾。

社会主义社会中只有矛盾没有斗争和拮抗

在展开了的社会主义社会中,没有阶级斗争也没有阶级的拮抗。但是,布哈林把矛盾和拮抗看作同一,以为在展开了的社会主义社会中,任何矛盾也没有了。伊里奇回答这种主张,这样说着:

---

① 布哈林:《史的唯物论》。

这是极端不正确的。拮抗和矛盾断然不同。在社会主义之下，前者消灭了，后者残留着。①

第七节　矛盾的主导方面之意义

在确定了过程之内的矛盾，过程之对立的诸方面之不可分的联结以后，必须去发现这个矛盾之主导的方面。马克思在《资本论》中，指摘出在商品的价值及使用价值那种对立的方面之不可分的联结中，价值具有主导的作用；指摘出在生产力和生产关系的矛盾中，生产力具有主导的作用。

唯物辩证法对于理论和实践的相互关系的问题，在两者的矛盾上去究明，以承认实践到底是这个矛盾的主导方面为出发点。

暴露矛盾的主导方面的能力，是党的政治及战术的基础。

在转向新经济政策之时，党把右翼之主导的作用放在面前，容许了社会主义要素和资本主义要素的斗争。这是把矛盾的主导方面的胜利考虑过了的政治。"反对派说新经济政策是资本主义的。季诺维夫说，新经济政策无论如何是退却的。这不消说是完全错误的。实际上，关于新经济政策，党的政治容许了社会主义要素和资本主义要素的斗争，并且考量了社会主义要素对于资本主义要素的胜利。"

> 实际上，现在在我们之前发生的事情，不是资本主义复活之一方面的过程，而是资本主义的发展及社会主义的发展之两方面的过程，是由社会主义要素去克服资本主义要素的过程。②

季诺维夫没有理解这两个对立的方面，资本主义要素和社会主义要素，在社会主义要素之主导的作用之下，怎样很快地发展起来。因此，他把新经济政策当作资本主义要素之单独的发展即退却评价了。

---

① 伊里奇对布哈林的《过渡期经济学》的评注。
② 《伊里奇主义的诸问题》。

（边注）矛盾的主导方面之认识

（边注）新经济政策中矛盾之主导的方面

（边注）过去及现在的许多马克思主义者都不曾理解矛盾的主导方面的作用

普列哈诺夫没有提出过暴露过程的主要矛盾之问题,至于矛盾的主导方面,更是一回也不曾论及过。普列哈诺夫没有离开所谓对立的属性之结合那种立场。一切修正主义者们,也同样地否定了对立的斗争中之主导方面的作用。社会法西斯特们,否定生产在资本主义经济中的优越地位,而承认流通尽着和生产同一的任务,连那①、希尔佛丁、考茨基等,以此为基础,建立了他们的理论,以为资本主义经过流通的渐次社会化,将和平地转生为社会主义。现代的社会民主主义,在社会=经济的问题上,不暴露主要的决定的矛盾以及各矛盾的主导方面,而采取着所谓对立的方面之单纯的结合那种见地。

德波林一派表面上虽然承认对立之统一的法则,实际上,他们转入了少数派那样的对立方面之客观主义的结合之立场。

德波林主义者们,在任何的论文中,一点也没有述及应当暴露主导的对立之必要。他们不但没有把对立统一之法则的这一方面作出定式,并且无视了这一方面;这在他们的全体著作中,明白地表现出来。至于卢波尔,则以为理论决定实践,实践决定理论。他没有阐明实践之主导的作用,以为两者单只存有交互作用。德波林把新经济政策只当作资本主义要素和社会主义要素的斗争去下定义,没有申明②社会主义关系之主导的作用,也没有指摘新经济政策向着社会主义的胜利前进的事实。

第八节　从始至终的过程之矛盾的运动

伊里奇对于马克思的《资本论》,这样说道——

《资本论》的方法论指明资本的自始到终的过程之运动的范例

马克思在《资本论》中,首先,分析布尔乔亚社会(商品社会)之最单纯的、最普遍的、最根本的、最经常的、最日常的、数十亿万回被目击的关系——商品交换。那种分析,在这最单纯的现象之中(布尔乔亚社会的'细胞'之中),暴露现代社会的一切矛盾(或一切矛盾的胚芽)。从那里

---

① 1935年6月版将"连那"改译为"连奈"。——编者注
② 1935年6月版将"没有申明"改译为"并没有阐明"。——编者注

开始的叙述,把这个矛盾的发展(成长及运动),这个社会的发展,在其各个部分的总和上,自始至终地指示着我们。

伊里奇接着说:"这正是辩证法的一般的叙述方法或研究方法。"①发现过程之最单纯的最根本的关系;在那种关系之中,暴露主要矛盾;探求主要矛盾的发展,斗争,及以主要矛盾为基础而出现的全体矛盾,充满了矛盾的方面、发展的倾向——过程之自始至终的发展;探求发展中的过程各阶段的质的变化,充满了矛盾的各方面的运动之相对的特殊性,充满了矛盾的各方面之相互联结及相互推移——这是必须研究任何过程的路程。

马克思在《资本论》中,从商品资本主义社会之最单纯的、最根本的关系开始。他首先指示出商品的二重性及其矛盾性,是使用价值及价值的统一;暴露出商品之内的矛盾以及造出商品的劳动之二重性,创造使用价值的具体劳动和创造价值的抽象劳动。

更进一步,马克思证明:隐藏于商品中的内的矛盾,是在那种显现为相对的价值形态和等价形态的关系的两个商品之外的矛盾的形式上发现出来的。这个矛盾向前运动,出现为单纯价值形态,扩大的价值形态,以及一般的价值形态,一般的价值形态向着货币形态的转化,使商品分裂为商品及货币。货币的发展,货币的新机能之出现,②又给予商品交换之展开的可能,作成商品交换的基本矛盾之发展形态。

更进一步,马克思指明货币转化为资本的过程,指明这个过程之内的矛盾及资本的运动形态;证明这个矛盾随着劳动力那种特殊商品的出现一同被解决。商品生产变成商品资本主义的生产,表现为新社会的构成基础,即生产方法。货币到资本的转化,是价值法则在新质的基础之上的发展,是价值法则转化为新质的特殊的规律性——转化为资本的"自己运动的源泉"之剩余价值法则。

马克思探求剩余价值的增高率,证明生产之社会性质和私有制度的矛盾之成长与激化。他暴露了:榨取率之增大以生产之不断的强化为必要,资本的

---

① 《伊里奇文集》第十二卷。
② 1935 年 6 月版此处添加了一个"遂"字。——编者注

再生产引起资本的集积及集中,而且这种事实招致小中资本家的没落。另一方面,这个再生产过程作出产业预备军,使阶级的对立日益尖锐化。马克思于是暴露了资本主义的蓄积之一般法则及劳动阶级革命的必然性,证明了资本主义死灭之不可避免性。

在暴露了资本主义的本质及其深刻的发动的矛盾之后,马克思进而证明在这个矛盾的基础上所发生的充满了矛盾的现象,即证明这些深刻的矛盾之发现形态。

《资本论》的第二卷和第三卷,研究着这些问题。在那里,马克思指示资本的流通过程及再生产过程,论证剩余价值分化为企业所得、利息、商业利润及地租。于是,马克思证明价值法则怎样凭借外的形态之力而发展及怎样转化为生产价格的法则;证明生产怎样增大,资本的有机构成怎样成长,利润率怎样受资本有机构成增高的影响而减低,以及资本家在利率的名义下所发展的生产力怎样减低。更进一步,马克思证明资本主义的矛盾怎样日益激化,怎样在恐慌、不景气、好景气、繁荣等的运动之中得到暂时的解决;证明生产力和其自身之发展的社会法则、资本主义的生产方法,怎样陷入日益不能相容的冲突中。资本主义的生产方法,终于日益变成横在生产力的发展途上的桎梏、阻害生产力发展的社会形态,必然地要被革命。这是马克思在《资本论》中所描述的、伊里奇在关于帝国主义的著作中所完成的形象。

马克思在《资本论》中所应用的方法,是在研究任何过程时所必须应用的方法。伊里奇贯彻其全部著作,都正确的应用了这个方法。

带有少数派色彩的观念论一派,修正了这个方法。德波林派的一切代表者们的意见,以为过程之发展由同一性进于差别,由差别移于对立,由对立移于矛盾。这样,在德波林及其徒党看来,矛盾不是一开始就在过程发现的,而是过程的运动到达某一阶段才出现的;在那一瞬间以前,过程显然不是由于内的矛盾而发展。这种见地,不但修正辩证法的中心点,并且和机械论者相通。为什么,因为任何过程在其发展的开始,并在其发展的进行中,于到达某一定的瞬间以前,既不是由于内的矛盾,由于过程的分裂而发展;那么,在那个时间中的过程,就变成由于受到外的原因而发展的了。然而,这正是机械论者的立场。极端与极端,是相通的。

《资本论》
的方法是
研究任何
过程所必
须应用的
方法

德波林和卢波尔,应用了这种见解去分析具体问题,所以他们主张苏联的条件下的普罗列达里亚和农民层的关系,不过是差别的关系。即,他们和右翼机会主义一样,把这两个阶级间的矛盾涂抹了。加列夫也从这相同的见解出发,断定了在布尔乔亚革命前的法国,由布尔乔亚与普罗列达里亚及农民所组成的第三身份的内部,没有内的矛盾,单只有差别。但是,普罗列达里亚和布尔乔亚的利害,从两阶级发生的瞬间起,就是互相矛盾的;不过在起初的时候,这个矛盾还没有激化而已。德波林的见解是危险的,因为他涂抹并歪曲了矛盾的发展过程,从而变成为对于辩证法之少数派的曲解。

德波林派对于这个方法的曲解

第九节　对立之统一,同一性是相对的,
对立的斗争是绝对的

在《资本论》第一卷的序文中,马克思写道:

斗争的绝对性与统一的相对性

　　辩证法,因其合理的形态,使得布尔乔亚及其空论的代辩者们,感到苦闷和恐怖。因为辩证法,在现存事物之肯定的理解中,同时还含有其否定,其必然死灭的理解;它把一切现实的形态,在其运动上因而是从其暂时的方面去考察;它不屈服于任何东西之前,在其本质上是批判的,是革命的。

永久不变的东西,是没有的。随时随地,一种形态转变为他种形态;一切过程,都有始有终。一切过程,转化为其自身的对立物。任何过程的常住性,是相对的。但是,一种过程转变为他种过程是绝对的,对立的斗争是绝对的。伊里奇力说了这斗争的绝对性及统一的相对性,并且作出极明确的定式。他说:

　　对立的统一(合致、同一、均势),是有条件的、一时的、暂存的、相对的。互相排除的对立之斗争,是绝对的,发展、运动是绝对的。①

---

① 《关于辩证法的问题》。

在布尔乔亚民主主义革命之中，普罗列达里亚与那包含农村布尔乔亚在内的全体农民，一起反对农奴的关系。这种普罗列达里亚和农村布尔乔亚之活动的合致以及两者之利害的同一性，带有相对的、一时的、有条件的性质。两者之间的斗争是绝对的，把同一性作为其动因而包含着。在法国大革命时，未发达的普罗列达里亚和布尔乔亚的利害，彼此合致，形成了统一、同一性。但是，这种统一，带有相对的、一时的、有条件的性质；这种性质，随着资本主义的发展，不久就出现于表面，暴露了普罗列达里亚及布尔乔亚间的阶级斗争之绝对性及不联合性。两者的这种同一性，不过是包含于两者之绝对的斗争中的一个动因。

就普罗列
达里亚与
布尔乔亚
之对立的
发展说明
其同一与
斗争

社会民主
主义者及
社会法西
斯特只主
张对立的
和解

客观的现实之一切过程，也和这相同，只是在各个过程上，对立的斗争之绝对性与统一，各以其独特的方法显现，由过程的质及其内的构造所规定。

马＝伊主义和社会民主主义的不同之点，在于理解对立的斗争的绝对性，及其统一的相对性。社会民主党的任何一个理论家，考茨基也好，普列哈诺夫也好，虽然他们反对伯伦斯泰因对于马克思的辩证法的修正，承认矛盾引起运动，可是他们毕竟没有认知统一物的分裂引起运动，没有认知对立的斗争的绝对性及其统一的相对性。考茨基之所以只在形式上承认辩证法，而不曾理解辩证法，那是什么意味呢？那是因为：考茨基主张矛盾引起运动，是革命的形而上学；事实上，他拒绝了辩证法。

现代社会法西斯特们的政治上的总战术，都以对立的和解为基础。他们弃去马克思所说阶级斗争不能和解的命题，而宣传普罗列达里亚和布尔乔亚之利害的调和，两个阶级的妥协，援助资本家的产业合理化，援助民族布尔乔亚之夺取市场的斗争，诱引普罗列达里亚去参加布尔乔亚的国家。

多数派理解对立的斗争之绝对性，及其统一、同一性的相对性；少数派却高唱统一之永久化的理论。这两种不同的主张，是两者在阶级斗争上种种不同的战略战术之理论的基础。

多数派对于自由主义布尔乔亚的战术，在赞姆斯特瓦选举战时代的"分开前进！共同攻击！"的口号中，表现了出来。在一定阶段上的、与一定形态中的自由主义布尔乔亚的这种共同动作，乃是社会民主主义的战术之相对的、一时的、有条件的动因。少数派对于这种相对的动因，赋予绝对的意义，以之为自己的全部战术的基础;其结果,少数派转入了布尔乔亚的奴仆的任务。
1917 年,以普列哈诺夫为首领的少数派,支持了取得胜利的布尔乔亚,宣传利
害的调和,高唱继续帝国主义的战争,对于妨阻资本主义强化的一切,特别是
对于社会主义革命,却倾注全力加以反对。十月革命以后,他们直接支持白党
了。苏联中资本主义要素的驱逐,使得少数派和妨害革命的布尔乔亚政党缔
结同盟;贯通全线的广汛的社会主义的进攻,使得少数派去援助那准备干涉苏
联的国际布尔乔亚。

在主张对立的统一之时,而不理解斗争的绝对性,必然不可避免地引到对
立物的和解。对立物的和解论,是右翼派的立场之特征。右翼派,抛弃马克
思＝伊里奇所说阶级斗争是不和解的那命题,而建立所谓组织化的资本主义
的理论,主张资本主义国家的内部矛盾可被取去而移至外部的斗争场中——
世界市场之中。在苏联中,他们建立了所谓豪农向着社会主义和平地成长之
理论。他们以阶级斗争之自然的消灭,和平的死灭之理论,去代替伊里奇所说
阶级只有依着激烈的社会革命才能消灭的理论。右翼派忘记农民层内部的矛
盾,在他们看来,农民是涂上了灰色的集合体。他们不曾注意:我们和农民的
同盟,是把普罗列达里亚和布尔乔亚不能相容的利害考虑过了的同盟,因而是
和农民之资本主义要素相斗争的同盟。"没有辩证法的理论家,烦琐哲学的
理论家布哈林",不理解对立的斗争是绝对的、对立的统一是相对的学说。

对立的和解论,是形而上学的理论。因为这种理论,没有发现从一种状态
到他种状态的出路。对立的和解论,没有注意新事物的发生,没有注意新现
象、新过程的前提、可能性、条件及其发生,乃是以一定过程的发展为基础而作
出的。这种理论不注意一定过程之矛盾的发展,不考察一定状态怎样转变为
其他状态。对于布尔乔亚民主主义革命的经过,完全没有加以考察的俄国少
数派,正是如此。对于布尔乔亚经济的矛盾怎样白热化的事实,没有主意的现
代社会法西斯特们,正是如此。又在对于贯通全线的社会主义的进攻所引起
的阶级斗争的激化,没有考察的右翼派的场合中,也可以看见同样的事情。

对立的和解之见地,变成了德波林一派对于马克思的辩证法所加入的少
数派的＝观念论的修正之基础。他们的代表者中,没有一个曾经考虑过主张
对立的斗争的绝对性及其统一的相对性之必要。——虽然他们对于伊里奇异

右翼派的
对立的和
解论

德波林派
的对立和
解论

165

常简明地把统一物的分裂法则的这一方面作成定式的论文即《关于辩证法问题》,曾经写过无数著作。在他们的任何著作中,对于对立的和解论从没有加过批判。反之毋宁说他们简直是从这种①理论出发。德波林不在对立的斗争中而在对立的同一性中,去发现辩证法的本质;因而在德波林的场合中,无上明了地显现出那种事实,即对立的和解论是和对于伊里奇的命题——统一或同一是相对的,斗争是绝对的——之无理解密切相联系的。德波林的特征,在于不理解伊里奇的思想——伊里奇所说对立的同一性不过是充满了矛盾的对立的统一中之一动因。德波林下辩证法的定义,不说是关于对立之斗争的学说,而说是"关于对立之融合的学说"。

第十节　均　衡　论

均衡论之
内容

　　以上,我们把辩证法的根本法则,对立之统一的法则,照马＝伊主义的建设者们所发展的那样,加以说明了。布哈林不理解这个法则,布哈林在所著《史的唯物论之理论》中所引为任务的,是把黑格尔之观念论的神秘的矛盾论,变作唯物论的腔调。在布哈林看来,把黑格尔的辩证法翻译为现代力学的言词,是必要的。布哈林忠实于自己所提起的问题,认为黑格尔和马克思所说的矛盾引起运动,实际是两个反拨的力之冲突。外部之力互相冲突,暂时形成可动的均衡,这均衡以后被扰乱,再在新的基础上恢复均衡。布哈林仿效黑格尔,把这样的均衡的最初状态名为正命题,把均衡的扰乱名为反命题,把对立和解后在新的基础上的均衡的恢复,名为合命题。布哈林这样写着:一切事物是某种总体的东西,由互相联结的一群要素所组成,即成为某种体系。一切这样的"体系",和那构成其本身的环境的其他体系,互相结合。环境和体系互相矛盾。这种体系和环境的矛盾,在布哈林说来,是一切发展的基础。

　　布哈林不否定内的矛盾。譬如,他承认社会中许多内的矛盾、生产力和生产关系的矛盾、诸阶级的矛盾等的存在。但是,依据布哈林,这些内的矛盾是环境和体系的外的矛盾之结果,是受那种外的矛盾所决定。这样,社会内部的

---

　　①　1935 年 6 月版将"这种"改译为"这样"。——编者注

阶级斗争,依据布哈林,是受社会与自然间的矛盾所决定的。布哈林说:

内的(构造的)均衡,依存于外的均衡(这种外的均衡的机能)。①

这,就是布哈林所称之为马＝伊主义的建设者们的辩证法之均衡论。这种回避内的矛盾之决定的主导作用、曲解统一的分裂之法则的理论,与马＝伊主义没有任何共通的东西——从上述看来,是明显的。

布哈林所乱说是马克思主义的这种均衡论,并不是新的东西。这种均衡论,在布尔乔亚的社会学及经济学上,广泛地一般地被应用着。布尔乔亚的哲学者及社会学者的斯宾塞,在这种均衡论之上,构筑了他的机械论的进化论。依斯宾塞的意见,引到均衡之建立的互相反拨的力之对立,存在于自然界中。运动的方向,由各种反拨的力之量的优越而定。例如,在他看来,暴政和自由两个独立的力,在社会中,不断地要形成平衡。随着两者中任何一方面之量的优越,社会就走向暴政的方面或自由的方面。在斯宾塞之前,已直接反对黑格尔及马克思之辩证法的谢林格,这样说过——

在反对的方向中互相抗争的力之对立,也是自然及其发现体的一切作用的根本形式。

恩格斯在《反杜林论》中,严格地批判了这种见解。把均衡作成了极完全的定式之人,是波格达诺夫。波格达诺夫在布哈林以前,就把辩证法翻译为"力学的言词"了。和谢林格及斯宾塞同样,波格达诺夫把矛盾引起的运动看作"两个反拨的力之作用"②。他率直承认:他对于充满了矛盾的发展法则的这种理解,是和马克思主义的建设者们的理解不相同的;他并且以为马克思主义的建设者们的理解没有到达他的见地,因此,③不能说明量到质的转变。波

均衡论的根源

---

① 布哈林:《史的唯物论》,1925 年版。

② 1935 年 6 月版将"'两个反拨的力之所用'"改译为"'两个反拨的作用'之斗争"。——编者注

③ 1935 年 6 月版将"因此,"改译为"所以"。——编者注

格达诺夫把辩证法定义为："由对立的力之斗争而显现的组织过程"。在他看来,运动从没有任何矛盾的均衡发生,其后,这个均衡为两个对立的力之斗争所搅乱,然后再在新的基础之上恢复。波格达诺夫所认为根本的东西,规定的东西,是制约内的矛盾之外物。他以为,主要矛盾是环境和体系间的矛盾。这样,我们看出布哈林之大智的源泉,就是布尔乔亚的社会学,和他受过强烈影响的观念论者、折中主义者波格达诺夫的哲学。

均衡论在一切有害的团体中受非常的欢迎,它成为他们的理论的见解之方法论的基础。劳动农民党的指导者孔特拉捷夫,不论在其讨论资本主义经济及苏维埃经济情势的一切著作中,或在发展速度的问题中,都是从均衡论出发。孔特拉捷夫的战友,豪农的思想家窝加诺夫斯基说:"在具有创造性质的一切很复杂的工作中,那可为'调味剂'的,为其他一切部分的思想中心点的基础之一般思想,是不能不有的。当建立洞察过的国民经济计划之际,这种'调味剂'……在我看来,正是均衡的原理。"①

少数派=鲁宾编著《马克思的价值概论》,硬把均衡的原理推在马克思身上。在同书中,他把马克思在构成资本论时,当作从均衡的原理出发的机械论者描写着。

在与伊里奇斗争时的波格达诺夫的战友,少数派的巴查洛夫,在研究社会发展的规律性中,尤其是在研究苏联的计划化之问题中,应用了均衡论。

少数派的克鲁曼及孔特拉捷夫主义者的优罗夫斯基,称赞布哈林的均衡论:首先,在他们编造国民经济发展统制数字时,其次,在他们讨论财政问题时,都是从均衡论出发。一切有害的团体都采取布哈林的均衡论,把它放在他们本身的理论的见解的基础之上。

不论在史的唯物论的领域,在政治经济的问题中,均衡论都是成为布哈林的见解的基础。如前所说,布哈林主张社会的发展,其内的矛盾之发展,为社会及其外的环境即和自然的相互关系所决定。社会和自然间的均衡与矛盾,决定社会内部的均衡与矛盾。依照这种见地,阶级的矛盾就是社会与自然的矛盾之结果。布哈林在《过渡期的经济学》中,说——

---

① 《经济评论》,1927 年第 6 号,第 21 页。

"一切构造的均衡,即种种社会的人类的团体及社会体系之人的要素间的均衡之安定,基于社会和外的环境间的一定的均衡。"①可是,布哈林想把这种理论和马＝伊主义的理论——由于内的矛盾的发展而来的资本主义死灭之不可避性——相结合;但布哈林既抹杀内的矛盾,否认内的矛盾之决定的作用,从而不能说明资本主义之必然的死灭,那是很明显的。正因如此,社会法西斯主义所以那样的喜欢接受这种理论。苏维埃权力的一切经济政策,在布哈林看来,应当从设置均衡之必要出发,不可容认均衡之搅乱场合;因此,必须去构成从均衡原理出发的国民经济的平衡。

既然内的矛盾,譬如阶级斗争的激化为社会和自然之均衡的搅乱所规定,那么,在构成平衡之时,就不能不从在最短期间内应当设置均衡的必要出发。这是因为平衡的构成乃是抹杀包含阶级斗争在内的内的矛盾。平衡,不能不考虑在国民经济各部门之间应当从速设置均衡的必要。这是因为只有这种均衡能保证社会和自然的根本的均衡。如均衡论把它当作必要的一样,在最短期间内去设置均衡这件事,只有在填补最弱的地方,最弱的环子时,才是可能的。

> 在由相互间必要不可缺少的一联环子所组成的全部体系中,具有决定的意义的,是最弱的环。例如,铁对于社会经济中的一切部门都是必要的,如果铁的生产低降至标准以下,那么,只好停止一切部门,专事采掘铁量到够用的程度,除此以外是不可能的。②

均衡论在苏联经济中的应用的实例

均衡论的一切党徒,一切机械论者,都宣传补救弱点。孔特拉捷夫仿效布哈林的《经济学者的摘要》,重复着相同的口号。他在财政人民委员会的廓清会中说:

> 如果没有砖,房子就不能建筑,在这一点上,我和布哈林同意,是的,

---

① 布哈林:《过渡期的经济学》,第 87—88 页。
② 波格达诺夫:《一般组织学》,第 274 页。

应当补救弱点。在我看来,除此以外,再没有方法。

从均衡论从补救弱点的思想,生出一切右翼机会主义的问题。例如说,在建筑材料的生产比较其他生产部门落后时不去克服这种落后的状态,却以为应当紧缩一般的建设事业[①]。

苏维埃经济的发展中最弱的环,是小商品农业的分散性。均衡论的党徒们,认为这个矛盾的克服,不是由于把农业的发展引上大产业的水准,由于把农业转移为社会主义的形态——所能做到[②];反之,他们以为要由于缩小产业的发展速度才能做到。均衡论的党徒们,以为上述矛盾的解决,其可能性在于保持这两个对立的方面,即社会主义的大产业和小商品农业,在于利用这两个方面之机械的相互关系去补救弱的方面,而在两者之间设置均衡。

从这种处所,便发生他们的斗争,即反对产业的发展速度及工业化而赞成轻工业及个人农业的发展的斗争。依他们的意见,后者的发展,在农业及工业之间,立即保证均衡之设置,并且是减弱阶级斗争的东西。右翼派不能解明苏联经济的主要矛盾,抹杀阶级斗争,不注意那引起阶级斗争激化的导线或源泉。

外的矛盾
通过内的
矛盾而起
作用并受
内的矛盾
所决定

马克思及伊里奇的辩证法并不否定外的矛盾的作用,即某种过程对于其他过程的作用,反之,毋宁说是从现实的一切过程之不可分的联结那种观念出发,而要求认识过程之相互的作用、过程之相互的影响及其相互的渗透。马克思及伊里奇的辩证法,其主要的注意在于暴露内的矛盾、确定对立的同一性,认识过程之自己运动的源泉。外的矛盾,只有通过过程之发展的内的规律性,才影响于过程的发展。马克思和伊里奇的辩证法,不否定社会和自然的矛盾,但不承认外的矛盾是主要的东西、决定的东西。在历史的研究中,我们看到许多国家的地理条件、气候条件、地形、动植物、天然富源,在长期内没有变化,而社会关系却变化了,即封建制度变为资本主义了。

---

① 1935 年 6 月版将"紧缩一般的建设事业"改译为"减低资本的建设"。——编者注

② 1935 年 6 月版将"不是由于把农业的发展引上大产业的水准,由于把农业转移为社会主义的形态——所能做到"改译为"不是由于把农业的发展引上大产业的水准一事——这要靠把农业转移为社会主义的形态才有可能——所能做到"。——编者注

在社会构成的发展中,譬如说在资本主义的发展中,辩证法所看作主要的东西、决定的东西,是生产力和资本主义生产关系的矛盾。社会和自然的矛盾,不消说,也作用于资本主义的发展,但不是直接起作用,而是通过资本主义之主要矛盾的发展才起作用。地理环境成为社会发展的障碍时,社会依其内的规律性,发展社会的生产力,变化地理环境。如果森林稀少时,就斟酌森林的采伐,计划森林的成长。如果石炭不足时,就改用木炭。天然的皮革、羊毛、生丝不足时,就造出人造的皮革、羊毛、生丝。土地的面积狭隘时,就实施灌溉设备。由于生产力的发展,人类变革动植物,造出新的动物及植物的种类,并为本身的必要而利用它。

资本主义体系和苏维埃体系之间的矛盾,当然对于苏联社会主义关系的发展,发生影响。经济的财政的封锁,信用贷款的拒绝,对于苏联"倾销"的斗争,直接的反动攻击,干涉的准备等——这一切,虽在苏联社会主义的发展中反映出来,然而是通过苏联社会主义之内的规律性,曲折的反映出来。国际资本阻害社会主义发展的程度,依存于社会主义的发展及其强化的程度。苏联的社会主义愈益强化,国内的工业化及集团农场化愈益增高,我们对于资本主义要素的进攻愈益展开,社会主义的司令塔愈益巩固,豪农、新兴资本家、害虫以及官僚主义、尤其是我们阵营中机会主义的影响愈益减少,那么,国际资本阻碍我们的运动之可能性,也就愈益减弱。国际资本企图实行要粉碎苏联之绝望的尝试。这个尝试成功吗? 或终于不成功吗? ——其程度,完全系于苏联的强度如何。国际资本依其内的矛盾而发展,这些矛盾怎样急剧地激化起来,在某种程度上,也依存于苏联。苏联社会主义的成长,使得资本主义体系之内部的矛盾激化起来,因而促进普罗列达里亚的世界革命。理由是:苏联社会主义的成功,对于社会主义之究极的胜利,具有绝大意义。

这样,我们看到外的矛盾,只有通过过程之内的规律性的发展,才在过程的发展之上,曲折地发生影响。我们只有具体地分析两个互相作用的过程,才能把其影响的性质、程度及力量,暴露出来。

均衡论,忽视了暴露过程之具体的内容及"自己运动的源泉"之必要,因此,在一方面,对于哲学问题像抽象的唯理论那样去处理,从所谓"一般"的见地去处理,因而到达于空洞的图式主义;在他方面,到达于忽视根本的东西及

均衡论与
唯理论及
经验论之
关系

具体的东西之经验论。这种二重性,是我们右翼派的特征①。他们对苏维埃经济的问题,一方面,抽象地去处理;不分析其发展之具体的条件、局面及阶段;无力暴露那新转化向着新局面出现的条件及可能性是怎样造成的;不注意新的发展阶段重新提出了问题,重新解决其矛盾。另一方面,他们从补救弱点的均衡设置论出发,因而到达于拜金主义。例如,他们的困难打开策——在社会主义的大产业及小商品农业之间从速设置均衡——,当 1928—1929 年时,这只有基于个人农业的成长才是可能的。由此,生出了使提供大部分谷物商品的个人经济(主要的是豪农经济)发展的政策,而回避了那打开困难的根本的决定的路线——农民经济之转变为社会主义的农业形态。

均衡论,不承认过程的发展,自始至终,都依存于在发展中的矛盾而进行。② 从这种理论的见地说来,所谓均衡乃是过程中没有矛盾的瞬间之东西,从而③过程的运动,在矛盾发现的瞬间以前,只有由于外的原因才有可能。

均衡论,与社会民主主义对于马克思辩证法的修正相一致,隐蔽过程之内的矛盾,所以从其阶级的本质看来,它是资本主义理论的复活。

德波林与
均衡论者
相通

德波林一派对于均衡论加以时代落后的批判,不能给予这种理论以决定的打击。德波林派的那种批判是极一般的,极抽象的。他们不能抓住均衡论的最主要点——均衡论不承认过程是自始至终依着矛盾,依着统一物之分裂而发展,即均衡论使对立和解之点——,去加以批判。这是因为他们本身对于对立之统一的法则的理解,是与均衡论合体的。他们也和均衡论同样,认为矛盾不是从过程发生的瞬间就在过程中固有的,而是在过程发展的某阶段上才出现的——这样,他们作出了他们自己所恐怖的结论,即所谓过程在矛盾发生的瞬间以前,由于外的原因而发展的结论。而且,和均衡论的党徒们同样,他们也支持着社会民主主义的对立和解的理论。

极端和极端,是相通的。

---

① 1935 年 6 月版将"是我们右翼派的特征"改译为"也就是右翼派的特征"。——编者注
② 1935 年 6 月版将此句改译为"均衡论,不承认过程的发展是始终都依存于在发展中的矛盾而进行。"——编者注
③ 1935 年 6 月版将"从而"改译为"因而"。——编者注

第十一节　否定之否定的法则

从上面所述看来,当作通过质与量的发展而进行的、基于对立的运动之飞跃的转变的过程看的辩证法的过程,究竟是什么东西,我们已经知道了。但是,现实以及我们认识的发展之辩证法的过程,不止是量到质的转变及其反面的①法则和对立之统一的法则。与以上两个辩证法的根本法则相并行,马克思和恩格斯又建立了辩证法的第三个根本法则——否定之否定的法则——的基础。

这个法则的要点在哪里呢?

在《资本论》第一卷"资本主义蓄积的历史倾向"那章中,马克思逐一指示了劳动手段的私有,从其最初的瞬间起到历史上必然的废绝为止,即到转变为其对立物的社会公有为止的发展的过程。

　　私有,和社会的集团的所有不同,只存立于劳动手段及外的劳动条件属于各个人的场合。劳动者私有生产手段,是小生产的基础;小生产成为社会的生产及劳动者自由的个性之发展的必要条件。……这种生产方法,以土地及其生产手段的分散为前提。这种生产方法,和这些生产手段的集积,和协业,和同一生产过程之内部的分业……社会的统制……社会的生产力之自由发展,都不能相容。它只与生产及社会之狭隘的传统的限界并存……

　　……到了一定的发达水准时,这种生产方法自己造出破坏自己的物质的手段;……这种破坏,即个人的分散的生产手段转变为社会的被集积了的生产手段,因而多数的细民之所有转变为少数的巨人之所有,从广大的民众收夺土地与生存手段及劳动要具,对于民众之可怖的苛酷的收夺,这是资本之历史的序幕。……

---

① 1935 年 6 月版将"量到质的转变及其反面的"改译为"量到质及由质到量的转变"。——编者注

那种由自己的劳动获得的、基于各个独立劳动者及其劳动条件之融合的私有,被那种基于对形式上自由的他人的劳动之榨取的资本主义的私有所驱逐。

马克思指示否定小私有的资本主义的私有之发生的经过,暴露资本主义的私有之发展的倾向。

资本主义的生产方法一到自立之时,劳动之更进的社会化,土地及其他生产手段之社会的被利用因而向着共同的生产手段之更进的转化,以及相随而来的私有者之更进的收夺,就采取新的形态。被收夺的人,这时,不是从事于独立经营的劳动者,而是榨取许多劳动者的资本家。

这种收夺,依着资本主义生产之内在的法则的作用、资本的集中而实现。……掠夺并独占着变革过程之一切利益的大富豪的数目渐次减少,同时,贫困、压迫、隶属、废颓、榨取之量就越发增大;随着,因资本主义的生产方法的机构,而继续被扩大、被训练的、被统一的、被组织的劳动阶级之反抗,也增进了。资本的独占,随着变成曾在其庇荫下繁荣了的生产方法之桎梏。生产手段的集中及劳动的社会化,与资本主义的外壳,到达于势不两立之境。资本主义的外壳破裂。资本家的私有之丧钟响了。收夺者被收夺了。

马克思指示私有的发展之历史的全体路程,于是给予如此的总决算,在其中把否定之否定的法则造成定式。他写着——

……资本家的私有,对于那以生产者自身的劳动为基础的个人的私有,是第一个否定。但,资本主义的生产以自然过程的必然性,作出自己对自己的否定。这是否定之否定。这个否定,不是使劳动者的私有复兴,而是造出以资本主义时代的成果为基础,即以协业、土地及其他由劳动生产出来的生产手段之公有为基础的个人的所有,这是明白的。

要究明这个法则之具体的内容,我们从那种把一些不相干的意义加在这个法则上的见解之批判开始。

批判者们攻击马克思主义时,非难马克思主义主张发展是照黑格尔的三段法而进行的。依据黑格尔的三段法,发展照下面那样进行着。

任意过程之发展的开始,过程表现为正命题即定立。这个物作出其自身的对立物即反命题。更进的发展,统一正命题及反命题,即表现为合命题。这样,任何对象的发展,都通过形成正命题、反命题、合命题那种"三段法"的三个阶段。由于这些命题,黑格尔想通过对立之斗争而确证发展的法则。即,通过由一种现象转变为和它对立的其他现象,并且后者又转变为那包含这两个先行发展阶段在内的对立,去确认发展的法则。黑格尔的这个命题,是马克思及恩格斯所接受的并加以发展的深刻的思想。恩格斯说:否定之否定的法则①,"实际上,是随时随地进行着的程序。② 这个程序,只要把旧观念论哲学掩蔽着它的秘密的破衣取去,就是三岁的儿童也能理解"。但是,形而上学的哲学,在否定之否定的法则中,除了秘密的破衣以外,什么也没有看见。形而上学者们把否定之否定的法则,当作图式的"三段法"描写出来,而说马克思主义者们无理地把具体的现实之发展嵌入三段法之中。但是,这里不能不声明一句,黑格尔自身,特别在所著《法律哲学》之中给予了一个根据:即把"三段法"的性质解释为否定之否定的法则的一个方面,而且可以把它解释为发展法则的本身。例如,黑格尔把犯罪当作法律的否定去观察,把刑罚当作犯罪的否定即否定之否定去观察。在这里,实际上,三段法成为把现实的现象嵌入于其中的外的图式。就是说有机界中的生存竞争也是依照三段法进行,同样不为过言。例如,昆虫为鸟所食(正命题及合命题),鸟为猛兽所食(合命题)。猛兽的胃中,显现着所谓昆虫的世界和鸟类的世界之统一。

像这样在图式上把现象嵌入三段法之中,不能说明发展,这是不待言的。

马克思及恩格斯在说明否定之否定的法则时所力说了的,不是这个法则之"三段法的性质",而只是互相发展并且互相推移的现象之内在的联结。马

　　　黑格尔的
　　　三段法及
　　　其批判

---

① 1935 年 6 月版删除了"的法则"。——编者注

② 1935 年 6 月版将此句改译为"实际上是极单纯的随时随地进行着的程序。"——编者注

克思对于资本主义发展的历史倾向之分析，上面已经引用过了；在那引用文中，否定之否定的法则的这种本质，被力说着。

恩格斯在《反杜林论》中，引用麦粒为例。落在地中的麦粒，置于适当的条件之下，发出芽来。"麦粒被消灭，被否定，而从麦粒生出来的植物，出现为麦粒的否定。究竟，这种植物之正常的生涯是怎样的呢？它成长，开花，结实，最后再生出麦粒。而且麦粒成熟时，麦茎枯死，轮流地被否定。当作否定之否定的结果，我们再获得最初的麦粒，然而这不是一个麦粒，而是十倍、二十倍或三十倍的麦粒。"

恩格斯并且事先指出，这里的问题不单只是发展之量的方面。"谷物的种类仅是极缓慢地变化。所以，今日的大麦和一百年前的大麦，几乎完全一样。但是，试考察黏质的观赏植货，例如牡丹或兰花罢。如果我们把种子及由种子生出来的植物加以人工，这否定之否定的结果，我们不但得到更多量的种子，又得到生出更美丽的花的、质的方面被改良了的种子；并且，这种过程的每次的反复，每次的新的否定之否定，这个改良是被促进了。"

在这里，恩格斯力说着由同一的规律性所发生的现象之内的联结，把捉着由植物的萌芽状态（粒）到新果实的成熟为止的植物的生涯。辩证法的敌人正是不能理解这种否定之否定的法则的本质，把它化作空虚的概念之游戏，为着这个目的而诉之于欺骗。

民粹派的密海洛夫斯基，以自己的方式去解释恩格斯的麦粒之例。他说：茎否定粒，花否定茎，果实否定花。这样，三段法在哪里呢？在这里，不止两个否定，而有三个否定。恩格斯恰好像预知这样的"反驳"一样，他在《反杜林论》中写道："和麦粒的场合同样，这种过程在许多昆虫的场合，譬如蝶的场合，也显现着。蝶由于卵的否定，又由卵生出，通过到性的成熟为止的种种变异阶段，交尾，于是再被否定。即，雌蝶完成种属的持续过程而在生下多数的卵时就死灭。

在其他植物及动物的场合中，这种经过不是那样简单地被解决。在其死灭之前，不只一次而是多次的产生种子、卵或幼儿，这种事实在这里与我们没有关系。在这里，只是证明否定之否定的法则现实的显现于有机界的两个领域中，就够了。"

这样,重要的事情不是否定之量,而是发展的全生涯,把其自身的否定当作向新的规律性之转变——否定之否定——,在其自身之中包含着。过程之发展中的现象及阶段,并不是一切都表现为否定之否定。

"花是植物的一机关。并且,当作这样东西看的花之不否定植物,恰如密海洛夫斯基的头之不否定密海洛夫斯基本人一样。但是,果实,正确地说来,受胎了的卵,实际上当作新生命的发展之出发点看,是一定的有机体之否定。恩格斯从那由受胎了的卵生出的植物之发展的开始,到植物把受胎了的卵再现为止,观察植物的生涯。"①这样,普列哈诺夫把那企图反驳否定之否定的密海洛夫斯基的尝试,加以还击了。密海洛夫斯基不但把三段法偷换为多数的否定,并且把否定变为现象之外的交替。因此,密海洛夫斯基终于不理解辩证法的否定之本质和否定之否定的本质。这否定之否定,正存于通过过程之矛盾的发展而发生新的规律性之问题中。

首先,我们试究明辩证法的否定之本质罢。辩证法的否定,和②形而上学的论理学的否定,在哪一点不同呢?

在形式论理学,所谓否定是绝对的否定。形式论理学把否定看作完全的取消。例如,动物界中某种动物为他种动物所灭亡,这是否定。形而上学的论理学,没有看见过程之内部的矛盾的发展,过程之自己的否定;认为否定性不是发展着的矛盾之内部的起动的动因,而是外的动力。机械论者恰好把这样对于否定之外的理解,作成其方法论的基础。所以,考茨基在所著《唯物史观》之中,攻击基于物质的自己运动之辩证法的否定。他说,在物质之中,没有任何的自己运动。这完全是从那说精神的自己运动的黑格尔那里借来的神秘主义。自己运动,什么也没有说明。反之,运动的源泉,乃是两个外力的相互作用。在这种相互作用之下,一力否定他力。环境否定有机体——这是反命题。有机体征服环境的抵抗——这是合命题。在这里,否定,否定之否定,是完全互相作用的外的东西。考茨基对于辩证法的否定观——正命题之中已经包含矛盾或反命题,反命题之中包含正命题——,加以评判。考茨基简直不

否定之本质

辩证法的否定与形式论理学的否定不同

① 普列哈诺夫:《史的一元论》。
② 1935年6月版此处添加了"形式的、"。——编者注

理解,对立的统一正是过程的发展之起动的源泉。他说:"运动,起于相反的要素之对立或冲突。"这样,考茨基之所以攻击恩格斯所举麦粒的例,以为其中没有何等的否定,单只是有机体的变化,其理由充分地明了了。

所以,和一切的机械论者同样,构成考茨基的特征的东西,就是在其否定之理解中有如次的动因一件事:(一)当作对于过程的发展之外的动因看的否定,(二)绝对的否定,当作破坏看的否定。

但是,辩证论者的特征,对于否定有与此不同的理解。伊里奇说:"把否定的要素当作最重要的要素包含着的辩证法中,其特征的东西,重要的东西,不是完全的否定及胡乱的否定,也不是怀疑的否定及混惑的否定;而是当作联结的动因看的否定,当作保有肯定的,即不伴有任何混惑、任何怀疑的发展的一个动因看的否定。"

所谓否定,不能不是过程之发展中的联结之一动因。单纯商品经济变为资本主义经济时,前者不是被后者绝对的否定了。资本主义经济是从商品经济成长的。在商品经济之中,其内的矛盾,私有的发展已被包含着。生产手段之私有的发展,生产手段及资本之集中于特定阶级的手中,是小商品生产者的发展之否定的动因。但是,这否定的动因,又是小商品生产者的发展之起动的动因。没有否定的运动,也就没有肯定的运动。没有否定,也就没有肯定。"辩证唯物论即科学的考察,要求去指明差别、联结及转变。如果不这样做,只有单纯的肯定的主张,是不完全的,无生命的,死板的。"(伊里奇)

对于资本主义制度的分析,首先要求暴露它的主要矛盾,探究那成为资本主义制度的自己运动之源泉的"否定性"。资本家的私有之对立物,是普罗列达里亚之不保持任何生产手段的私有之事实。但是,这"否定性"和肯定物密切的结合着。这两个对立,彼此相互作为对方的前提。资本家的私有,包含其本身的"否定性"、对劳动者之私有的否定;又,反之,劳动者之不保持任何生产手段的私有,以生产手段之集中于资本家的手中为前提。

伊里奇说:"辩证法的动因,要求指摘否定的东西及肯定的东西之'统一',即两者的联结,发现否定的东西中之肯定的东西。由肯定到否定,由否定到包含肯定的'统一'——没有它,辩证法就变成完全的否定、游戏或怀疑论。"所谓否定,不能不是为表现过程之发展中的联结之特定的否定。

在辩证法中,否定不是单纯地说"否",或宣布事物不复存在,或随便地把事物取消……在这里,否定的方法,第一,由一定过程的一般性来决定;第二,由那过程的特殊性来决定。所以,我不能不使第二个否定是可能或成为可能地那样去建立第一个否定。但这事怎能做到呢? 这是依从于各个场合之特殊的性质。如果,我把麦粒磨碎了,或把昆虫踏死,我诚然完成了否定之第一个行为,但第二个行为却成为不可能。因此,对象的各范畴之中,具有发展由否定造成的、特殊的、其自身所固有的否定的方式。

在上面引用的恩格斯的麦粒之例中,植物不是麦粒之完全的否定,而是麦粒之更向上的发展。麦粒之单纯的死灭,昆虫之被鸟所破坏,不表现这样的联结,不是辩证法的否定。反之,麦粒的死灭,在植物出生的场合,同时又在一定发展阶段上,被保存于再生产其他麦粒的植物之中。否定同时是肯定,"死灭"同时是保存。辩证法的否定是过程的发展中之一动因,一方面表现为"扬弃",即表现为旧事物的克服,另一方面,把旧事物当作附属的动因而保存着。在资本主义的生产方法之私有制中,小私有当作独立的规律性被克服着,当作资本主义规律性之附属的,"被扬弃了的"形态,被保存着。

否定不能不把现阶段和过程之发展中的从前阶段的联结表现出来,恰好与此同样,否定之否定不能不是过程的矛盾之解决的结果,即一定的规律性向他一规律性的转变。

在否定之否定中,也不能不力说新阶段和从前阶段的联结,即发展的过程。恩格斯,对于那把否定之否定的法则归着于现象之外的交替的见解,曾经加以批判。那种见解,是把否定之否定的法则,归着于那构成辩证法的过程之"外部的表面的一方面"(伊里奇)的"三段法",归着于"三段法"的儿戏——"交错的写上 A 字又涂灭 A 字,或关于蔷薇,交错的主张是蔷薇又主张不是蔷薇的儿戏"。

恩格斯这样写了以后,指摘出如此的事实,即:"这样的否定之否定,除了那种无聊的作者之愚鲁以外,再也找不出什么东西来。可是,形而上学者们,却要说服我们,以为如果我们要行否定之否定,就一定要遵循上述的方法。"

否定之否定的本质

特定的方向中的发展——正是在这点上,存有否定之否定的本质。

在植物的发展中,果实即种子的出生,是植物的否定即否定之否定。但是,种子是植物的发展所生出的,构成植物的一动因,并且是意味着植物发展的终结的动因。植物死灭,种子存留。发展的一个循环就终结。

在同时是植物(种子的否定)又是种子(否定之否定)的场合中,这否定之否定究竟是什么东西呢? 这是考茨基所不能理解的。和机械论者同样,考茨基也切断了这两个阶段,全然使得以后任何的发展都不能发生。

可是,否定的本质,否定之否定的本质,都在于它是过程之充满了矛盾的发展中的动因。

这是和机械论的、形而上学的、完全的否定绝不相同的辩证法的否定观。

现在,如我们所能指摘的一样,对于否定之否定的以上两个相反的见解之异点,在于对新事物的发生之问题有不同的处理方法。

黑格尔设置了正命题及反命题在合命题中扬弃的问题,暴露了引起新规律性发现的发展之辩证法的路线。历史的合命题这问题,正是新事物之发生的问题。我们要阐明这个问题,来证明否定之否定的法则的本质是在这点上表现出来的。

实际上,形而上学的否定,能说明新事物的发生吗? 我们在机械论者的批判数节中,已经看到:机械论者们不能解决发展的问题,是和他们不能理解对立之统一的法则,由量到质的转变及其反面的①法则那件事,是相关联的,机械论者们把一切质的特性还原于量的关系,把一切发展还原于机械的运动即分子的移动。所谓新东西,是分子在要素之新组合中被结合的东西。新东西,由于分解为最单纯的要素,常常还原于旧东西。所以,新东西即合命题,从它的质它的规律性看来,与所谓旧东西无异。持着这样的方法论,是不能说明新事物的发生及发展的。

这种见地,是那名为庸俗进化论的发展概念之特征,这是十分明显的。依照这种见地,新事物完全在旧事物之中,完全在显微镜下的大小之中,被包含

形而上学者和机械论把一切发展还原于三段法

---

① 1935年6月版将"量到质的转变及其反面的"改译为"量到质及由质到量的转变"。——编者注

着。发展,不过是单纯的量之增减。新事物遵循力学的法则从旧事物中发生。旧事物减少,新事物增大,社会主义,成长于资本主义的胎中。资本主义减少,普罗列达里亚的势力成长,资本家的势力不发展,反而减弱。最后,资本主义不经过猛烈的革命就让位于社会主义,庸俗的进化论因为否认连续的中断,否认飞跃,所以不能暴露新事物的本质及其出现的原因。

机械论的方法论,不能提出也不能解决历史的合命题之问题,因而不能暴露否定之否定的法则的本质,而把它还原于"三段法"。把否定之否定还原于三段法,这是不同意于辩证法的人所特有的。考茨基在这样处理了之后,看到"全世界的发展、有机界及无机界的发展,巧妙地嵌入于这个图式",就感到奇怪。这种处所,就是他的特征。

反之,布哈林以其特有的图式论,把一切发展嵌入于"三段法"之中。他在《史的唯物论之理论》中,想要证明发展是怎样引起的。他把对立的斗争还原于相反之力的斗争,以对立的斗争为基础,不用对立的统一,在我们之中建立均衡。于是,他主张辩证法可完全还原于均衡论。他说:"黑格尔理会运动的性质,把它在如此的形式中表示了。他把均衡的最初状态名为正命题,把均衡的搅乱名为反命题,把在新基础之上的均衡之恢复名为合命题(矛盾被和解的统一的命题)。嵌入于这三段法中的一切存在物的运动的这种性质,黑格尔名之为辩证法的性质。"

这样,一切发展都被还原于"三段法",三段法被还原于均衡与均衡的扰乱及恢复,合命题被还原于对立物的和解。布哈林之所以不能解决新事物之发生的问题,实是明白的。我们已经知道,布哈林的均衡论及对立的和解论,把他引到怎样的政治的结论。以蜗牛蠕动那样的速度进向社会主义大道的理论,豪农的协作组合转生于社会主义,苏联中两个扇形之斗争的均衡,普罗列达里亚和布尔乔亚在阶级斗争上的和解——这就是布哈林所谓可以指示发展之新基础的历史的合命题。

在社会主义建设开始成功而惹起阶级的敌人之拼命的抵抗时,右翼派就狂呼:均衡扰乱了,均衡之恢复是必要的,应当把合命题在新基础上建立起来。所谓"新"基础,照右翼派的意见,就是向 1923 年的新经济政策之复归。但是,实际上,这种合命题,是替那种无论如何应当停止于旧事物的范围内之主

布哈林对于三段法的拘泥

张给以反动的基础,是拾取旧事物的东西。

所以,用机械论的方法论为基础的庸俗进化论,不能说明新事物的发生,不能暴露历史的合命题之本质,即否定之否定的本质。

否定之否定、合命题、新事物,不是只把对立单纯的合一、一致、和解、结合就发生的。对于合命题的这种机械论的解释,不外是折中主义。伊里奇在陈述关于劳动组合的讨论而引用两个相反的根本的见地时,他明白地力说着布哈林的折中主义,因为布哈林把中央所承认的命题和托罗斯基的命题一起提案了。伊里奇指明问题的本质,不是在于把两个见地结合起来。一切的对象,一切的现象,都具有许多对立的方面及规定。但是,在具体的情形之下,重要的事情是在这些方面的相互作用之中,去发现那当作主导的东西出现的新事物。折中主义者无力暴露这种新的、主导的端绪。

德波林派
不理解否
定之否定
的法则带有少数派色彩的观念论一派,在合命题的问题上,转入机械论的立场。这只要举出把合命题解作对立方面之合一的意味的德波林,就充分了。德波林把辩证唯物论当作经验论和唯理论,法国唯物论和黑格尔的辩证法之综合去说明。为要理解马=伊主义中的新事物及其本质在这样提起的问题之下被隐蔽着的事实,单只这点就充分了。

所谓合命题,是指历史的合命题。只有具体的分析,能够指示出在合命题之中,对立是怎样被克服又怎样"被保存"的。对于辩证唯物论的认识论之分析①,使我们确信那种认识论断乎不是经验论和唯理论的综合。唯理论及经验论切断统一的认识过程中之感性的动因及论理的动因;这种一面性,被辩证唯物论克服了。辩证唯物论虽不否定认识上之经验的动因及合理的动因,但却不把经验论及唯理论当作一个流派去保存。

合命题的
本质之说
明带有少数派色彩的观念论之特征,就是他们虽然批判那把"三段法"看作是否定之否定的法则的人们,而自己却又不能正确地提起合命题之问题。

合命题的本质,在于它表现新事物的发生。新事物通过飞跃而发生。否定之否定,就是连续性的中断,就是那扬弃旧形态之矛盾的新规律性的发现。

---

① 1935年6月版将"对于辩证唯物论的认识论之分析"改译为"把辩证唯物论的认识论分析起来"。——编者注

旧矛盾被扬弃于合命题之中。

新经济政策是战时共产主义的否定。但新经济政策不是社会主义建设的否定,只是社会主义建设的特殊发展形态。展开了社会主义,扬弃矛盾,意味着否定之否定。如果否定是以过渡期的规律性为基础而引起的,那么,否定之否定就意味着向新规律性即社会主义规律性之转变。

当作对立的斗争及其矛盾的解决之法则看的对立的统一之法则,在否定之否定的法则中,被具体化。恩格斯还在这一点中,看出否定之否定的法则的本质。恩格斯写道:"真的,自然的历史的以及辩证法的否定,是一切发展之(形式的)起动的端绪——向着对立的分裂、对立的斗争及解决,那时,基于完成了的经验(在历史上是部分的,在思维上是全部的),再到达于出发点;可是,这是,在更高度的阶段之上。"这样,否定之否定的本质,就是在统一物的分裂,对立的斗争及其矛盾之解决,即新规律性的发生中之正命题反命题以及合命题的本质。恩格斯在《反杜林论》中,说:"在其本性上是对立的过程,包含着矛盾、某种极端到其对立物之转化;最后,包含着当作一切事物之基础看的否定之否定。"

对立的统一之法则在否定之否定的法则中具体化

现在再来讨论那区别两个相反的发展概念的解释之一动因——向着始点的复归的问题。

否定之否定不复归于原来的肯定

伊里奇在黑格尔的《大论理学》的摘要中,列记辩证法的诸要素,举出其特征;关于发展,他如此地写着:"在更高度的阶段中,有下级的某种特征、属性等的……反复"以及"乍看起来,向着旧事物的复归(否定之否定)"。在这里力说着种种发展阶段之内的联结、下级发展阶段在高级发展阶段中的"扬弃"的问题。关于这一点,在阐明否定之辩证法的性质时,已经陈述了。但是,同时,伊里奇在这里提出了"乍看起来,向着旧事物"的复归,向着过程之始点复归的问题,提出了合命题与正命题怎样互相类似的问题。

恩格斯在《自然辩证法》之中,叙述我们的认识之发展,列举其主要阶段。起初,恩格斯举出希腊哲学者之自发的辩证法;其次,举出其否定的时代,长时期中的形而上学之支配;最后,举出当作否定之否定即形而上学地克服看的辩证的方法。并且,这种形而上学的克服,是由于其内的矛盾之成长及形而上学自身之无力所发生的,是由于自然科学及社会科学对所蓄积的材料在论理上没有完成的能力所发生的。这种矛盾，要求"在某种形态上，从形而上学的思维到辩证法的思维之复归"。

恩格斯说："于此，我们再度回到希腊哲学之伟大的创始者们的构想——自然全体，从其最小的部分到最大的物体，从砂粒到太阳……处于永久的发生及消灭的不断之流中，处于不绝的运动与变化之中。"

但是，希腊的辩证论者们的发展观和现代的辩证法，有无不同呢？两者在本质上是不同的。"在希腊人之下是天才的臆测的东西，在我们之下却是严密的科学上经验上之研究的结果，从而①更具有特别确定的、显明的形态"（恩格斯）。在希腊的人方面，辩证法不是由于科学全体的发展而发展了的东西，也不是以科学全体的发展为基础的东西。向着辩证法的复归，却是在新的基础之上，即以经验的知识、自然科学及社会科学之丰富的发展为基础而发生的。那么，合命题和从前阶段的相互关系是什么呢？关于正命题和合命题、希腊哲学及形而上学的关系，恩格斯说："在详细的节目上，形而上学的方面比希腊人正确；当作全体看来，希腊人的方面比形而上学正确。"所谓合命题，就是向着那在科学全体的发展上弄丰富了的被分化了的全体的东西之复归。

这样，合命题在自己之中扬弃从前的阶段，乍看起来，好像是到正命题的复归；实际上，正命题由于反命题的发展而丰富了。辩证法的发展论这样的理解到始点之复归，这是和机械论的循环论不同的。机械论的循环论主张在自然及社会中，不绝地显②着到出发点的复归，显现着始点之单纯的反复。例如，这种理论如此的主张着。一切社会从原始野蛮时代上进到现代文化，但到达其发展的最高点，便又开始向下。并且，下一个循环再从下级阶段、从野蛮开始。在动物界中，也显现着似乎发展的东西。动物尽了受胎作用及生殖作用就死灭。而且下一代的动物，仍重演同样的循环。机械论的循环论没有注意发展不是单纯的反复。循环，包含着到更高度的阶段的向上。形成生动的有机体之生死的循环之条件，是动物界的发展。以许多古代文化之灭亡与没落为基础，社会转到了较高级的阶段、较进步的发展形态。

---

① 1935 年 6 月版将"从而"改译为"因而"。——编者注
② 1935 年 6 月版此处添加了一个"现"字。——编者注

机械论的循环论恰恰不了解这一点——那种好像使我们复归于发展之出发点的合命题,乃是丰富了的发展之产物。黑格尔论述概念的合命题,曾这样说过:在合命题中,"具有从来的内容之一切质量,通过它的辩证法的路途而前进,不但什么也没有失掉,什么也没有遗落于自己的后面;并且把一切克服了的东西收入于自己之中,自己充实自己,并且加以凝结。"在黑格尔那里所见概念之自己发展,实际上,不过是随着新发展阶段而充实内容的物质之反映。辩证法的循环论,证明过程在其发展上怎样的由一阶段上进到他阶段。辩证法,抛弃机械论的循环论,为螺旋式进行的发展理论,建立基础。发展,描画着圆形而进行,但是圆之究极点并不与所谓最初点合致,而位于循环过程的出发点之上。所以,合命题是未来的发展之出发点,从而表现为新的循环过程上的正命题。

但是,合命题怎样成为新运动的出发点呢? 譬如马克思的学说为什么成为普罗列达里亚之阶级的自己认识,变为他们的科学及文化的发展中的出发点呢? 伊里奇解释这问题的理由,这样说着:"马克思根据了在资本主义之下,得到的人类知识之确乎不拔的基础……马克思把以前科学所提供的东西完全作为自己的东西……理解了向着社会主义前进的资本主义的发展之必然性。

马克思把人类社会所造出的一切东西,丝毫也不忽略,批判地加以改作了。马克思把人类思想所作出的一切东西,加以改作,加以批判,在劳动运动上加以检讨,因而引出了那局促于布尔乔亚的限界以内的或没有脱离布尔乔亚偏见的人们所不能成就的结论。"

发展,螺旋式的进行①。到出发点的复归,如果从外的形式看来,是复归;如果从其更加丰富了的内容、从其内的构成看来,是与所谓单纯的复归不同。

伊里奇在《进一步退两步》之中,把第二回党大会时的革命派和机会主义派间之党的斗争之辩证法的性质,明了地暴露出来。伊里奇分析这个大会中的主要团体、火花社多数派、火花社少数派、中央派以及反火花派,指出因为原

(旁注:合命题是新运动的出发点)

(旁注:就党史举例说明合命题)

----

① 1935 年 6 月版将"螺旋式的进行"改译为"描画螺旋而进行"。——编者注

185

则上的意见的不同之①激化及增大,大会中的多数派及少数派的构成也发生变化。大会中的最初的多数派,在非原则的问题上,和火花派全体及中央派的大部分,对于反火花派投反对的票。② 在组织问题上,火花派全体对于中央派及反火花派,投反对的票。又,在种种问题上,火花社多数派的一部分或少数派的一部分,都开始转向反火花派及中央派方面(在所谓言语的同等权之问题上),多数派变为少数派了。在关于规约第一条的投票中,革命派和机会主义派的分裂,早就明白地表现出来了。反火花派,中央派的大部分,火花社少数派的几乎全部以及火花社多数派的动摇份子,都投反对革命派的票。多数派变成少数,少数派变成多数了。最后,反火花派脱离大会,关于党的中央机关报、中央委员会以及苏维埃的选举问题的投票,归结于火花社多数派对于火花社少数派及中央派全体的胜利;这,使得大会结局分裂为多数派及少数派了。

伊里奇给予这个党大会以总决算,这样写着:"发展,实际上进行辩证法的路程,矛盾的路程。少数派变为多数派,多数派变为少数派。各党派由防御转向攻击,由攻击转向防御。理论斗争的出发点(规约第一条)'被否定',让席于嚣嚣的争论,其后'否定之否定'接着开始,于是我们回到纯理论的出发点。但是,这个正命题由于'反命题'的一切结果而充实其内容;并且在关于规约第一条的问题之种种偶然谬误,成长为机会主义的见解对于组织问题之假体系之时,又在这些现象和党内的革命派及机会主义之根本分裂两者间的联系,为任何人所越发明白了解之时,这个正命题转化为最高的合命题了。要之,不但大麦循着黑格尔的方式而成长,而且俄国的社会民主主义者们也同样地循着黑格尔的方式互相斗争着。"

出发点是多数派,究极点也是多数派。但是,最初的多数派,含有现在的少数派。其次,少数派变成多数派,表现为最初的多数派之否定。否定之否定在于这点——火花社多数派,对于以前变成多数派的火花社少数派,成为大会的多数派。多数派,从其构成看来,从其内容看来,早已不是从前的东西了。

---

① 1935 年 6 月版将"之"改译为"的"。——编者注

② 1935 年 6 月版将此句改译为"大会中的最初的多数派,是火花派全体及中央派的大部分,在非原则的问题上,对于反火花派投反对的票。"——编者注

　　党之分裂为多数派及少数派两派,这件事成为俄国劳动阶级之党的发展中的出发点。这件事把劳动运动引上了更高度的阶段。

　　伊里奇这样地表露着应当把捉否定之否定的法则的本质的这件事。这个法则的本质,在于解决矛盾,在于把合命题或新事物表现为以后的发展之出发点。

　　合命题,表现为一切从来的发展之充实了内容的结果。因此,合命题,从其形式说来,好像是到正命题的复归。然而,当作以后的发展之出发点的合命题,是到新阶段的向上,是螺旋式的发展。

　　否定之否定的法则,是把对立之统一的法则更加具体化了的东西。它在实际上,是自然、社会及我们思维之过程的发展之普遍的法则。

第四章　本质与现象、形式与内容

第一节　本质与现象

统一物之分裂,对立物之斗争及其互相渗透,是对立物的统一的法则之根本动因。对立物之统一,是存在与思维的辩证法之根本法则。由于发现这法则,唯物辩证法,才能把捉自然及社会的矛盾的发展过程之精髓,才能排击布尔乔亚机会主义的进化论。

认识是一个过程——就社会之认识举例 人类的认识,不是一下子就可以确立现实之更深刻的诸法则,并发现自己运动之物质的源泉。例如,决定近代社会中社会群的运动的根本法则即阶级斗争,并不是一下子就被社会科学发现出来的。为要理解社会之分裂为敌对的诸阶级这件事实,就必须暴露出这敌对关系之推进的根据,即暴露出社会的生产方法之矛盾的性质。在到达这种境地以前,社会的自身与社会的意识,不能不通过长期历史的发展之路程。

认识社会的最初阶段 实际上,乍然一看,社会是具有无限复杂的利害、愿望、意见等的人类之单纯的堆积。我们在这个堆积之中,看到人们的利害是怎样互相冲突;他们是怎样互相结成一定关系,并交换商品,成立结社,互相攻击,而又共同与自然斗争。在这种场合,社会在我们面前,显现为各个要素之无限的相互作用,显现为这些要素及其诸关系之关联的无限的体制。社会的认识,在其最初的发展阶段上,只能确立外的因果的关联,承认互相作用的诸要素之机械的平等,而不能从外的关联透入于其内的根据,于社会的自己运动之源泉。

观念论对于社会的认识 但是,随着人类社会的发展,社会科学就逐渐更深刻地洞察社会的运动的本质了。社会科学,开始在社会现象的全部复杂性之中,去探求本质的关联,探求那种比较物质运动的其他诸形态对于社会最为特殊的关联了。在社会科

188

学上，在选择关联、确立社会之推进的根据的过程中，我们看到两个根本的哲学倾向间的论战被反复着。推进社会的东西是什么？是物质抑是精神？观念论的社会论，说推进社会的东西，是神或人的思想。说神是推进社会的这种见解，表示了露骨的宗教的见地之特征；至于说人的思想推进社会的这种见解，不仅是观念论者所固有的，并且也是那些想要发现社会的运动法则的一切机械唯物论者所固有的，排斥了史的观念论说明的十七八世纪法国唯物论者及其他一列的唯物论者们，都未能发现社会的发展之原因。这是因为他们不知道把人类的经济关系看作社会之物质的基础，而只知道把感动着、苦闷着、欢喜着、斗争着的各个人看作社会之物质的基础。他们不能够超出社会中各个互相作用的诸要素之外的诸关系、外的诸关联之界限以上。但要说明这种相互作用，无论立足于理性或立足于感情，都是不可能的。结局，唯理论的社会论（理性），感觉的社会论（感情），都不可避免地到达于观念论。机械唯物论对于社会的认识

　　在想要超出外的诸关系的界限以外的尝试中，不能不列举那些在所谓政治的上部构造（国家或法律）中探求社会发展的原因的种种社会论。在这些理论之中，我们仍然看到了它们企图从人类的一切关系中，分离出本质的诸关系，分离出那些显现为社会的关联之支柱与基础的诸关系。我们立时明白：这些理论仍不能踏出外的相互作用之限界以外，在大多数的场合，仍旧转回到史的观念论的说明。从上层建筑出发的社会论及其缺点

　　这些理论的缺点，就在于从社会诸关系的其余的体系，尤其是从经济诸关系的体系，分离出政治的上部构造。然而还不止此。这些理论的又一缺点，就是把全体社会中的仅仅一方面之政治的及法律的诸关系，拿来与社会诸关系的全体系同一看待，与社会的自身同一看待。社会与国家的混同，在长期间内，障碍了社会科学的发展。社会科学，因为把这两者同一看待的结果，在长久的期间内，不能发现两者的矛盾。

　　在一定发展阶段上，不能发现当作阶级矛盾看的社会矛盾的科学，当然不能一举而发现这些矛盾的真实根底。单只把诸阶级的存在当作现象指摘出来，还是不充分的。于是社会科学就提起了下述的诸问题：即构成阶级的是什么？它的内的本性是什么东西？它的本质怎样？从外的关联到内的关联——阶级论之提起

在阶级论上,科学的认识,由外的关联进到了内的关联。例如,布尔乔亚俗流的思想家,想在生活的水准中,即在纯粹消费的要素中,去看出社会中各阶级的差别的根据。所谓俗流经济学者,大体上也站在这种立场。古典经济学者,曾经要在经济诸关系的总体(即生产、分配、交换及消费)之间,探求比较的本质的关联。所以他们在所谓收入源泉的分配中,探求了阶级的差别的根据。(页边注:古典经济学的阶级论)

马克思,与古典经济学派不同。他证明了:成为社会的分裂之根底的东西,不是社会的财富源泉之分配,而是有产诸阶级间生产手段之独占与直接生产者间生产手段之缺乏。他指示了:社会所以分裂为阶级的根源,不是消费,不是交换,也不是分配诸关系,而是生产诸关系;生产手段的分配,成为生产诸关系的一个要素而被包含于其中。在立足于生产手段之独占的所有而以剥削无产者为目的的生产方法存在的限度内,社会就会不可避地分裂为诸阶级。只有变化生产方法及与之相适应的分配与消费的诸关系,才能废除社会中的诸阶级。

照上面那样,马克思不仅暴露了阶级社会之本质的矛盾、推进的根据,同时又从社会诸关系的一切相互作用中,引出了最本质的诸关系即生产诸关系。布尔乔亚社会科学,为要发现社会的相互作用,只到达于社会的经济构造之记述为止。到了马克思,才开始指示这经济的构造分裂为生产、分配、交换及消费的诸关系,更在这相互作用中,引出了中枢的生产的诸方面。他指示了,生产方法,是物质的生产诸力及其相应的生产诸关系之运动的充满矛盾的统一。

照上述那样,科学的认识,在其发展上,从外的关联推进到内的关联,它不断地越发突入于相互作用的过程之深处,并在其中取出本质的诸矛盾、本质的诸关系。本质的诸关系的这种分离、其内的诸关系的这种分析,同时决定了具体过程的自己运动的源泉,发现了这过程的规律性。

科学的认识之任务,正确地说来,其起点是在于从诸现象的无数相互作用中,探求出我们所称为本质、本质的矛盾之相对安定的基础。

但是,我们的认识,如以在外的诸关系中发现其内的根据为自己的任务时,就遇着若干的矛盾。我们在认识现实的过程中,本质在其直接的形态上,并不出现于现象的表面。例如,资本主义社会中的价值,在使用价值中,显现为交换关系;商品生产者的生产诸关系,显现为交换关系;①商品生产者的生产诸关系,显现于商品的诸关系之中。工钱,在现象的表面上,不显现为劳动力的价格,而显现为劳动的价格;阶级,不显现为生产手段的所有者,而显现为收益源泉的占有者。所以单只认识在孤立状态中被观察了的各个事实的那种现象,还不能在存在的转变之流的背后,去发现自然及社会的发展之推进的发条。在另一方面,想要发现根据时,如果轻视现象,本质就转化为不能反映客观现实的诸法则之运动的单纯抽象。

本质与现象的矛盾之认识及其解决

　　现实的认识中之矛盾,反映现实自身之客观的矛盾。只有理解本质与现象的矛盾之客观性,才能够借以解决认识中这些要素的对立性。我们翻阅近世哲学的历史,就知道经验论者(休谟与巴克列)、唯理论者(斯宾诺莎与法国唯物论者)与康德等,都未能解决本质与现象的矛盾。这是因为他们只把这个矛盾移到我们的认识的表面。经验论把现实的一切归结于现象,把认识过程归结于现象的知觉。因此,休谟与巴克列,从现象与本质的关联分离出现象而加以观察,把现象只归着于现实的假象。他们把现实与主观知觉的总体,同一看待,因此从假象本身夺去了客观的实存性。假象之丰富的世界,变为一刹那的幻象或泡影。因此,这种哲学倾向,表明了自己不相信现实的认识可能性,表明了自己的怀疑论。"你们把假象插入世界的丰富性之中罢! 并且否定假象的客观性罢!"——伊里奇对于怀疑论的不彻底性,这样说着。

经验论及唯理论等都不能解决现象与本质的矛盾

　　唯理论,由于从现象分离本质,把本质转化为不变的、不动的东西。本质被解释为最单纯的关系,为最单纯的不变的根据。所以全部物理的世界,没有发生,也没有消灭,它被还原为只变化位置的、无色、无特性的分子之世界。在法律学方面,科学从唯理论的原理出发,在不变的现实的法之后,去探求人类本性中所固有的所谓"不变的自然法"。在经济学方面,亚丹斯密探求了适用于一切买卖场合的不变的价值尺度;李嘉图探求了资本主义之不变的法则。在一切科学上,唯理论从现象分离本质,把本质转化为不变的根据,其结果,不能发现其研究对象的具体过程之矛盾。法、国家、宗教及资本主义等的永久

唯理论从现象分离本质

---

① 1935 年 6 月版删除了"商品生产者的生产诸关系,显现为交换关系;"。——编者注

康德哲学,曾经企图过要结合本质与现象。康德哲学上的全部立场的矛盾性及二元主义,在这种处所看出它的反映。一方面,康德承认现象背后被发现的本质——"物本体"——之存在,在这一点,显现着唯物论的倾向;但在另一方面,他从"物本体"分离现象,宣言"物本体"不能认识,因而显示着观念论的倾向。"物本体"的不可认识性,阻塞了在其诸矛盾上认识本质的道路。于是本质与现象,变成了只是外表的形式的被结合了的东西。现象被转化为假象、为"物本体"、为假幻的本质了。从此发生了对于现实的认识可能性的怀疑,对于在现象及其根据——本质——的统一上认识现实的可能性的怀疑。如伊里奇所正确指摘的一样,"康德及黑格尔以前的其他的哲学家,并没有比怀疑论更突进到深远处"。

形而上学者,分离本质与现象,使两者互相对立,其结果必然是只能认识现实的一方面。形而上学者,或者无视现实的多样性,提供着适用于一切时代一切国民的无内容的法则;要不然,便是拘泥于现象,不暴露它的本质,而崇奉这些现象为过程全体的发展法则。这两种倾向,在分析近代资本主义时,都表露了自己的错误,即①理解资本主义的本质的变形,不理解资本主义向着次一阶段的推移,无视资本主义的旧阶段与新阶段的关联,离开与全过程的推进的根据的关联,而②一面的强调新的现象。例如,右翼机会主义者们,在资本主义脱出战后的恐慌一件事当中,找出了资本主义能够克服一切恐慌的不变的能力。反之,"左翼"否定资本主义在现在的恐慌的瞬间脱出一切恐慌的可能性,绝对无视资本主义在一定条件下还能维持若干期间的生活力。右翼无限的夸张资本主义的生活力的某一方面,左翼对此却完全否定。然而要正确地分析资本主义的现实,只有认识资本主义的一切方面的关联,即只有发现其一般的根据,才能做到。在现象中发现本质的、从本质的区别非本质的、从现象移到本质而发现假象的本质的能力——这种能力,正是从一切类型的形而上学的哲学者,把辩证唯物论者区别出来的东西。

---

① 1935 年 6 月版此处添加了一个"不"字。——编者注
② 1935 年 6 月版删除了"而"。——编者注

　　为要把以上的命题更加具体化,我们来分析离开党的方针的倾向之社会的本质。当作现象看,右倾和"左"倾,是各有其特殊的政见,要求及战术的不同的倾向。从假象看来,这两个偏向,是相互间绝对对立的某种东西。"例如,右倾派说:'多涅波斯托洛是不该建设的。'"左'倾派反对的说:'一个多涅波斯托洛不算一回事,每年造一个多涅波斯托洛罢。'这两者之间,不能不承认他们显有差别。又如,右倾派说:'不能对富农下手,让他们自由发展罢。'"左"倾派反对地说:'不但富农要驱逐,连中农也要驱逐,因为中农与富农同样是私有者'。这两者之间,不能不承认他们显有差别。又如右倾派说:'困难来了,不是一个休息时期么?'左翼派反对地说:'困难算什么,更加前进呵。'这两者之间,不能不承认他们显有差别。"斯氏这样说明①两种偏向的差异,强调了这个发展的相对性。但是,双方的偏见所具有的政见和方法的特殊性,并不曾障碍斯氏指摘他们的共通的根据。"偏向之社会的基础,是俄国小生产占优势的事实,是资本主义的诸要素从小生产生长的事实,是党为小布尔乔亚的要素所包围的事实,最后,是党的若干的环感染于这些要素的事实。于是,在根本上,给予了偏向之社会的基础。这一切偏向,都带有小布尔乔亚的性质。"斯氏分析了双方的倾向的战术,提起了关于这战术的终极结果的问题,他到达了的结论是:任何偏向占取胜利时,就不可避免地增加俄国资本主义复活的机会。"左倾是右倾的影子。伊里奇把撤回派放在心头,说'左翼'同是少数派,只是反面的少数派。这完全是正确的。倾向于托罗斯基主义的人们,本质上是反面的右翼,只是用'左翼的'语句掩蔽了的右翼。"

　　提起了关于偏向的本质一问题的党,也正确地提起了关于那发展的规律性的问题。在偏向的诸现象之中探出了本质的东西的党,也发现了两个偏向的发展倾向,能够容易地暴露了右翼与"左翼"的联盟。这个联盟,不仅由于他们的共通的社会基础而形成的,并且是由于他们不同的政见的根据的共通性而形成的。即,任一偏向,实际上都转到否定俄国建设社会主义的可能性的立场。为着拥护俄国社会主义建设的可能性而单用口头和托罗斯基斗争的右翼派,当着党把这种可能性转化为现实的时候,就立刻抛弃了这个立场。右翼

---

①　1935 年 6 月版将"斯氏这样说明"改译为"斯太林氏说明"。——编者注

193

派曾经揭举了苏联社会主义发展的可能性的别种方法,即富农的富裕化、个人主义的农民经营之发达、工业化与集体化的速度的迟滞的方法,但这种方法,在事实上只是准备苏联的别种现实,即资本主义复活的可能性。但是不断地否定苏联社会主义建设的可能性的左翼托罗斯基主义者,当着被党和国际所驱逐的时候,也立刻在左翼的语句之后,暴露了某种右倾的纲领。托罗斯基主义者,现在为了超工业化、超集体化来攻击党,采用着右翼的政治纲领。种种的现象,在其发展之中,暴露了同一的机会主义的本质。但是如果把这两个偏向同一看待,党的行动就会错误。因为这两者机会主义的本质,显现于不同的现象形态之中,这种现象形态,随着偏向的发展阶段的不同而起变化。随着推进到改造期,机会主义最危险的形态,是否定俄国社会主义建设的一切可能性的左翼偏向。党只有打破这种偏向,才能够保证苏联的成功的社会主义建设。反之,在改造期本身与进到社会主义的时期,即社会主义经济基础建设的完成期,机会主义最危险的现象形态,是否定党把社会主义建设的可能性转化于现实的手段及方法的右翼偏向。左翼偏向,在这个时代,已不是主要的危险。因为在社会主义经济基础的建设正在完成的时机,那种怀疑社会主义建设的可能性的议论,完全是笑话。反之,右翼偏向否定那当作阶级看的富农的清算,在事实上阻碍了社会主义经济基础的顺利的建设。因为富农是反对农业的集体化、反对五年计划与工业化的速度的阶级。右翼偏向的活动,是党的队伍中敌对阶级代理人的活动。党认定主张右翼偏向的各种见解,在党的队伍中是不能两立的,并且暴露了他的反普罗列达里亚的反革命的根据。

机会主义的本质,在左翼和右翼方面,并不是同一的。

本质现象出来现象是本质的

"本质现象出来,现象是本质的。"——伊里奇在注释黑格尔的本质论时这样写着。在一切现象中,没有同一的抽象的本质。本质随其现象形态的不同,而有不同的表现。因而现象本来是靠自己表现本质的。本质在单独的现象中,并不完全地表现出来。因而现象比较它当中所表现的本质,更为丰富而完全。

人类的认识的任务,不但是能够在现象之中看出本质的方面,从现象移到本质,通过本质的方面而在其全体性上在其根据上发现本质,并且能够从假象分别本质的现象。

本质与假象的区别,可以用党的偏向的实例来表示。事实上,在最初的时候①,"左翼的"文句出现为"左翼"偏向本质的现象。但是到了左翼偏向发展起来,而在左右两翼的联盟之中,看出它的表现时,"左翼的"文句,只变为浮在现象的表面上的"水泡",它已不是本质的现象,而变为它的假象了。左翼方向的真实的本质,在左右翼的联盟的诸现象之中,在托罗斯基主义者的本质上是右翼的现在的纲领之中,显现了出来。右翼派对于托派的斗争,不是右倾的本质现象,只是右倾的假象。右倾的本质,在右翼派与党的一般方针相斗争的诸现象之中显现着。

本质与假象的区别

唯物辩证法,与形而上学的思维相反,它区别假象与本质,同时承认假象的客观性。假象虽说是飘浮于诸事件的表面的"水泡",但它并不失为本质的一定的表现。假象"是假幻的、表面的,它常常消灭,不像本质那样'坚牢'地被维持。也不'坚固的停止'"——伊里奇这样写着。并且"假幻的东西,不失为本质的一个规定,为一个方面一个要素中的本质。本质出现为某种东西,假幻性是它自身中本质的现象"。(伊里奇)"左翼"的文句,不表现"左"倾的本质,因为它只是"左"倾的本质的单纯的一个要素一个方面。右翼派对托派的斗争,不表现右倾的本质。同时这个斗争的性质,右翼派据以攻击托派的政纲的性质,表示着:假象也是右倾的本质的表现,但只是它的一个要素,只是没有暴露的本质。斯太林在关于偏向的演说中指摘其本质与假象之间的矛盾。例如论托罗斯基主义时,他暴露了那"左翼的"假象与小布尔乔亚右翼的本质。"伊里奇有时把加上引用符号的左翼派,有时把没有加上引用符号的左翼派,都叫作'左翼共产主义者'。但是谁也知道他们只是言语上的外观上的左翼派,而实际上表示着小布尔乔亚的右翼的倾向。"事实上托罗斯基主义中假象与本质的矛盾,被表现为左翼的文句与右翼的行动之间的矛盾,为关于永久革命的饶舌与对于普罗列达里亚革命的力量的怀疑之间的矛盾,为超工业化的要求与"左翼派"的现时右翼机会主义的纲领之间的矛盾。

唯物辩证法认识假象的客观性

照上面所说,本质有时显现于互相矛盾互相排斥的各个现象或事实之中。现象,随着它的一切方面,表现本质,表现本质的矛盾。"较小的哲学家,关于

唯物辩证法要求在分析现象时暴露本质

---

① 1935 年 6 月版将"在最初的时候"改译为"在最初之时"。——编者注

应该以本质为基础或以直接要件为基础的一件事,是在论争着(康德、休谟以及一切马赫主义者)"——伊里奇这样写着。黑格尔用 Und 代替 Oder,说明了 Und 的具体妥当性。这件事就是意味着:在现象的分析上暴露本质,暴露过程之推进的根据,即本质的矛盾,不单要在现象中指示这本质的表现,并且要在假象中指示它。

第二节　本质之发展,经验论及图式主义之批判

研究本质之发展

　　如上所述,只有对于诸现象的相互作用作辩证法的分析,才能够在本质的关系之基础上,再现出一切现象的全体性、关联及统一,从本质分离了的现象,从现象分离了的本质都不暴露发展过程的矛盾的辩证法。只有研究本质,研究本质的关系之发展,才确立诸矛盾的发展法则,发现它的规律性。然则本质的发展是怎样显现的呢?

从诸现象中追求本质的发展之实例

　　伊里奇正确地把现象当作本质的现象去处理,因而能够把各个事实当作合法则的发展过程之体现去观察,能够在诸现象之中追踪本质之发展。所以伊里奇在帝国主义战争的时期中及其终止时暴露了第二国际的背叛的本质。

社会排外主义与机会主义之本质

伊里奇把社会排外主义与机会主义的关联,当作问题研究了。他说:"社会排外主义之根本的思想的=政治的内容,与机会主义的基础相吻合,这是完全明白的事情。它们不外是完全同一的倾向。机会主义,在 1914—1915 年的战争的情势中,娩出了社会排外主义。机会主义的要点,是阶级妥协的思想。战争把这种思想推进到极处。不单如此,并且把许多异常的要素与动因,结合于通常的要素与动因,使得因特殊的威胁与强制而分裂了的庸俗的大众,不能不与布尔乔亚合作。"照这样,新的倾向,在其根底上,具有机会主义,它只是机会主义的单纯的一个变种。伊里奇在许多现象中,对我们指示了本质的发展,这与形而上学者所说的抽象的本质,是相反对的。伊里奇说:"机会主义者,为着极少数劳动者一时的利害,牺牲大众的根本的利害;换句话说,就是一部分劳动者反对普罗列达里亚大众而与布尔乔亚相结托。战争把这种结托变成特别明白的而且强制的东西了。机会主义,是依着资本主义发展的一定时代的

特殊性而在数十年之间产生了的东西。即是说,在这个时代,特权的劳动者层之比较平和的文化的生活,'把它们化为布尔乔亚',使他们分沾自国的国民的资本的利润的余沥,因而就与零落的贫穷化了的大众之不幸,苦闷与革命的情绪相分离了。帝国主义战争,是这种事态之直接的继续与完成。因为这个战争,是为着强大国民的特权,为着他们的分割殖民地,为着他们对于其他国民的支配而实行的战争。小布尔乔亚的上层或劳动阶级的贵族(及官僚)的特权地位之拥护与强化——这是战争时代中小布尔乔亚的机会主义的希望及其相应的战术之自然的继续,这是今日社会帝国主义之经济的基础。"伊里奇还指摘了战争只不过把机会主义变形,并增大其色调的多样性。战争,"譬如说,使得许多新的小河和大河都与机会主义的主流相合流了。但那个主流,仍不枯竭"。

　　社会排外主义与机会主义的本质,在根本上完全是同一的。在社会排外主义方面,机会主义有更进的发展。这种更进的发展,对于社会主义诸党派中之革命的翼与机会主义的翼两者相互关系如何一问题,发生了有再度研究的必要。伊里奇说:"社会排外主义是机会主义,但这个布尔乔亚的肿烂物,是已经成熟到不能在社会主义诸党派中照旧存在的程度的机会主义。"

社会排外主义到机会主义的本质之发展

　　现象与本质的相互关系的问题,即其相互渗透,①经由单独现象的本质之发展,这可以由国际少数主义的全历史尤其是由俄国少数主义的全历史,把它表示出来。我们知道,俄国的少数主义,是从那种当作机会主义的萌芽看的经济主义开始的。这少数主义,通过清算主义、社会排外主义及社会帝国主义的诸阶段,转变为反对俄国社会革命的国际反革命的一个支队,终于转入于干涉苏联的组织之中了。第二国际诸党所代表的国际机会主义,经过多少相像②的许多阶段,转变为社会法西斯主义,③布尔乔亚反革命的"左"党了。当作现象看,社会法西斯主义,与它的平和的祖先即19世纪末期的机会主义相比较,几乎没有类似点。但两者都具有如伊里奇所指摘的同一的本质。即两者都曾经是劳动阶级阵营中的布尔乔亚代理人,现在也还是一样。机会主义之小布

由机会主义到社会法西主义的本质之发展

---

① 1935年6月版将"即其相互渗透,"改译为"即两者的相互渗透"。——编者注

② 1935年6月版将"相像"改译为"相似"。——编者注

③ 1935年6月版此处添加了一个"为"字。——编者注

尔乔亚的本质,在社会法西斯主义中,完成着它的发展。不单如此,并且我们在社会法西斯主义中所看见的东西,已不是机会主义的小布尔乔亚本质之单纯的变形。反之,社会法西斯主义越是与布尔乔亚国家合为一体,它越是在劳动者阶级中失掉自己的社会的地盘,社会法西斯主义,就转化为只是劳动贵族的党。机会主义的发展,到了终点,就不但暴露其小布尔乔亚的本质,并且暴露布尔乔亚的本质。

本质通过现象而发展,现象显现为本质,为本质的关系之发展的程度,显现为本质的诸矛盾的成熟,为这些矛盾的蓄积与解决之指示器。并且,本质在其发展的路程上,克服其个别的现象诸形态。资本主义之本质的关系,及其本质的矛盾——是生产之社会的性质与领有之个人的性质两者间的矛盾。资本主义组织,在其发展上,通过许多的阶段,每度造出新的经济的政治的形态(伴随于布尔乔亚议会主义国家的产业资本主义、具有法西斯化的布尔乔亚民主主义的帝国主义)。这些形态在质的方面,互有差异。但虽有差异,而资本主义的本质,仍是同一;在帝国主义之下,达到其发展的顶点,达到最深刻的世界的大破绽(帝国主义战争)。展开了它的根本的诸发展。资本主义之本质的矛盾,也显现于竞争之中。但在一定发展阶段上,竞争为独占所代替。在非常广大的范围中,集中社会的劳动,造出巨大的技术,使生产诸力起矛盾的帝国主义,不但没有因独占而减弱其竞争,反而使竞争的程度尖锐化,把战争当作这种斗争的特殊手段,使小独立生产者的破产扩大到未曾有的范围,把亿万的勤劳大众卷入于饥饿之中,使他们站在终极的贫困的威胁与逼迫于死灭的恐怖之前。资本主义之本质的发展——工钱劳动的剥削及由此而来的劳动之社会的性质,与领有之个人的性质两者之间的矛盾——,在帝国主义中,达到了最高的发展阶段。独占在其最初的形态上扬弃竞争,代以国民的托拉斯与新迪加之间的竞争;于是世界托拉斯与新迪加,当作诸国家之经济联盟看的资本主义独占之更进的发展,只是变更竞争战的形态,并不曾废除资本主义的无政府状态之根株。资本主义之本质的矛盾,不是可以在资本主义秩序的框子内被解决的。在十字街头,关于"有组织的"资本主义四面叫唤着的布尔乔亚经济学之俗流辩护论者及修正主义的庸俗理论者们,把各国的经济同盟、经济会议、国际联盟、军缩会议等,假装为资本主义本性的变化的诸矛盾的解决,把假象假装为本质。

腐败着的资本主义的本质，不显现于国际联盟或军缩会议之中，而显现于全资本主义体系之危机的状态，显现于发展着的世界恐慌，显现于继续尖锐化的阶级斗争，显现于资本主义各国间的诸矛盾的激化状态中。

克服某一些现象的本质，随着它的发展，在另一些现象中，再生产它的矛盾。最根本的矛盾越是深化，它在其显现上，也越是强烈地显现着。例如，表现资本主义的根本矛盾的竞争，促起技术的进步，是它的显著的刺激，至于独占，却显现为生产能力的发展的制动机。帝国主义，变为腐败的资本主义。在帝国主义的一切本质的及非本质的显现上，暴露出根本的矛盾。资本主义，已经用尽了克服其自身的诸矛盾的可能性。本质的矛盾，不能不靠向到社会的劳动组织之新体系——社会主义——的革命的推移去扬弃。

本质与现象的辩证法，通过相互渗透而暴露其推移、其发展，同时又显示法则的运动。现象中的本质的矛盾之暴露，同时是过程的发展法则之确立。如果分离本质与现象，就不能发现所研究的现象的规律性，一方面不能不转入于经验论的立场，另一方面不能不转入于图式主义的立场。

在商品诸关系的背后，发现了商品所有者诸关系的马克思，在其商品物神崇拜论上，指示了由假象到本质的科学的认识的道路。俯伏于假象之前，是不能认识规律性的。形而上学的思维，把假象表现为现实。例如，奥国的修正主义者，把公有化运动的些小的成功——例如①维也纳都市自治制，组织了帝国主义战后消费者本位的面包、浴堂、洗濯等等的许多社会工厂——，假装为社会主义运动的本质。同样的事情，在修正派对于所谓劳动银行的估价，对于吸引劳动者到股份公司储蓄一件事的分析上，也可以看出来——他们把这个宣言为到"社会主义的道路"。修正派拘泥于像水泡一样立即消灭的假象。在资本主义社会的框子内，差不多一切公有化的企业和银行，都移归于个人所有者的手中，或者在大企业家的压迫之下，纯粹的实行着资本主义的政策。"社会主义"的形态之假象消灭了，而现象本身，暴露了那资本主义的根株。

如果把各个的现象，提高为一般的发展法则，客观的现实就被曲解。把自

---

① 1935年6月版将"例如"改译为"如同"。——编者注

（右侧栏注）

本质克服现象是辩证法的

本质与现象的辩证法又表现法则的运动

由假象到本质的认识

然发生的经济的罢工,提高为阶级斗争的一般发展法则的经济主义者,不曾理解阶级斗争的本质。他们从全体的过程——在其一切根本形态之上的——分离经济的斗争去观察,因此不可避免地到达于基尔特主义,增加高额工钱的集团的孤立化,抹杀敌对阶级间之根本的矛盾。在经济斗争的诸现象之中,看不到那推进的根据的经济主义者,当作经验论者行动了,当作近视眼者——在社会发展的变化上,对于劳动阶级没有什么影响的人们——行动了。

伊里奇在其活动的第一步,就与社会民主派的阵营中与阵营外的经验论斗争过。例如,他攻击人民主义者,指摘他们从总体引出各个的社会现象,任意地把各个现象移到别种关系的体系中,把现象弄得破碎,因此他们探求发展法则的尝试终于徒劳无益。"人民主义者把眼光停止在一个现象——大众的没落——,分离他种现象——少数者的富裕——,因而不能理解任何一方面。"①伊里奇反复地责难:少数派不能考虑具体的形势,不能探出发展过程中根本的环;分离现象与本质,不能发现本质的矛盾——对于它,各个的事实与现象,在一定的瞬间,显现为一切事象的锁链中②本质的东西与非本质的东西。为要延长发展的一切锁链,为要把发展的规律性转向于与劳动阶级的利害相一致的方向,就必须在一定的各个历史瞬间抓住根本的环。伊里奇的这种天才的说教,是从本质与现象之关联及推移的辩证法的理解发生出来的。

普列哈诺夫的错误,由于曲解辩证法,由于不理解辩证法中决定的东西,由于把折中主义和诡辩论代替辩证法。我们在这里不能不把普列哈诺夫的错误,与伊里奇的现实的辩证法的分析相对比,加以指摘。普列哈诺夫不能探求本质与现象之辩证法的关联,这件事也表现于他的政治的错误之中。在战争的初期,普列哈诺夫,曾经写过关于战争的背叛的小册子,攻击了背叛国际的事业的德国社会民主党,同时他又向着其他的社会民主党,鼓吹了拥护祖国的必要。他的拥护祖国的根据,就是实行防御战争的必要。多数派说明了:这个战争是帝国主义阶段上资本主义之本质的矛盾之必然的结果,所以不能够找出战争的犯人。但是普列哈诺夫却借口德国社会民主党承认了德国的战争准

---

① 《人民之友是什么》。
② 1935 年 6 月版此处添加了一个"之"字。——编者注

备和挑拨行动,发展了这个战争中有发起人的那种理论。普列哈诺夫,从三国协商(英、俄、法)的各国的战争之狂热的准备,分离出自以为不错的事实,离开帝国主义的政策全体的本质,去采取那种事实,证明法国社会主义者喀特和桑巴的背叛是正当的,证明他们对于俄国的社会拥护主义和社会排外主义的立场是正当的。普列哈诺夫,忘记了具体的真理,即忘记了在其与本质的矛盾之关联上、在其发展上、在其具体的情势上去观察现象的必要。从关于帝国主义者阵营中具体的情势看起来,那种把战争分为攻击战争与防卫战争而追究,谁是首先攻击的那种事情,是一点价值也没有的。在战争的具体的情势之下,普列哈诺夫的下面的命题,显然错了。——他说:"俄国的败北,阻碍经济的发达,对于国民的自由的事业是有害的,对于旧秩序将是有益的……阻碍俄国经济发达的一切事情,助长俄国的反动。"伊里奇对于这个错误的命题,提出了俄国的败北,帝国主义的锁链之脆弱、最弱的处所的这个环之突破等的方针,与之对立。

在另一方面,真理之辩证法的具体性,被诡辩所代替了。普列哈诺夫引证捷尔雷谢夫斯基的话这样说——"一切都系于情势、时间与场所。我们不能不作辩证法的思维。作形而上学的思维的人们,依从现存的雏形及暗昧的公式去考察的人们,不是马克思主义者,只是曲解马克思主义的不幸的曲解者"。普列哈诺夫,并不曾研究自己的所列举的新事实的根底中究竟有什么本质的矛盾,他把这个正确的命题变为诡辩的工具了。这样,普列哈诺夫,在一定的事情之下,并没有把可以拥护祖国那件事,联系于普罗列达里亚革命与革命的过程。一方面当作图式主义者行动了的普列哈诺夫,同时又暴露了他自己是狭隘的经验论者。他离开帝国主义时代全体的本质矛盾的分析,去观察了帝国主义战争的各种事实。

马克思和恩格斯,也指摘了那种从布尔乔亚企业家的狭隘的实际主义发生出来的经验的思维方法。恩格斯说:"庸俗的布尔乔亚的悟性的愚笨的驽马,当然站在从现象分离本质,从结果分立原因的沟渠之前,战栗不知所为。抽象的思维一旦飞跃空洞的平野,驽马当作乘马是没有用的。"实际主义,对于布尔乔亚科学的各种根本倾向,也变成了特征的东西。否定隐藏在现象背后的过程的本质,逃避到狭隘的经验的世界的所谓俗流的经验论,具有过阶级

经验论者否定现象中的本质

201

的意义,在现在也是有的。伊里奇对于斯特鲁勃的社会发展法则的否定,对于他的依据价格变动的差异而否定价值时所表现的经验论,写了下面的一段话——"对于把现在作科学的分析的可能性怀疑、排斥科学、忽视一切的一般化、回避历史的发展之一切法则、想用树木包围森林的倾向——这就是我们在斯特鲁勃一方面看到的流行的布尔乔亚的怀疑主义,僵死的垂死的烦琐哲学之阶级的意义。"俗流的经验论,忘掉布尔乔亚为建立规律性的科学基础而斗争的 18 世纪和 19 世纪的传统的现代布尔乔亚社会科学,对于发现法则这件事怀着恐怖,这种恐怖,同时又表现着很深的反动性。

图式主义想建立抽象的普遍法则

　　马克思和伊里奇,与布尔乔亚社会科学的经验论斗争了,他们反复地指摘了这种科学非公式的认定法则。布尔乔亚科学中的法则,表现为不变的本质;科学那东西,转化为过程之抽象的图式的描写。超越时间空间而都妥适的那种超历史的法则,曾被马克思讥评过,这是大家所知道的。伊里奇在其革命活动的第一期,就已经嘲笑了人民主义的社会学的无用和无生命。伊里奇反对波格达诺夫和马赫主义者,攻击他们的图式主义,攻击他们的错乱的设立法则,指摘了他们很容易的造作那种失掉一切具体内容的"普遍法则"。

经验论与图式主义都由于分离本质与现象

　　照上面那样,本质与现象的分离,一方面到达于经验论,另一方面到达于图式主义。从一个极端到别个极端的推移,在这里完全是合法则的。我们在那种不能发现社会发展法则的偏向上,可以追踪到这个推移的辩证法。如前面所见,伊里奇所以批判托罗斯基,是因为他不能理解俄国 1905 年革命之合法则的特殊性,而主张抽象的永久革命论,并在劳动组合问题上暴露了图式主义。同时我们又看到"左翼"派的特征,就是从诸事象的一切的连锁分离各个的现象,把它夸张到不能相信的范围,并把这些现象转化于一般的发展法则。党在 1923 年之时,认定工业价格与农业价格之间,存有间隔。于是托派高呼了全国民经济的危机。党认定了,新经济政策初期的结果,富农的上层增大起来。于是托派就高呼苏联的灭亡,甚至把中农的某一层也看成富农。党认定了苏维埃机关带有官僚的性质,它变得硬直,它的各个部分都起了锈。于是托派就高呼了"达尔米多",高呼了全苏维埃政权的更生。

布哈林的图式主义之应用

　　在另一方面,伊里奇怎样批判了布哈林的许多理论的著作,这是我们很知道的事情。他对于布哈林的《过渡期经济学》,指摘了布哈林在其著作中提起了把狭隘的经济论(不必要的细目之搜集)与图式主义(在各个现象上贴上纸条)并列的布尔乔亚社会学者斯宾塞式的社会学"一般"。布哈林混同了苏联的国家资本主义与布尔乔亚各国的国家资本主义。布哈林的抽象性,表现于不理解现象中本质的发展一件事当中。从此发生了布哈林在第八次党大会的纲领问题的论争中所犯的错误,在民族自决的问题和"有组织的"资本主义问题中所犯的错误。布哈林的唯物史观的图式主义,以及他对于波格达诺夫的组织学的迷恋都是由来于此。同时我们知道:布哈林与右倾的其他代表者一样,也实行了狭隘经验论者的行动,他拘泥于各个现象,把它从现象的总体分离出来。又一派回避各个困难,为促进富农经营的生长而战,为减低资本建设而战,为阻止集体化的速度而战。

党在最困难最复杂的情势之下,以克服困难为自己的主要任务,在新的事实之前,并不茫然自失。党发现这些困难与各种事实总体的关联,借以发现它的发展倾向,把其他的发展倾向与它对置。简单地说,党能够发现现象的法则,因而又探出本质的发展中的新动因,指示经过矛盾的阶段的本质的发展。伊里奇能够用他固有的天才在那个"无廉耻"的布列斯特媾和的背后,追踪普罗列达里亚革命的发展倾向,它的必然的胜利;在对中农让步的背后,追踪其共同化——农业的集体化——;在俄国的贫困与技术的落后性的背后,追踪苏联转化为先进国的现实的可能性。为社会主义而实行最困难最紧张的斗争的党,能够把种种的困难看作成长的困难——在其自身中包含着克服的可能性。党研究这些困难,暴露它的根据,依靠劳动阶级与几百万万勤劳大众去克服它。反之,"左翼"派及右翼派在与党的斗争上,暴露了自己为狭隘的经验论者,回避了困难。史丹林同志嘲笑右翼派的狼狈,在第十六次党大会上曾经说,——"俄国什么地方发生了困难和障碍——于是他们就发生了已经不能从那种地方脱离出来的恐慌。蚜虫落进了什么地方不能够巧妙地爬出来。于是他们……就害怕起来,大叫破局到了,苏维埃政权破灭了。"他们这样狼狈,这样拘泥于各个现象,并夸张这些现象,这是托派和左右两翼的徒党的特征。党裁断了这种经验论者。党裁判了他们的错误是:对于没有看见过的新事实的出现,张皇失措,不能发现这些现象的根据、本质及其发展法则;无原则地拘泥于任意的现象;对于阶级的敌人让步,甚至不惜弄坏其他更重要的阶级斗争

左右的偏向不理解本质与现象的辩证法

战线上的立场,急于尽可能的早早摆脱出穷境。

上面所说的两个偏向,都暴露了对于本质与现象的辩证法没有理解。他们不能在现象之中看出本质的发展,所以转到了本体之抽象的同一性或现象之抽象的区别的立场。规律性之形而上学的理解的这两个变种的根底中,横亘着同一的机械论的方面论。布哈林与这种场合中的托罗斯基都包括在内的机械论者们,不能理解苏联普罗列达里亚革命的诸过程的特殊性。诸过程的本质,在他们看来,常常表现为不变的东西。

带有少数派色彩的观念论也没有远离这不变的本质。德波林派处理本质的问题时,囫囵地接受黑格尔哲学。黑格尔在其绝对理念中,教说了不变的本质。他以为这种本质即绝对理念,被显示于种种的观念之中。国家、法律、社会、宗教、艺术、甚至哲学,都是绝对理念的体化。绝对理念在时间之外发展。因而它表现为不变的本质。黑格尔死了以后,醉心于他的体系的"左翼"黑格尔主义者的烦琐哲学;——马克思和恩格斯所嘲笑了的东西——之所以产生,并不是偶然的。但德波林学派,忽视与具体的历史形式的关联,同样的醉心于黑格尔的诸范畴的体系,所以他对于过渡期的合法则性的问题的研究,到达了同样的烦琐哲学。过渡期的辩证法,比较硬加上去的抽象的法则,更为丰富。

例如哥尼克曼,"断定"了史的唯物论探求一切社会经济的构造所共通的法则。但阶级是在社会的特定发展阶段上显现的。

所以阶级斗争的学说不能不从史的唯物论的研究范围抽出,移入科学的社会主义理论之中。哥尼克曼因此表示了他不能理解当作发展的东西看的本质。社会之本质的矛盾,即生产诸力与生产诸关系之矛盾,在阶级社会中是不被扬弃的。诸阶级的敌对关系,不外是特殊形态上的这个矛盾的表现。在阶级社会中,生产诸力与生产诸关系间之本质的矛盾被变形,采取生产手段所有者与直接生产者之间的矛盾的形态显现出来。在移到康民尼斯谟的场合,社会之本质的矛盾再被变形,其敌对的形态消灭。但矛盾那东西仍然存在。

德波林派的其他代表,加列夫与卢波尔,不把史的唯物论当作有其自身的对象的科学去主张,而把它当作社会科学的方法论去主张,仍然暴露了他们是把法则当作绝对物去理解的。

哥尼克曼没有理解:阶级斗争的法则,是社会之本质的矛盾,生产诸力与生产诸关系间的矛盾的发展,是法则的发展。

加列夫与卢波尔,从具体的社会科学分出一般的东西(方法论),他们没有理解方法论是在具体的科学中发展的,不能理解史的唯物论就是关于具体的阶段——具体的社会经济的构造——中社会之辩证法的发展的那种具体科学。像那样把法则绝对化了的加列夫,所以像康德主义那样去分离法则与现象,不足为奇。他在关于史的唯物论的对象的那篇论文之中,声明了史的唯物论所设定的法则,是到达于具体的社会现象的研究之前提。这种声明,与康德所说的悟性不从自然接受法则,反而给自然以法则的口气,恰恰相合。

总括以上所说,我们不能不到达于这样的结论:少数派色彩的观念论,未能把本质的问题当作法则的问题去解决。但是伊里奇在其《黑格尔论理的科学》的概要中留给我们一个指示,我们从这个指示出发,可以解决这个问题,并且不能不解决它。法则是"现象中的永续的(即停留着的)"某种东西,是"现象中的同一的"某种东西。"法则是(世界)的运动中本质的东西之反映"——伊里奇关于法则这样说过。法则是"现象之静止的内容"(黑格尔),是"现象之静止的反映","但正因为如此"——伊里奇注意着——,"一切法则只是狭隘的,非全体的,近似的"。法则把捉现象的全体。现象比法则更为丰富。虽说这样,而法则可以在全体性上把捉现象。因为法则反映在诸关系的总体中在矛盾中发展的现象之本质的关系。伊里奇说:"法则与本质是同质的(属于同一等级的,更正确地说,同一程度的)概念,都表现人类对于世界诸现象的认识之深化。"所以法则也是发展的某种东西。伊里奇说:"不单是现象,就是事物的本质,也是过渡的、可动的、流动的,只由附条件的境界所分离。"本质的矛盾之发展、本质之发展,是法则的发展。某种过程之本质的矛盾之发展,同时使科学的认识能够发现许多矛盾的现象中的这过程的运动,从比较不深刻的本质透入于更深刻的本质,"譬如说,从第一次的本质到第二次的本质那种无限的"(伊里奇)推移。

当作本质的矛盾之运动显示了的本质与现象的辩证法,对我们指示了统一物的分裂(本质与现象的),它们的统一及其相互渗透(现象中的本质的发展),简单地说,即再现了最具体的形态中辩证法的根本法则。伊里奇说:"辩证法是'物本体'、本质、基体、本体与现象的对立性之研究……辩证法是对象

法则是事物的运动中的本质之反映

辩证法研究对象的本质中的诸矛盾

的本质自身中诸矛盾的研究。"

本质的诸矛盾之更进的具体化,在形式与内容之辩证法上显现,我们在下节研究这个问题。

第三节　形式与内容

本质与现象之辩证法,对我们指示了,一个本质通过诸现象中本质的发展,推移于他种本质。种种的现象,例如经济主义、初期修正主义、社会排外主义,在根本上暴露了同一的本质,即机会主义。机会主义的本质的种种的显现,表现着它依存于这本质的发展程度、条件、场所、时间及事情。机会主义,在资本主义各国与苏联中,当着革命的低潮与革命的高潮之时,有不同的表现,现在也是不同的表现着。这样,诸现象的差异,根本上与本质的矛盾相对照,即与全过程的根据的运动中的阶段之差异相对照。我们能够依着苏联的集体化运动之发展来确定这一层。我们追踪从贫农＝中农经营转变到集体农业的主要阶段,看到社会主义的生产方法的发达,经过许多的阶段,在种种现象中显现着。土地的共耕的组合、主要的农业生产手段虽被社会化而其一部分还属于以前的个人农民所有的亚尔特尔,以及把一切生产手段社会化了的公社——这一切,都是集体农业建设的诸现象。这一切现象,表现着社会主义的生产方法之发展,贫农＝中农经营的私有制度的改造过程。

我们现在来建立一个命题:本质发展起来,随着就表现于其种种的现象形式中。

然则形式是什么? 又,区别土地共耕组合与亚尔特尔式的集体农场及公社式的集体农场的东西是什么? 这一切现象中本质的区别,将是生产手段社会化程度的差异,因而又是生产过程组织化程度的差异。在土地共耕的场合中供耕作之用的或供收获之用的劳动手段,暂时的被结合着。在这里只存在着单纯的协作,生产过程全体的一定时间中的互助。在这种场合,收获物还为个人所领有,种子也为个人所保存,农具为个人所私有所修缮。在这里缺乏着劳动的组织化及整个生产过程的预定计划。机械牵引机的贮藏库,当着与协作团体缔结契约时,为自己扣除组合收入的一部分,然后帮助组合使其巩固,

使其转变为亚尔特尔式,即集体农业的更高的类型。在亚尔特尔式集体农业
一方面,整个生产过程已被协作化,主要的生产手段已被社会化。劳动的组织
化,达到较高的发达阶段。劳动依照耕种区分配,组成班次,实行更进步的分
业;农具更合理地被利用,应该完成的工作的计划被预订,工钱按照劳动日的
质与量,因其出品的多少去发给。集体农场的公积金顺次聚集起来,作为增加
集体农场财产的社会化的部分的手段。对于机械牵引机的贮藏库,集体农场
以出卖生产物与国家为最重要的义务。

公社式的集体农场与亚尔特尔之不同之点,就是一切生产手段(房屋也
包括在内),都被社会化,没有依照所出财产的数目而加增工钱的事情。

这里必须指摘的事情,就是全部集体农场组织在普罗列达里亚专政之革
命的变革中越发深入的这件事实,对于集体农业由较低的形态到更高形态的
推移,是一种决定的动因。

这样,生产过程的诸要素结合的类型、当作全体看的这个过程的构造和组
织,在农业协作社的上述一切种类中,本质上显现的不同。某种过程内容的诸
要素的结合类型、其构造、其组织——都是形式。土地共耕协社、亚尔特尔、公
社,都是集体农业的形式,是个人的贫农=中农经营改造的形式,即是一定内
容发展的形式。照这样,当作一定的本质(集体化)的现象看的土地共耕协
社、亚尔特尔及公社,都具备其形式与内容的方面。

但是,我们考察现象之形式及内容的分裂时,绝不要以为形式表现为外面
的外被,而内容表现为内面的内容。"当观察形式与内容间的对立性时,不可
以忽视内容不是无定形的东西,形式也同时被包含于内容自身之中,它对于内
容是某种外面的东西,这一层是很重要的"——黑格尔这样写着。他指摘了,
形式表现为内容的诸要素的内容及外面联结的类型。

在上面考察了的集体农业之中,形式不但表现为个人的农民经营之外的
联结,并且表现为当作全体看的全生产过程的组织化。在集体农业之推进的
根据,即它的生产上,无定形是不表现为内容的。它是当作生产手段和生产者
的一定的联结,被造成形式的。这种形式化在劳动组织之中,在班次、连锁、牵
引机工作场、供给、计算、分配等之中发现出来。因而集体农业,表现为形式与
内容的联结,表现为两者的统一。形式抓住集体农业的全部内容,表现为它的

形式与内
容之对立
的统一

内面的及外面的构造,表现为集体农场的根据之现象形式,又表现其为本质的矛盾之形式。详细地观察集体农业的构造及其生产时,就知道生产自身又分为形式与内容。上面所说的生产的内容,即供给、分配、计算等,它自己也具有在根本上由全体生产的构造所决定的形式。

这样,形式与内容构成不可分的统一、对立的统一。形式与内容,是互相渗透的对立物。在诸要素的某种联结上表现为形式的东西,在他种联结上,反而表现为内容。这种联结的性质,由内容自身的运动所决定,由其客观的现实性所决定的,而不由内容的各种联结的任意选择所决定。形式是内容的范畴。在形式之中,反映着自然、社会及人类思维之客观的联结,反映着物质运动之实在的形式。物质的发展决定形式与内容的运动,并决定其相互的推移。

恩格斯在关于自然科学的辩证法的著作之中,指示着由物质的运动造出的形式的规定性。在自然方面,我们所观察的东西是运动的物质。这物质在其一切的表现上不是同一的。如抽象的物质并不存在一样,离开一定具体的形式的抽象的运动也不存在。运动的物质,从最单纯的形式——机械的位置变化——开始,到最复杂的社会的人类之存在形式——社会——为止,在我们面前表现着无限复杂的形式。运动的物质之发展引起新运动形式的出现,即由低级运动形式到高级运动形式的推移。

形式表现为运动的规定性。因此,对于有种种表现的物质运动的法则之认识,预想着物质运动的形式之研究。

恩格斯说到科学分类的原则。力说着我们对于现实的认识中形式的妥当性。"科学的分类,就是说各种科学分析各个的运动形式或互相关联互相推移的一列的运动形式,它把这些运动形式,依照其固有的顺序,加以分类,加以配列。在这里,就存有分类的意义"(《自然辩证法》)。科学的分类,必须在物质运动的较高形式和较低形式的相互关系上去构成。科学的配列,反映着自然中客观的联结,反映形式的发展及其相互的推移。研究物质的各个的运动形式的各种个别的科学,也反映着相互的联结及其配列的形式的推移。就社会举例来说。社会的运动,在种种形态上显现出来,——在生产过程上,在分配、交换、资本的运动、社会的阶级的运动、诸政党的运动、科学的运动、文学运动、宗教运动上,显现出来。这一切,是当作全体看的社会之具体的运动形态。

各种运动形态,各有其内容的联结的特殊类型,即各有其特殊的形式,这是当然的。生产的运动形式,与阶级的运动形式不同,后者又与当作别种内容的联结的类型看的宗教运动相区别。结局,社会的一切运动形式,表现为社会诸关系的种种类型。人类当作生产者和消费者,当作有产者和无产者,当作支配者和隶属者,当作政党、宗教、科学、艺术和文学的代表者而被联结着。当作形式与内容的统一看的社会,它自身又分裂为各有其固有的内容的无数形式:而这些形式的每一个,例如生产的运动,它自身又分裂为具有特殊内容的多数形式。

科学的认识,从各自有其固有的内容的诸形式的这种相互作用之中,分离社会的根本的运动形式,在这种场合,从社会的侧面运动的形式,分离生产的运动形式。马克思和伊里奇,把社会规定为社会经济的构造,而在这种规定本身之中,指出社会发展中的生产之决定作用。

科学的认识从具有内容的诸形式中抽出根本的形式并指出其决定的作用

虽说过程之本质的矛盾的形式,具有决定的作用,而过程的某一方面的各个运动形式,仍有其固有的内的规律性。例如在阶级的社会中,政治的上部构造之国家,具有相对的独立的自己的规律性。但这些形式的运动的规律性,结局隶属于过程的根本的运动。社会发展的基本形式的分离,其侧面之相对的独立性的力说,是指示着形式与内容的相互关系之科学的认识,在史的唯物论的理论上,在社会基础与上部构造的理论上,演着怎样的作用。

马克思和恩格斯以前的社会科学,不能发现社会的真实的发展法则,这首先由下述的事情说明出来。即,以前的社会科学,不能确定社会的运动形式,规定人类活动全体形式的特殊性,不能发现规定全体社会的侧面的运动,即规定阶级斗争、国家、社会意识等的运动的基本的运动形式。

社会之内容与形式的分裂,与任何过程的分裂一样,在客观的现实上,种种的现象,显现于一定的形式之中;即不包含于形式之中的内容是没有的,离开一定内容而存在的形式也是没有的,——这是我们所相信的。

任何现象,都表现为形式与内容的统一,如果把这统一还原于同一性,或分离形式与内容,那就必然不能理解现象之矛盾的性质,因而不能发现本质的矛盾的发展中之形式与内容的推移的辩证法。

形式与内容的统一不能被还原于同一性

法国唯物论,只承认机械的运动的形式,把物质运动的一切种类的形式,都还原于它,因此在事实上把形式溶解于抽象的内容之中了。依据法国唯物论者的解释,物质是表现为没有差别而失掉一切规定性的极少的物质要素之无限的相互作用。法国唯物论者,和现代机械论者,都把形式溶解于内容之中,其结果,不能理解物质运动的特殊诸形式的发展法则。法国唯物论者,提倡人类机械论,不能区别社会的运动形式与机械的、化学的、及生物学的运动形式。现在的机械论者,不注意于科学的水准已超出 18 世纪,仍然不能说明物质运动的最高形式的本性。他们主张:物质运动的更复杂的形式,可以把它分离为最单纯的形式去说明。形式到抽象的内容之机械的还原,在自然科学上,在社会科学上,都显现着。在自然科学上,我们看到怎样把心理学还原于生理学(保罗夫学派的几个研究者),把生物学还原于化学和力学的一类事实;在社会学上,我们看到怎样用物理学和生理学的法则去说明社会现象的事实。例如萨维其在关于社会的人类之行为的研究中,从反射作用,说明道德、法律、战争及其他社会现象。把形式和内容看作同一的东西,结局必不能理解内容的发展中的形式的积极性之作用。

在形而上学的哲学中,我们也看到形式与内容的分离。形式的形而上学的论理学,不能结合形式与内容,两者的统一,被分裂了。内容表现为自身没有形式的东西,形式表现为失掉内容的东西。形式与内容的分离之最明了的暴露,是形式论理学的概念论。

形式当作抹杀现实的内容之一切财富的东西被理解了。因为形式单是外面的形式,不是有内容的形式。这样的见解,表现出意识与存在的分离,表现出客观的存在的内容与离开这内容独立的思维形式之分离。这样的分离的结果,常常把概念当作便利的手段去观察了。于是就以为我们的认识凭借这种概念把秩序引入于自然的无限的混沌之中。形式论理的范畴,是失掉一切物质的内容的空虚的形式,它是被抽象了的抽象。不单如此,并且变成了空虚的抽象的苍白的概念,还与实在的现实相对立。

在康德的关于人类意识之先验的形式——在一切经验以前的,并且离开认识本体的内容独立而给予于我们的东西——的学说中,我们看出形式与内容的分离之论理学的基础。在这里论理的范畴,表现为一切认识之形式的条件。

像康德式那样分离形式与内容的那种方法,在现代布尔乔亚社会科学中,流行很广。例如德国社会学者齐美尔,主张社会学是研究共同生活的形式的科学,而研究社会诸现象的诸内容的东西,是个别的具体的科学。照这样,各个的部分的科学只是单纯的记述,受狭隘的经验论所支配,社会学者却提供了纯粹思想的王国。但是那样的考察,也适用于任何科学。任何科学也把具体的内容的领域,嵌入于各个部分的科学,他自己停止在纯粹认识的领域(例如一般国家理论无关于国家组织的具体类型的学问,理论经济学与具体的经济科学那样)。布尔乔亚科学这样地处理了形式与内容的问题,其结果绝不能发现过程的发展法则,这是明白的,它必然把这过程图式化,只用烦琐哲学的范畴互相积叠着。 分离形式与内容的形式社会科学

在俄国经济学文献中,鲁宾及其徒党,都表现为康德主义的代表者。鲁宾修正马克思,主张理论经济学只研究生产诸关系。他把生产诸关系当作纯粹的形式去观察,把他从生产诸力的运动分离了。据他的意见,理论经济学,不能不研究这些没有内容的形式的运动;而过程的内容,应当由其他诸科学(技术史、工艺学等)去研究。鲁宾主义者的错误究竟在什么地方?他们的错误,第一,在于他们没有把形式当作一定的物质运动的形式去研究。在这种场合,当作社会的生产的形式去研究。第二,在于他们把过程的内容——生产诸力——当作失掉形式的物质去观察了。第三,他们没有理解形式到内容的推移及其反面的过程。 鲁宾的经济学之错误

马克思在关于生产方法的理论上,即在把生产方法作为生产诸力(劳动力与劳动手段)的诸要素的联结的类型,作为"技术的方法与生产之社会的联结"的结合的理论上,发现了生产诸力与生产诸关系的统一,生产的内容与形式的统一。鲁宾主义者的错误,不单是在于他们分裂生产的这个实在的统一,只观察了形式的运动,并且在于他们把形式——生产诸关系——当作内容之外面的外被去观察。马克思在许多著作中,指示了生产诸力自身具有形式,即劳动手段与劳动力只在一定的生产过程、生产方法中才变为生产诸力。这样,内容在发展的过程上,表现为具有形式的东西。形式——生产诸关系,不单是表现为外面的外被,并且表现为内容之内面的构造。 内容表现为形式,形式也表现为内容

例如,冗费节约,不只是表现为班次的生产活动上之外面的形式。班次之

李达全集

第十卷

辩证唯物
论与各种
观念论在
形式与内
容的问题
上的区别

转移到冗费节约，这件事就是意味着：班次活动之内的诸关系之变化，人员的配置之变换，更合理的分业（连锁），农具之更合理的利用，新技术方法之引入于生产过程，原料之更经济的使用与劳动手段之更节约的处理。冗费节约的采用，意味着生产过程的内的构造之变化。

不单是鲁宾主义者如此，就是他们的反对者（不把生产诸力之内的构造的联结而把那外面的外被看作形式的人们），也不能克服鲁宾式的观念论，转入了折中主义的立场。他们主张："经济学虽研究生产过程的内容，但他只限于在以形式为必要的范围以内"（拉比托斯）。

在把内容还原于形式的场合，不能理解形式的积极性，所以分为形式与内容之时，就会夸张形式的作用。形式的积极性表现为自足的东西，内容表现为无生气的消极的物质。形而上学的思维，在无论哪种场合中，都不能发现通过形式与内容的辩证法而显现的过程之发展法则。在相互作用中发现基本的形式与从属的形式、具体的描写本质的矛盾之发展、追踪从属的形式对于基本的形式之影响的这种能力，在任意的内容、社会的任意的细胞内发现形式与内容之转变的辩证法的这种能力——这种能力，正是从那些抽象的视形式与内容为同一的理性论者，以及抽象的区别这两者的经验论者与康德主义者，去区别了马克思主义的辩证法论者的东西。现在也还区别着。

第四节　过程的形式与内容之发展

形式与内
容之辩证
法的发展

从前经济
学不分析
形式与内
容的关系

马克思在《资本论》之中，由于分析资本主义的生产方法的运动，为我们留下了形式与内容的辩证法之辉煌的范例。

马克思的任务，是确立通过那矛盾的展开而显现的形式与内容的运动法则。马克思以前的经济学，因为不分析产生形式的内容而确立了许多的法则，所以确立了那种超越时空而没有①变化抽象的价值形态。关于这一点，马克思这样写着："经济学不充分的分析价值与价值的大小，发现了这些形态中潜伏着的内容。但这种内容为什么采取那样的形态？换句话说，劳动为什么表

---

① 1935 年 6 月版将"没有"改译为"无"。——编者注

现为价值,并且当作劳动的尺度看的时间的连续为什么表现为劳动生产物的价值的大小,这是经济学从来没有当作问题研究的。把隶属于那种人类不支配生产过程而生产过程支配人类的社会构造的事实在表面上记述出来的诸形式,在经济学的布尔乔亚的意识看来,和生产的劳动一样,被看作自明的自然的必然"①。古典学派不能理解形式与内容之间的联结,这一层,在他们不能发现剩余价值(在价值实现过程之上不直接显现,而当作利润与地租显现的)一件事当中,也可以看出来。

马克思在个个商品生产者用自己的劳动创造价值的商品经济之中,指示了价格是在交换价值的形态上,在其货币表现——价格——上显现的,在资本主义社会中,商品经济的一般范畴之价格,早已不能成为资本主义敌对关系的特殊性之直接的表现形态,这样,价格在资本主义社会中,不直接表现剩余价值,而直接表现利润。工钱也完全和这个一样,它本来是特殊的商品——劳动力——的价格的支付形态,但表面上却表现劳动的价格。

古典学派拘泥于交换价值与价格,即没有超过价值形态的分析以上;马克思和他们不同,他发现了表现资本主义的生产之本质的矛盾,即表现生产手段所有者与劳动力所有者间的矛盾的形态。马克思通过这本质的形态的运动,又说明交换价值与价格的运动;他又指示了为什么内容采取这种形态而不采取他种形态,为什么资本主义之本质的矛盾及其无政府的生产方法不妨害我们去发现本质的矛盾,为什么我们不接触于本质的现象形态而接触于假象形态。资本主义的生产方法的形态之不合理性,正是古典经济学派的绊脚石。

马克思取去了资本主义的生产方法的形态之神秘性的外被。他证明了价值诸形态的历史性,在资本主义的发展过程中,指示了这些形态的发展。

马克思所指示的价值形态的运动,反映着过程的本质的矛盾之发展,即商品经济的发展。表现自然经济的矛盾之价值形态,在最初的发展阶段上,帮助了这种自然经济的固定化。表现为单纯价值形态的偶然的交换,无条件的巩固自然经济。反之,规则正确的交换却破坏它。扩大了的价值形态,不外是商品经济的本质的矛盾的发展之表现。

①　《资本论》,第一卷,第一篇,第一章。

213

马克思和伊里奇在由劳役地租到资本主义地租的种种地租形态的运动中,也描写了上述内容与形式的发展。自然的、劳役的及货币的地租形态,是封建的土地所有制度所固有的。资本主义地租,虽仍在货币形态上显现出来,但它已表现布尔乔亚社会所固有的别种关系。这样看来,第一,种种的过程,表现于种种形态之中。第二,同一的内容,在其种种发展阶段上,能够而且必须表现于与其本质的矛盾的发展阶段相适应的种种形态之中。第三,种种的内容,有表现于同一形态中的事情。矛盾的这种类型,在内容的发展指导形式与内容的相互作用的过程的运动中,被展开出来。

专政学说
中的形式
与内容的
发展之实
例

伊里奇在关于普罗列达里亚专政的学说中,指示了普罗列达里亚革命的本质,表现于阶级斗争的种种形态之中。

普罗列达里亚的专政,是"勤劳者前卫普罗列达里亚与勤劳者的无数非普罗列达里亚层或其大多数之间的阶级的同盟,是打倒资本并压溃布尔乔亚的抵抗及布尔乔亚的复活而形成的同盟、终局创造并确立社会主义的同盟"之特殊形态。

普罗列达里亚革命的种种发展阶段,在普罗列达里亚专政之下,唤起阶级斗争的种种形态。"普罗列达里亚的专政,不外是新的形态上阶级斗争的连续"(伊里奇)。

普罗列达里亚革命的发展,变化阶级斗争的诸形态,因而变化阶级的诸关系。例如对于中农的态度,在最初的阶段上,表现于中立化的形态中,其次转到了同盟的形态——在这里,阶级斗争占附属的地位。最后集体农民,对于普罗列达里亚,表现为真实的巩固的支柱。在这里,阶级斗争的形态,在本质的矛盾发展过程中,其[①]在社会主义的生产方法的发展过程中,起着变化。

新旧错杂
的形式与
内容之辩
证法的研
究

这样,内容的发展,决定形式的运动与交替。不但如此,内容的发展程度又决定着下面两个问题:内容在更成熟的形式上,即更协力于内容的发展的形式上能够发展吗? 或者,在比较不成熟的形式,只在人工阻碍内容的生长的形式上发展吗? 形式,其自身又积极的协力或阻止内容的发展,不只是内容的运

---

① 1935 年 6 月版将"其"改译为"即"。——编者注

动之消极的结果。形式与内容不均等的发展的结果，在客观的现实中，有新规律性与旧规律性，新形式与旧形式，新内容与旧内容互相错综。在这样的错综之中，能够发现指导的形式之运动，指示形式与内容的发展之辩证法，指示新物怎样渗透于旧物，旧物怎样适合于新物，指示新物如何表现于旧形式之中，旧内容如何往往表现于新形式之中，——这些工作，只有辩证唯物论才能做到。伊里奇对我们给予了形式与内容的运动，包藏两者的矛盾的统一之辩证法的分析之无比的范例。

　　伊里奇当着分析 1905 年革命的原动力之时，他与少数派的形式论理的主张不同。少数派主张布尔乔亚革命的内容与布尔乔亚的形式是相符合的。伊里奇却提倡了俄国布尔乔亚民主革命具有特性的理论。伊里奇把这个革命的内容当作布尔乔亚的革命规定了，他主张这个革命的实现形式，必然是准备转变到社会主义革命的形式。他主张了：封建制度之决定的破坏，"开始为那种巩固而迅速的、非亚细亚的、欧罗巴的资本主义发展，清除地盘……当作阶级间的布尔乔亚的支配，才会有可能"（两个策略）。封建制度的破坏，将促进布尔乔亚与普罗列达里亚的阶级矛盾之深化，促进对于布尔乔亚的斗争中的普罗列达里亚与农村贫农的结合。用一句话说，就是准备社会主义革命的条件的迅速成熟的地盘。伊里奇指出这一点来说道："从这点出发，决不发生这样的结论：民主主义的变革（从其社会经济的内容说，是布尔乔亚的变革），不替普罗列达里亚提供大利益。从这点出来，也不发生这样的结论：民主主义的变革，不能在那种主要的对于大资本家、金融业者、'有教养的'地主有利益，对于农民和劳动者也有利的形态上显现"。伊里奇在讨论 1905 年革命的一切主要著作中，指示了布尔乔亚民主主义革命，有在两个基本形式上实现的可能性。形式的差异，只表现内容的发展程度、内容依存于旧形式的程度，这内容中新规律性成熟的程度，即布尔乔亚民主主义革命转变为社会主义革命的制约性的程度。

　　从这里出发，伊里奇这样写着："布尔乔亚革命，越是完全的、决定的、彻底的，普罗列达里亚为着社会主义对于布尔乔亚实行的斗争，就为更有利的展开出来。……但是从这种结论发生如下的命题：在某种意义上，布尔乔亚革命，对于普罗列达里亚，比较对于布尔乔亚，更为有利"。布尔乔亚，固执着

旧形式中的新内容

"消灭国民经济之腐朽着的某一部分"的那种改良主义的方针,普罗列达里亚采取了直接废除①这些部分的方针。

因此,内容的发展也发生于使一个阶段到别个阶段的转变容易实现的混合形式之中。(页边注:内容在混合形式中发展)依据伊里奇的思想,1905年的工农革命的民主专政——布尔乔亚的民主革命之彻底实行并使社会主义革命的转变容易实现的形式,不能不是俄国的这种混合的发展形式。俄国1905年革命中本质的矛盾之发展,不能不排除革命的布尔乔亚的实现形式之限制性。这种限制性,也没有被1917年的二月革命所完全排除。二重政权,以及布尔乔亚政府与工农的革命的民主政权(苏维埃),同时存在,但布尔乔亚,对于阻止布尔乔亚民主革命的任务的实现过程,却作②成功了。只有由于这后者向社会主义革命的转变,布尔乔亚的民主主义,才得完成。

在这个场合,旧形式中固有的内容,只有在新形式上才能彻底发展。这只是因为旧形式当作它自身的内容的发展的制动机起了作用。发展暴露了形式与内容的矛盾。

我们在布尔乔亚社会发展的历史中,知道资本主义是在封建制度的胎内成长起来的。在一定发展阶段上,封建关系,变成了资本主义的生产力发展的桎梏。布尔乔亚革命扫除了这些旧形式,因阶级势力的相互关系及其配置的如何,在有些国家中是很决定的,在别的国家中并不像那样是决定的。在国民大众的利害比较布尔乔亚的利害更彻底地被主张的地方,布尔乔亚革命,原则上终于与被推翻的反动阶级相妥协,公然把新内容的运动推入于反动的形式之中。英国在过去就是这样的。在这里,资本主义采用了立宪君主制,即封建制度的完全遗物,作为国家形态。但英国的布尔乔亚以及今日英国的修正派,想利用这种形式和封建制度的遗物,作为对抗社会主义革命的反动斗争的手段。

这样,从属的形式,也和基本的形式一样,变为发展的制动机,旧形式对于新内容(封建制度对于资本主义)也成为发展的制动机。又旧形式对于新内

---

① 1935年6月版将"直接废除"加上了双引号。——编者注
② 1935年6月版将"作"改译为"做"。——编者注

容(在资本主义下的旧构造的遗物),也成为发展的制动机。在内容的发展处于形式的障碍的影响之下的地方,在一定条件下之下,这种形式,就被脱弃。基本的形式,或变为过程发展之从属的动因,或者全部被废弃。在布尔乔亚专政的一定发展阶段上,这种专政,与自己的基本形式——布尔乔亚民主主义,发生一定的矛盾。世界战争以后,布尔乔亚,早已不能用布尔乔亚民主主义的方法实行统治。革命运动的成长、大众对于旧生活的不满、苏联影响之强烈的增加,这一切使得布尔乔亚专政破弃民主主义的形式,把这个形式转变为从属的要素,用布尔乔亚同样的阶级专政的新基本形式即法西斯主义来代替它。这样,就发生了布尔乔亚国家的法西斯化。

我们主张布尔乔亚民主主义与法西斯主义,是同一的布尔乔亚专政之不同形式。但社会民主党却认定布尔乔亚民主主义与法西斯主义是原则上不同的本质。

伊里奇在普罗列达里亚专政与普罗列达里亚民主主义的学说中,指明了后者在普罗列达里亚革命的发展条件之下,变化其形式。资本主义和社会主义,都揭举民主主义为诸形式之一。但当作阶级专政的实现形式看的民主主义,在布尔乔亚专政与普罗列达里亚专政之下,不是同一的。不同的内容、本质的矛盾中的差异,在资本主义国家与苏联,必然唤起专政的别种构造,唤起支配阶级的组织之别种类型。布尔乔亚国家的民主主义,是富人的民主主义,是压迫劳动阶级的东西,是支离的伪造的东西,对于勤劳大众完全是形式的。但是,普罗列达里亚专政的本质,其根本的任务是废除剥削,结合普罗列达里亚与劳苦农民,改造勤劳大众。由于普罗列达里亚专政的本质,发生了变化专政形式,变化与这种形式相适合的民主主义的必要。这种变化,必须是"民主主义的真实的享有,向着曾经资本主义奴隶化了的勤劳大众,实行世界未曾有的扩大"(伊里奇)。

（右侧旁注：新内容变更旧形式）

形式的发展虽受本质的矛盾的发展所决定,而其自身又积极的作用于这种矛盾,促进或阻碍它的运动。资本主义到帝国主义阶段的转变,只有通过资本主义本质的矛盾之运动,才能理解;同样,新经济政策的最初阶段到最后的阶段、到社会主义时代的初期的运动,只有通过苏联社会主义与小布尔乔亚农民经济——产生资本主义的东西——间的本质的矛盾之运动,才

（右侧旁注：形式与本质的矛盾,两者的发展间之关系）

217

能理解。

伊里奇与党的战术之独创性,在于把握了它的发展保证,从一阶段到别阶段、从布尔乔亚革命到社会主义革命的劳动运动之最迅速的转变的那种形式之萌芽。这种战术所由成立的基础,在于辩证法的去理解内容有指导作用时的形式与内容之矛盾的统一。(页边注:伊里奇的战术的根本要素是形式与内容的辩证法之认识)

形式与内容的相互关系的辩证法、形式与内容的矛盾的过程的运动法则之发现——这是伊里奇的战术的根底中的要素。伊里奇在《左翼幼稚病》书中,教训外国同志中不理解为普罗列达里亚革命去利用一切形式的必要的人们。伊里奇说,当时"革命的阶级要完成自己的任务,必须能够尽量地支配社会生活的一切形式或方面";他们要能够利用旧形式,同时不要害怕许多增加的新内容。在战争以前的十年间以及在战争期中,"社会主义运动的一切旧形式,都被新内容充满了。……旧形式破裂了,因为它当中的新内容——反普罗列达里亚的,反动的内容,已经发展到不可计数的范围"。修正主义、机会主义、社会法西斯主义,都把劳动运动,在压迫它的灭亡它的形式上去指导,现在还是这样。国际布尔扎维主义,把劳动运动,引导到社会主义革命的、普罗列达里亚专政的斗争的轨道,因此把这个运动的形式充实了。关于这件事,伊里奇这样写着:"我们现在在国际社会革命的发展的立场上,有着极巩固的、强有力的内容的工作(苏维埃政权的、普罗列达里亚专政的)。因而这种内容,在任何形式中,即在新旧任何形式中,都能够表现自己,并且必须表现自己。又这种内容,能够把一切形式改变、征服、隶属,并且必须这样做。不单对于新形式是如此。就是对于旧形式也是如此。这不是为着与旧形式妥协,而是为着要使一切形式(不分新旧)变为社会革命之完全而终局的,决定而不退后的胜利之手段"。

伊里奇,在这里特别加紧地说着:在适当的条件之下,通过一切形式走上发展的道路的内容的力量。新内容的发展的这种力量的理解,在伊里奇对于当作形式与内容的矛盾的统一看的新经济政策的分析之根底中潜伏着。

伊里奇在许多著作中证明了新经济政策的必要。新经济政策,在分散了的小经营的诸条件之下,是可以引导到社会主义为唯一的运动形式。这种形式,在社会主义要素与资本主义要素一同成长的场合,保证前者的最大的成长,结局决定对于后者的胜利(左翼和右翼都没有理解这一点)。伊里奇说:"右翼空论主义,其立脚点只承认旧形式,并不注意于新内容,所以它完全破产了"。我们把这一点应用于俄国的右翼,就可以说:他们不注意于新经济政策的改造期的新内容之成长,即不注意于保证社会主义要素对于资本主义要素的胜利,并引起了自己的新发展形式的新内容之成长。所以他们高呼"新经济政策的破灭"——否定集体化,否定当作阶级看的豪富之清算,否定五年计划。右翼,虽然把新经济政策看作是便于商业的一定自由发展的有益的形式,却不曾注意这同样的新经济政策不意味着"商业的完全自由"。总之,他们忽视了新经济政策就是保证社会主义对于资本主义的胜利的形式。

伊里奇又说:"左翼空论主义,其立脚点是无条件的否认一定的旧形式,不理解新内容通过一切形式而实现自己。他们不知道学习共产主义者的我们的任务要支配一切的形式;不知道学习很迅速地用别种形式补足这种形式,用别种形式代替这种形式,使我们的战术适合于一切的转变——由我们的阶级及我们的努力的以外的东西唤起的转变。"外国共产党内的"左翼",表现了自己没有利用旧形式的能力,他们反对参加于反动的劳动组合,反对参加于布尔乔亚议会。用伊里奇这句话,来考察俄国的"左翼",我们就可以这样说:他们在新经济政策中,只看到那资本主义的形式。但是他们不理解新内容是怎样通过这些形式而发展的,不能够利用旧形式去发展新内容,跳过了旧形式所能被利用的许多发展阶段。

在客观的现实中,新经济政策,当作五种制度并存的国家中的社会主义发展的矛盾的形式表现了。新经济政策自身,在种种发展阶段上,变化了自己的形式。新经济政策表现为社会主义发展之积极的活动的形式,表现为造出许多前提——阻止苏联中资本主义之蓄积的水路、清算当作阶级看的豪农、展开一切战线上的社会主义的攻击等——的普罗列达里亚专政的工具。我们进到了社会主义的时代,同时进到了新经济政策的最后阶段。新经济政策的形式起了变化。社会主义的内容之发展,扬弃了新经济政策的许多旧形式。但是,这种发展,在新经济政策的基础即本质的矛盾没有完全被清算的范围以内

（即在全般的集体化①没有完全实现，培养苏维埃中阶级的存在的水路没有完全被阻塞的范围以内），新经济政策的本身，不被扬弃。②

右倾派不理解新经济政策的形式的变化之辩证法，跳过了许多的阶段，因此，曲解党的方针，超出新经济政策的形式，忽视货币流通的作用，忽视由企业实行的冗费节约。党依照关于冗费节约的强化及其到低级经营单位的扩张、新信用制度中货币流通的作用、协作组合商业之强化等的指令，说明了新经济政策的最后阶段上的这些形式的必要。这些形式，资助全国的有计划的原则之发展，适应于资本主义要素之彻底的排除，准备着新经济政策本身的死灭。

新经济政策的重心点，明白地转到了有保证的社会主义要素的胜利一方面——从此发生新经济政策的形式的特殊性。进到社会主义时代这件事，引起了新劳动形式之强有力的发展、社会主义的竞争、冲锋队、作坊、工厂。这一切新劳动形式，保证苏联社会主义经济基础之极迅速的建设。反之，被给予了的发展阶段上的旧劳动形式，在一定条件之下，阻碍苏联生产力的发展。由于这件事，我们就必要为着新劳动形式而实行斗争，必要利用新形式的萌芽去推翻旧形式；必要使旧形式隶属于新形式，并在转变为新形式的前提没有造出的地方，为着社会主义去尽量利用旧形式。在现在的集体农业中，在其种种色色的形式中，正确的劳动组织，是助长社会主义的生产诸关系的发展、驱逐集体③农民之个人主义的习气、把集体④农场的经营全部提到更高的阶段的基本的形式。我们依据集体⑤农业的实例，重新确定：在一定法则⑥阶段上，只有新形式能够资助新内容的最迅速的发展与旧内容的死灭或改造。例如，个人主义的农业经营，不能够使苏联的农业生产诸力，发展到最有希望的程度。协作组合化了的农民经营，立刻表示生产诸力的新发展形式的优点。国营农

---

① 1935 年 6 月版将"全般的集体化"改译为"全盘的共同经营化"。——编者注

② 1935 年 6 月将"新经济政策的本身，不被扬弃"改译为"不至于扬弃新经济政策的本身"。——编者注

③ 1935 年 6 月版将"集体"改译为"共营"。——编者注

④ 1935 年 6 月版将"集体"改译为"共营"。——编者注

⑤ 1935 年 6 月版将"集体"改译为"共营"。——编者注

⑥ 1935 年 6 月版将"法则"改译为"发展"。——编者注

场与集体农场①，表现为苏联的农业上的生产诸力发展之指导的基本的形式。集体化②的成功，不单证明着这件事，并且证明着国营农场与机械及牵引机贮藏库，在集体化③的过程中，是指导的形式。

右翼与"左翼"机会主义，没有理解混合的过渡期的诸形式之存在条件，也没有理解其真实的本质。左翼机会主义者④，对于这种过渡的形式，肆口雌黄，他们没有理解这些形式表现为隶属于本质的矛盾的运动的形式。右翼专门拘泥于这些形式，他们没有理解这些形式是可以帮助本质的矛盾之发展及其解决的东西，并不阻止这个矛盾。左右翼不理解形式能帮助本质的矛盾之发展

例如，布哈林反对普罗列达里亚专政之下的民族自决，指摘了"所谓民族的国家在大战以前的时代已经是最纯粹的假构"。伊里奇的答复是，帝国主义时代的民族国家，"不是最单纯的假构，而是不纯粹的形式"。他指摘了："帝国主义诸国家，是由民族的国家成长的，民族国家在殖民地也形成了。"帝国主义之辩证法的发展过程，在于资本主义压迫许多民族，不废除帝国主义国家，反而在民族的形式中把它固定。布哈林不注意于资本主义的种种发展阶段上的民族国家的新形式与旧形式的关联，不注意于混合的不纯粹的形式，是新内容充实旧形式的结果。⑤

"左翼"托洛斯基，反对俄国1905年的和中国1927年的革命的民主专政，在1905年提出了"废除俄皇，组织劳工政府"的口号，在1927年反对共产主义者加入国民党。总之，他在这两种场合，都跳过了布尔乔亚民主革命的阶段。他国共产党中的"左翼"，暴露了自己不知道利用过渡的形式，反对了工农政府，国民革命的口号。辩证法的过程之本质，表现着德国国民革命的口号，在发展的一定阶段上，是德国共产党取得劳动阶级的大多数，吸引劳苦农民和没落了的小布尔乔亚的基本形式。为国民革命而实行的斗争，是从法西斯主义与社会法西斯主义分离大众的最便宜的形式，是德国普罗列达里亚的斗争的左翼不理解过渡期的形式之重要性

---

① 1935年6月版将"集体农场"改译为"共营农场"。——编者注

② 1935年6月版将"集体化"改译为"共营化"。——编者注

③ 1935年6月版将"集体化"改译为"共营化"。——编者注

④ 1935年6月版将"左翼机会主义者"改译为"右翼机会主义者"。——编者注

⑤ 1935年6月版将这句话的后半句改译为"不注意于混合的不纯粹的形式乃是新内容充实旧形式的结果"。——编者注

同义语。关于工农政府的口号,也完全和这一样,那样的政府,在许多的国家中,仍然表现普罗列达里亚取得劳苦大众的基本的发展。

"左翼"(布哈林和托罗斯基都在内)的错误的本质,如伊里奇所正确的说明一样,在于不能把握"许多具体的阶段之论理的(不是物质的)飞跃"。新内容的发展上所必须经过的过渡的形式。

右翼不理解从旧形式到新形式转变的必然性,不能在过渡期形式中看出新形式与新内容的成长。因此右翼没有理解内容的发展中的形式的作用、形式的积极性。右翼在新经济政策的种种发展阶段上,表现了他们不理解形式的积极性。他们反对五年计划、集体化①、新劳动形式,②就是表现右翼的形式中的机会主义。右翼机会主义,拘泥于旧形式,没有注意新形式积极的帮助矛盾的内容之发展。所以反对冲锋队和冗费节约等。

右翼对于形式的积极性的无理解,基于形式与内容的相互关系的特殊类型。这种类型,在根本上是机械的方法论所固有的东西,形式被还原于内容。这一点,只要指出布哈林对于在生产诸力的一定发展阶段上,积极地援助生产诸力的发展的形式之生产诸关系的作用,毫无理解的那件事,就充分明白了。

布哈林把苏联和资本主义各国的生产诸力的发展形式视为同一的错误,以及关于发展速度的问题一切右翼的错误,主要的都是从这里发生出来的。他对于为生产的发展的指导形式的社会主义劳动组织的作用的无理解,也是从这里发生出来的。他的《史的唯物论》的一切图式主义,也根源于此。

从内容分离了的某种东西的形式的观念,在右翼机会主义对于普罗列达里亚专政之下的政治与经济的关系的态度中,在他们对于政治的权力,及形式的积极性的无理解之中,在他们对于社会主义关诸关系的发展的形式的作用的无理解之中,在他们所谓社会主义内容离其形式独立而必然发展的学说之中③在富农的协作组合的组成转生于社会主义的理论、自己流出的理论、迂回的理论之中,都表现了出来。

我们还必须记忆着,在"左翼"的许多表现之中,也同样地看到对于形式

---

① 1935年6月版将"集体化"改译为"共营化"。——编者注

② 1935年6月版此处添加了一个"这"字。——编者注

③ 1935年6月版此处添加了逗号","。——编者注

的积极性之机械论的否定。即他们没有理解集体农业①发展并加强的场合中的旧农业组织的作用。照这样，"左翼"和右翼机会主义者，都不能发现种种形式中的过程之矛盾的发展之本质，不能理解旧形式中的新内容的成长的可能性、必然性、新旧形式的联结。即，他们不能理解过渡期全体的形式与内容的矛盾之辩证法。

我们在前面，已经说过了关于形式与内容的问题的右翼与"左翼"机会主义的特征。现在我们不能不指摘的，就是：现在最危险的东西，不是表现了想跳过许多过渡的形式而性急的飞到共产主义的小布尔乔亚的希望的这种机会主义，而是对于新形式的出现表示狼狈而固执于小布尔乔亚的恐怖与陈腐的形式的那种机会主义。

机械论者（右翼也在内）暴露了对于形式的积极性估价太小。而少数派色彩的观念论所固有的东西，却是对于内容的积极性估价太小，并且注重内容的受动性。从此发生了少数派色彩观念论的根本命题：形式是内容的活动的法则（德波林），是内容的发展的法则。少数派色彩的观念论者，虽然说起形式的交替，却绝不力说内容的运动之决定的影响。他们在事实上从内容分离形式。在形式的运动的背后，看不到本质的矛盾的运动。我们就少数派色彩的代表（加列夫）对于社会发展的一般法则的理解，举例来说。他以为一般在一列的个别中发展——形式不表现为事物之内的构造，只表现为外的外皮。这一层，在哥尼克曼一方面，也是一样。② 他探求通用于一切时代的社会发展的一般法则。离开内容的运动③分离，就是离开具体的现实的④分离。当着少数派色彩的观念论者论及过渡期之时，在关于阶级理论（加列夫）、民主主义及专政的"一般的"主题之中（德波林），为什么除了图式以外不能提示别的东西，又为什么不能发现过渡期之具体的辩证法，这理由是很明白的，因为在这一切之中，表现着理论离开社会主义的实践之结果，即形式离开内容。

因此，关于发展法则的形式的少数派色彩的观念论的一切议论，都带有烦

左翼也否定形式的积极性

固执旧形式的机会主义是最危险的东西

德波林派不注重内容的积极性即从形式分离内容

---

① 1935 年 6 月版将"集体农业"改译为"共营农业"。——编者注
② 1935 年 6 月版将此句改译为"这在哥尼克曼一方面，也是一样"。——编者注
③ 1935 年 6 月版此处添加了一个"之"字。——编者注
④ 1935 年 6 月版将"的"改译为"之"。——编者注

琐哲学的性质。少数派色彩的观念论,使黑格尔的理性论复生了。这种理性论必然地引导到范畴的独立的引出,引导到离开现实过程、离开物质的现实的内容的运动概念之自己发展,这是明白的事情。依据黑格尔,概念是"自由而无限的形式"。在少数派色彩的观念论一方面,形式表现为内容的发展之无条件的法则。少数派色彩的观念论者的错误,究竟在哪里呢? 在于他们把形式还原于本质,还原于法则;他们在本质的形式与内容的分裂以外,没有注意当作全体看的现象的形式与内容的分裂。因为本质(一般)掩被现象(个别)。形式的积极作用之夸张,就弄到对于唯物辩证法作观念论的曲解。在本质与现象的问题上,德波林学派,因为追从黑格尔的理性论,所以夸张本质而损伤现象;他们因为夸张形式而损伤内容,所以不能表示形式的运动发生于过程的内容与发展之上,不能表示形式的活动是内容的本来的运动,即结局是矛盾的本质的运动。在内容的指导作用之下显现的内容与形式的相互作用之积极性——这是关于当作对立物的统一看的内容与形式的问题的唯物辩证法的出发点。形式不是内容的发展法则。过程的本质中形式与内容的矛盾,就是这样的法则。例如,苏联的文化的运动法则,不是社会主义文化的发展之民族的形式,而是民族的形式与国际的内容之矛盾(在这种时候,内容的发展,有决定的影响)。在苏联的各种事情之下,文化之民族的形式,不是障碍物;反之,它是克服俄国沙皇主义所压迫的诸民族之文化的落后性、愚暗、蒙昧的最积极的形式。各个民族共和国中社会主义的建设,意味着社会主义文化的物质前提之非常的发展,其结果,民族文化的形式被扬弃。

　　形式与内容的运动,更深刻地暴露了外面的东西与面的东西之辩证法的关联与转变。形而上学的论理学,分离外面的东西与内面的东西,使其互相对立;反之唯物辩证法表示了,内面的东西与外面的东西在其相互作用上统一着。不但如此,折中主义,不能在内面的东西与外面的东西的相互作用的背后,发现其推进的根据;反之辩证法从这种相互作用之中,取出了内面的、本质的矛盾之指导的决定的作用。但是在发展过程中,内面的东西表现于外面的东西之中,本质表现于现象之中,内容表现于形式之中;又在其反面,外面的东西变为内面的东西,现象透入于本质,形式透入于内容。在客观的现实中,内面的东西与外面的东西、本质与现象、内容与形式,并不是各别的存在的东西。

在现象上,本质与现象、形式与内容、内面的东西与外面的东西之统一,表现于过程之具体的现象中。各个的现象与过程的联结,表现为内面的东西与外面的东西之相互作用,表现为本质的关系,表现为现实。在关于现实的学说中,内面的东西与外面的东西之范畴,得到更进的具体的表现。

第五章　可能性与现实性、偶然性与必然性

第一节　诸现象的相互作用,原因与结果

相互作用
是认识的
始点

　　我们在实践的活动上,认识环绕我们的世界。我们的认识包含着一般互相联结的诸要素。我们的认识,首先是抓住诸现象的相互关系及其相互作用。恩格斯说,"相互作用——这是我们所观察的最初的东西"。例如,我们在某种企业之中,发现其诸要素间的相互作用——在技术的装置和劳动组织之间,在劳动大众和技术职员之间,在职业组织和管理部之间,在管理部和党委员会之间,发现其相互作用。我们又承认企业和其外围之间的相互作用。企业的活动依存于资金的准备、原料的供给等;企业本身又供给生产物于一般人。在我们所住居的都市中,可以看见种种社会团体、种种职业之间的种种相互作用。又,我们在都市和其周围农村之间,看见相互作用。总之,在我们所接触的范围内的一切现象之间,我们承认其相互作用。

相互作用
是客观的

　　诸现象的相互作用,不是我们的认识之主观的成果,而是客观的事实。科学发现诸现象之实在的相互作用。例如,科学发现人类社会的诸要素之间——政治、经济、意德沃罗基等之间,存有相互作用;同样,①人类社会和地理环境之间,又存有相互作用。又如,科学发现动植物界中种种的相互作用,譬如存于种种动植物种类之间的协调,同时又发现其相互的斗争。

相互作用
中的因果
关系之认
识

　　虽说诸现象的相互作用是实在的事实,但是,单只证明这种事实,还不能说是充分的知识。认识的目的,在于预见诸现象的发展。那为的是要立足于

---

　　①　1935年6月版此处添加了"又发现"三字。——编者注

226

这种预见之上,而实践地行动起来。要预见某种对象的发展,就不能不研究这个发展。要预见发展,就不能不研究本质的矛盾之发展。但,问题是:在我们认识的最初阶段上所发现的相互作用之形象,并没有①直接地阐明本质的矛盾之意义及任务②。例如,人类社会之内面的及外面的相互作用之形象,没有说明社会发展的源泉是生产诸力和生产诸关系的矛盾。即单只认识外面的相互作用,是不充分的。这种认识没有指明:为要在发展之上发挥决定的作用,那么,在相互作用的诸方面之中,究竟应该把握哪一方面?

为要发现本质的矛盾之意义,预见发展,获得影响于发展之上的可能性,我们就不能不从直接的认识更远更深的突进。

诸现象的相互作用之形象,是我们的观察之最初的结果。我们的认识之第二个动因,是我们从相互作用之一般的锁链中,取出两个现象,把其一当作原因,把其他当作结果而观察。例如,我们从生产过程的诸现象之中,把劳动手段的运动和劳动对象的变化分开,说前者是后者的原因,后者是前者的结果。这样,我们发现存在于诸现象之间的因果关系。不过,这样对于因果性的理解,是抽象的。伊里奇说:"关于原因和结果之人类的概念③,往往是把自然的诸现象之客观的关联几④分单纯化了的东西,只是近似地反映这种关联,而把统一的世界过程的种种方面,人为地使之孤立起来。"在现实上,原因结果的关联,带有辩证法的性质。原因的本身表现为结果,又,结果变为原因。所以,我们试观察诸现象的任何相互作用,都能认出原因和结果的互相推移。在社会中,经济是政治的上层建筑之决定的原因,表现为能动的原因。当作上层建筑看的政治,其本身,同时又是经济发展之能动的原因之一。

因果关系之辩证法的性质

从因果关系的见地去观察过程,虽然把现象单纯化了;可是,这个关系的发现,比较直接的认识,是一个大进步。理由是因为因果关系的发现,就给予诸现象的预见之可能性,因而给予合目的的实践的行动之可能性。

因果性是科学的基础

在人类之社会的实践上,人类所发现的因果关系是预见及实际行动的基

①　1935 年 6 月版将"没有"改译为"不是"。——编者注
②　1935 年 6 月版将"任务"改译为"作用"。——编者注
③　1935 年 6 月版将此句改译为"人们关于原因和结果的概念"。——编者注
④　1935 年 6 月版将"几"改译为"多少"。——编者注

础,因此,因果关系成为科学之必然的基础。科学发现诸现象的因果关系。基于这种发现,未来的实践的行动成为可能。例如,科学发现一定的微菌是人类的疾病的原因。基于这种发现,才能由于对这些微菌的斗争,去治愈害病的人类。又如,科学发现植物的成长依赖于土壤中所含的石灰粉。基于这种发现,才能由于人为的适当的调节土壤的石灰粉,去增高收获性。

因果性是科学之必然的基础。因此,因果性的学说不能不遭遇反动的攻击,这是当然的。第一,因果性之科学的原则之反对者,是宗教。宗教把现象由于目的的实现而发展的见解,和因果性的原则相对立。这种见解名为目的论的见解,或简称为目的论。

现在,试观察目的论和因果论之间的论争。目的论的发展观,在根本上和宗教一致,这是显明的。如果,世界是合目的的被作成并发展的东西,那么,当然要假定世界是遵循强有力的存在物——神——的一定计划,被创造出来的了。并且,这也不难理解——目的论的发展观在本质上否决实践的作用。事实上,譬如说人类社会的发展在某种秘密的目的的影响之下进行,那么,预见其发展并且在其中发生作用,是不可能的。目的论的见解之所以广泛的流行,无论如何,首先是宗教的势力。不过,在宗教之外,还有若干的原因。第一,是人类的行为追求目的的事实。人类和本能的动作着的动物不同,他建立自己的一定的目的,顺从这个目的而行动。目的论的自然概念之所以发生,即在于此。人类在不知道某种现象的原因之场合,往往要由自己的活动的类推,要由某种外力之合同的行动去说明那种现象。第二,人类在观察自然现象之时,往往在其中发现乍看起来好像适合目的一样的事实。例如,动植物的有机体,乍看起来以为是合目的的被构成的。因为观察这种事实的结果,并且因为缺乏科学的说明,于是,目的论的世界观被扩大了,被固定了。

因为以上的理由,在科学的发展还不充分的期间,目的论曾为①有支配势力的世界观。但是,科学一经开始发达,规律性之因果的理解就发达了。在古代的希腊,科学的认识开始发达时,唯物论哲学家德谟克里特斯,已表现为因果性的思想之创始者。和 17 世纪及 18 世纪中科学的进步同时,因果性的思

---

① 1935 年 6 月版将"为"改译为"是"。——编者注

想更进一步地发达了。因果性的解释推翻了发展之目的论的解释。科学发现了：自然诸现象不能由合目性的去说明，而是由因果性去说明。

科学反对所谓合目的性的见地，对自然及社会的一切过程，都由因果性的原则去说明。达尔文说明了，动植物的构造单只看起来是合目的的。他指示了现在存在的动植物的种类，乃是不适于生存的亘几万年淘汰下来的结果。科学并且阐明了：人类行为之合目的性也可由因果性去说明。即，人类的目的，是作为其社会的活动之结果而生起的。例如，普罗列达里亚所树立推翻阶级社会的目的，是被资本主义的基本矛盾——榨取——的解决之必然性所唤起的。

目的论，是知识分子对于因果性之科学的原则之反动所使用的最初的斗争手段。① 其第二个斗争手段，是主观的因果性之理论。因果论中的派别

下面，检讨这种理论。主观的因果性之理论的倡说者，是主观观念论及不可知论的代表者、18 世纪的英国哲学家休谟。关于因果性，休谟写道："大多数人们，由②长时间的习惯而获得记忆之丰富的储藏，因此③，在原因出现时，立刻，即以确信等待那种原因之常时的随伴者——结果"但是在现实上，休谟却这样主张："我们不知道物体怎么样的互相发生作用。这些力或能力，在我们，是全然难以把握的东西。"这样，休谟否定事物间的客观的关联之认识可能性。他把人类对于因果关系的必然性之确信，简单地④以人类观察这种关系之"长时间的习惯"去说明。休谟原是不可知论者，他不得不否定客观的关联之认识可能性。但是，他原来又是主观观念论者，他不得不把因果性简单地还原于我们的知觉之习惯性。这样的对因果性的解释，明白地从因果性的范畴中，夺去了一切科学的意义。休谟的主观主义，被人类的实践所推翻。恩格斯说："人类的活动给予证明因果性的可能性。如果把镜子向着太阳，集中太阳光线于其焦点，由此引起发生普通的火那样的效果时，那么，我们由此证明一、主观的因果论之检讨

---

① 1935 年 6 月版将此句改译为"目的论，是意识形态的反动对于因果性的科学的原则所使用的最初的斗争手段。"——编者注

② 1935 年 6 月版将"由"改译为"因为"。——编者注

③ 1935 年 6 月版将"因此"改译为"所以"。——编者注

④ 1935 年 6 月版将"简单的"改译为"单只"。——编者注

了热能够从太阳取得的是事实。"这样,因果性是客观的存在着,在我们之实践的过程上被我们所认识。

现在,再把机械的因果性之问题,加以考察。机械的运动,是物体受外力的作用而在空间中显现的物体之位置变化。力学,从运动着的物体之内面的变化,实行抽象。它把运动当作外面的原因之结果去观察。单把原因作为外面的东西去理解,这件事,成为因果性之机械的理解的基础。

因果性之机械的理解是无力的。这在"历史之地理的说明"上,明白地暴露出来。这种说明从认定地理环境是决定社会发展的原因那种思想出发。把地理的环境看成决定的原因的那样的人类历史的说明,是机械论的。因为地理的原因对于人类的历史表现为外面的东西。这种错误的见地之支持者,是那用体系和环境的相互作用去说明社会之发展的布哈林。俄国的地理环境和美国的地理环境,非常相似,同样地拥有广大的陆地,同样的蕴藏丰富的矿物,气候上的诸条件多种多样是相同的。然而,为什么俄国和美国的社会状态,大不相同呢? 俄国正进入社会主义的时代,美国却保持资本主义的秩序。依地理的条件,不能说明俄国和美国之社会发展的不同,这是显然的。更进一层说,苏联在 1930 年进到社会主义的时代,但在一千年以前,俄国境内单只小封建的公国存在着,这些公国之经济的发达还不曾进到狩猎、粗笨的农业及畜牧以上。但是,自然的发展,在这一千年之中,是不足挂齿的。平原和山岳,河流和瀑布,草原和森林,以今日比一千年以前①,没有什么变化。那么,为什么住在苏联领土上的诸民族之社会的发展,在这一千年中,经过了很大的变化呢? 为什么分散的封建公国,为集中的君主国所代兴呢? 为什么在这个君主国之中,布尔乔亚和普罗列达里亚发达起来呢? 为什么君主制被推翻了呢? 为什么普罗列达里亚实行了十月革命呢? 为什么苏俄进入了社会主义时代呢? 对于这一切的问题,历史之地理的说明不能给予解答,这种说明,显然不是真实的说明。历史,不应当从地理、从外面的作用去说明。历史,只应当依着历史过程之本身的研究,依着历史发展之内的动力的发现去说明。

---

① 1935 年 6 月版将"以今日比一千年以前"改译为"在今日和在一千年以前"。——编者注

机械的因果性,不能说明具体的运动形态。机械唯物论者,到底不能理解具体的运动形态。例如,亚克瑟洛特女士说:"唯物论的灵魂,是机械的因果性"。明白的,机械的因果性,只能是机械唯物论的"灵魂"。和机械唯物论相反对,辩证唯物论认为发展的过程之原因,是其内的根据。所以,完全如我们所知,辩证唯物论到达于发达过程之真实的理解,预见发展,并且获得指示实践的行动的方法之可能性。

三、辩证
唯物论的
因果论才
是科学的
因果论

第二节　根据与条件

当说明某种过程的发展时,不能单只证明其诸方面的相互作用就算数,还必须进而发现这种过程之内的矛盾,并规定它的根据。

相互作用
中的根据
之规定

提起根据的问题的人,是黑格尔,不过黑格尔把这个问题做了观念论的、错误的解决。关于根据,黑格尔如此地写着:"为要理解相互作用的关系。我们不可以在直接的条件之中,弃掉那两个方面。我们……在这些动因之中,不能不去认识第三的更高级的东西——这种东西就是概念。例如,如果我们把斯巴达国民的道德作为其国家组织的结果,并且反面的把斯巴达国家组织作为其道德的结果去考察,这种考察方法也许①是正确的;但是,仍然没有给予终结的满足。那么,我们还是没有理解国家组织,国民道德罢。只有在这两个方面以及斯巴达国民的生活及历史所显示于我们的其余一切方面,把概念作为其根据而保持时,我们才能得到满足"。

黑格尔在
观念论上
提起了根
据的问题

黑格尔理解了:国家组织和道德,即人类社会之外的相互作用的范畴,是不充分的。在这一点上,他完全正确。他更提出了关于那对于相互作用的两个方面表现为根据的"第三的""高级的"东西之问题。但是,黑格尔怎样解决了这个问题呢? 他把"概念"认作相互作用的根据。明白的,黑格尔对此问题的解决,纯粹是观念论的。在这点上,黑格尔从"现实"移到"概念"。他把概念看成现实的根据。可是,在实际上,不消说是相反的,现实即物质的存在乃是概念的根据。

黑格尔把
根据归着
于理念

---

① 1935 年 6 月版将"也许"改译为"或许"。——编者注

如前面所述,马克思、恩格斯、伊里奇,和黑格尔不同,他们不是在"概念"之中,而在对象之本质的矛盾之中,发现了根据。(页边注:辩证唯物论在对象之本质的矛盾中发现根据)例如,依马克思看来,在阶级斗争之中出现的、生产诸力和生产诸关系的矛盾,表现为当作全体的运动之社会的一切形态的发展的根据。这个根据、基础的运动,决定道德、法律、科学、艺术及其他的上层建筑。

辩证唯物论从作用着的诸原因的总体之中引出根据,在这点上,和机械唯物论异趣。在机械唯物论说来,根据是不存在的。实际上,把在若干的力的作用之下显现的机械的运动加以考察时,这一切力在原则上,相互间是同样的。这些力纵然互有不同,那不过是量的差异。运动在合成力的影响之下显现。并且,这种合成力是当作作用着的诸力之相应的结合的结果而发生的。机械论的主张是如此。可是在现实的发展过程上,并非如此。一切现实的过程,都伴随着内的及外的相互作用。不同质的对象或过程,互相作用着。所以,在现实的过程上,作用着的诸原因之量的结合,并不说明发展①。横在发展过程之根底上的唯一的特殊的原因,是对象之本质的矛盾。辩证唯物论把这个原因从其他种种的条件相区别,名之为根据。

当作内的本质的矛盾而被理解的这个根据,决定对象的发展。但是,对象的发展单只依存于那个根据吗? 这样的假定是错误的。例如,资本主义的发展不仅依存于其生产诸力和生产关系的矛盾,并且还依存于资本主义的发展诸条件的其他一般的矛盾。譬如说,从生产手段分离了的劳动力之存在,即为②资本主义生产过程的一个条件。

对象的发展不仅依存于根据并且依存于条件

根据和条件的对立性,不是绝对的,而是相对的。在发展过程中,根据转化为条件,又在其反面,也有若干条件变成根据。例如,封建社会的根据,是其基本阶级的地主贵族和农民的矛盾,可是,封建社会的发展,在其根据之外,含有种种条件。布尔乔亚和普罗列达里亚之间所开始发生的矛盾,也是其条件之一。历史的发展过程,使封建社会转化为布尔乔亚社会。布尔乔亚社会的

根据和条件的辩证法

---

① 1935 年 6 月版此处添加了"本身"二字。——编者注
② 1935 年 6 月版将"为"改译为"是"。——编者注

根据，即是布尔乔亚和普罗列达里亚的矛盾。而布尔乔亚革命通常不能解决的农民和地主贵族的矛盾，就变成条件。这个条件，一方面表现资本主义发展没有充分成熟，另一方面助长资本主义社会的矛盾之尖锐化。以上是根据和条件之辩证法。

　　不去区别根据和条件，而把前者还原于后者，这是不能容许的。折中主义，单只证明诸现象的相互作用，本质上没有更进一步；所以怎么样也不能理解根据和条件的辩证法。如我们所知，相互作用的本身，什么也没有说明。只有由于根据的发现，即本质的矛盾之发现，才能理解对象的发展。那表现为过程的根据本身的动因之条件，我们名之为本质的条件。决定基本的矛盾之发展的条件，名为本质的条件。本质的条件和其他的条件之间，并没有万里长城的隔离。在根据的发展上，非本质的条件有变成本质的条件的。例如，冗费节约之在战时共产主义时代，不持有本质的意义。可是，随着新经济政策的发展，尤其是在其最后的阶段上，冗费节约就表现为社会主义经济的基础建设之本质的条件了。

本质的条件与非本质的条件之关系

　　发展的源泉是根据。可是，根据在辩证法上，和条件结合着。所以当观察发展之时，不能蔑视条件，特别是不能蔑视本质的条件之意义。然而，人们往往把它忘却了。例如，在1905年揭出"沙皇废止，建立劳动政府"口号的托罗斯基，就蔑视了俄国劳动运动在其中发展着的本质的条件。托罗斯基蔑视了几千万俄国农民的作用及意义。同样，在1926年，托罗斯基和季诺维夫相提携，提倡过度工业化理论——这种理论的目标，在于依着增大农民的课税，使工业发达并提高输出工业品的价格，这时，他仍然蔑视了苏联社会主义建设中的农民之作用及意义。对于本质的条件之蔑视，也是带有少数派色彩的观念论之特征。德波林及其他带有少数派色彩的观念论者，只说及发展之内的根据。但是，他们和托罗斯基完全一样，非常错误地理解了这个根据，即本质的矛盾。这种情形，我们在检讨对立之统一的法则时，已经看出了。在蔑视条件一事之中，表现出带有少数派色彩的观念论，在根本上，有托罗斯基的本质。

各种蔑视条件的错误理论

　　在发展的过程上，条件转化为根据；反之，在发展的过程上，根据转化为条件。不但如此。在发展的过程上，根据造出新的条件，克服旧的条件。为要理解根据怎样造出新的条件，把1931年6月22日斯丹林在经营者会议中的演

根据造出新条件

说加以考察,是最适宜的。他指示了苏联社会基础的发展,全境集团农场化及社会主义改造的成功,引起了俄国工业发展之如此的新的条件。(一)全境集体农场化把农民大众从贫困中解放出来。因此,杜绝了自由劳动力从农村向都市之自发的流入。而且,和工业之一般的成长相关联的失业被清除,反而感到工业上所用的劳动力之不足了。(二)一方面是失业者的清算之结果,他方面是工银制度中错误的均等化的倾向之结果,俄国的工业企业为劳动力的流动所苦。(三)和劳动力的流动相关联的"责任逃避",即对于被委任的工作、机械、器具之责任心的缺乏,在工业中发生了特殊的弊害。(四)俄国生产之巨大的生长,提起了所谓训练劳动阶级的生产的技术的专门家的当前紧急的问题。(五)全境集体农场化及富农清算的成功,谷物问题的克服及社会主义建设之其他的成功,在旧来的技术专门家之间,造成了新的风气。以前同情于害虫们的专门家之某部分人,向着苏维埃政权的方面之转向的征候,被承认了。(六)新的工业建设以及农业的社会主义改造之伟大的展开,唤起了新的蓄积源泉之必要。

根据克服
旧条件

　　他在这个演说中,指明了在新条件之下发展俄国工业之必要的方法及手段。我们在这里来研究其他的问题,即根据的发展所引起的新条件的发生之问题。我们知道根据在现实①造出新条件。但是,根据不单是造出新条件,而且克服旧条件。俄国的农民不是俄国的社会主义的变革之本质的条件。但是,资本主义诸关系的发达,最初促成了普罗列达里亚在俄国劳动运动中的领导;其后,促成了立足于劳动者及农民的同盟之上的普罗列达里亚革命之实现。苏联中的农民,曾经是决定社会主义的直接转变之不可能性的本质的条件。但是,通过"新经济政策",农民被引入社会主义的建设;于是在1930年,苏联就进入社会主义时代了。

　　在发展的过程上,本质的条件演着显著的任务,有时,演着决定的任务。但是,条件被根据的作用所克服。我们的右翼机会主义者,对此没有理解。他们回避困难,不能克服那妨害俄国发展的条件,因而提倡补救弱环,服从这些条件。

---

①　1935年6月版此处添加了一个"中"字。——编者注

第三节　可能性与现实性

伊里奇常说关于发展的两种根本概念——通过增减的发展与对立物的斗争引起的发展。他指出，在这些概念之中，只有第二种概念给予我们以理解"飞跃"、"连续性的中断"、"向对立物的转化"、"旧事物的死灭及新事物的发生"之锁钥。

理解新物产生与旧物死灭的发展概念

机械唯物论固执着第一种发展概念。例如，机械的因果观之特征，就在于想在原因和结果之间设置量的平等。依照能力不灭律之机械论的解释，某一种类的能力之一定量，转移为其他种类的能力之同量。但是，在现实上，原因和结果，不但互相有量的区别，并且还有质的区别。结果比之于原因，是某种新的东西。例如，机械的运动化为热时，在这种转移之中，不仅显现了运动之量的保存，而且显现了形式之质的转化，新东西的生成。这个新东西是怎样发生的呢？——这是我们现在应当检讨的问题。

新物如何发生的问题

新东西不是从"无"生出。新东西是从已经存在的东西并且现在存在的东西生出，从旧东西生出。所以，一见好像是新东西在旧东西之中存在。庸俗的进化论固执着这样的见解。依着庸俗的进化论，新东西以显微镜下的微点存在于旧东西之中，其后，开始生长。和新东西的生长同时，旧东西开始减少，变得为肉眼所不能看见。其结果，新东西发生，旧东西消灭。但是，如果新东西是以显微镜下的大小在旧东西之中存在，旧东西仍然存在于新东西之中，不过是肉眼不能看见它；那就应该说，任何新东西也没有生出，旧东西决不死灭，两者都永久的存在。

进化论对于这问题的答复

辩证唯物论所提示的第二种概念，对于这个问题，怎样的回答呢？

我们知道社会主义在人类社会之一定的发展阶段上发生。无疑的，社会主义比之于资本主义是某种新的东西。那么，社会主义怎样发生呢？明白的，社会主义不从"无"发生，乃从资本主义之中发生。然而，在资本主义之中没有包含着社会主义，也是同样明白的。在这种场合，主张社会主义是"显微镜下的大小"被包含于资本主义之中，那是错误的。由于资本主义社会的发展，由于生产集中的增大，普罗列达里亚也随之发展，资本主义之一切阶级的矛盾

辩证唯物论对于这问题的正确的解答

235

随之激化,革命到来,社会主义的变革实现。如果在资本主义社会之中没有大产业,没有劳动阶级,那么,社会主义也还不能存在。但是,在资本主义社会中,集中化了的产业及劳动阶级既然存在并且发展,那么,在那个范围内,社会主义是可能的。在资本主义社会之发展的一定阶段上,普罗列达里亚推翻旧的产业组织,建设社会主义。这样,社会主义在社会主义革命的过程上,从可能性转化为现实性。

新物的发生是可能性到现实性的转变

现在,我们已经可以解答新东西怎样发生的问题了。虽说新东西从旧东西发生,然而却不能说,新东西是以眼所不能见的某种形状,被包含于旧东西之中。新东西是在可能性上被包含于旧东西之中的。新东西由于这种可能性之被转化为现实性而发生。

可能性的范畴

为着接近于解决新东西的发生问题,我们要提示可能性之范畴中的几种异见①。为此,试把马克思主义对于社会主义的组织的可能性之问题的见地,和空想社会主义对此问题的见地,比较观察。19世纪的二三空想主义者,认为社会主义的组织可依资本主义社会中生产合作社的扩大而被实现,并且一定能实现。照他们的意见,合作社能够使具有资本的一切人们渐次地结合起来,因而资本主义社会就能够转化为社会主义社会。他们预想着,因为社会主义生产比较资本主义生产的好处是极显明的,所以用宣传及实例使人人能够理解社会主义的好处,社会主义就可以实现。但是历史把合作社社会主义的希望粉碎了。“合作社,在资本主义国家的诸条件之下,不过是合作的资本主义的设施”(伊里奇),这件事被马克思主义证明了。马克思主义的创始者们看出:一种社会组织被他种社会组织所代替,这不是当作某种见解或思想之和平的逐渐扩布的结果而显现的,乃是当作激烈的革命的阶级斗争的结果而显现的。以上是社会主义的可能性的两种范畴。一种是合作社社会主义所依恃的范畴,一种是马克思及恩格斯所发现的范畴。依据上面所说的情形,可以把第一种可能性名为抽象的可能性,把第二种可能性名为实在的可能性。我们不能不区别可能性的这两种范畴。伊里奇关于抽象的可能性,如此地讥诮地说着:任何的转化,愚顽变成睿智,也是可能的。但是,现实上,那样的转化,很

① 1935年6月版将“异见”改译为“意见”。——编者注

少发生。单只在转化的可能性上,我不会停止把蠢子想作蠢子。

然则,实在的可能性和抽象的可能性之区别,在哪里? 解答这个问题,现在已经没有困难。上节曾就根据即发展过程中之本质的矛盾说明过了。劳动阶级是资本主义组织之主要矛盾的一方面,这是很明白的。并且,劳动阶级随着资本主义组织的发展,在数量上增大起来;更重要的是,劳动阶级结合起来,训练起来,组织起来,由"自在的阶级"转化为"自为的阶级"。普罗列达里亚把资本主义发展的全过程所生出的社会主义的可能性之诸前提,当作在普罗列达里亚革命过程中,转化为现实的力表现了。所以,所谓实在的可能性,是在根据的发展之中被包含着的可能性。反之,抽象的可能性却不具有这种质。例如,合作社社会主义的代表者所依恃的合作社,不是资本主义社会的发展及其向社会主义转化的根据。在资本主义社会之下,合作社是"合作的资本主义的设施"。并且,在帝国主义的阶段上,合作社转化为资本主义的独占之单纯的附属物了。以上,是抽象的可能性和实在的可能性的差异。

实在的可能性与抽象的可能性之区别

在空想主义者的眼目中,资本主义社会诸条件下的合作社,被看成社会主义之实在的可能性。但他们的见解,是单纯的抽象。如伊里奇所指示,合作社只在普罗列达里亚独裁的诸条件之下,才成为把农民引入社会主义建设之中的必要手段。在这里,合作社由抽象的可能性转化为实在的可能性,这是明显的。为什么呢? 理由是因为在社会主义建设的时代中,合作社的发展变成过渡期社会的根据的发展之必然的倾向。建设社会主义的普罗列达里亚,不能不向着勤劳农民之合作社化突进。这种合作社化,其后转移于全境集体农场化,因而变成为解决建设社会主义的国家中之基本的阶级矛盾的手段。这样,抽象的可能性被转化为实在的可能性。反之,也有实在的可能性转化为抽象的可能性。例如,在建设社会主义的国家中,想使资本主义复活;在这种场合中,合作社便由实在的可能性转化为抽象的可能性。当然,一切抽象的可能性并不是都转化为实在的可能性;又,实在的可能性也不一定常常失去它的意义。这些范畴之相互转化的问题,由其具体的意义以及发展过程之一般的路程所决定。

实在的可能性与抽象的可能性之相互转变

这样,那转化为现实性的可能性,不是一切的可能性,而只是实在的可能性,即只表现根据之运动的可能性。但一切根据都包藏着矛盾。其结果,一切

两个实在的可能性问题之说明

237

过程之发展的实在的可能性,不是一个,而是两个。

关于发展之两个实在的可能性之问题,在马克思、恩格斯、伊里奇及斯丹林的著作中,给予了极有兴味的并且深刻的解明。(页边注:19世纪中叶德国革命的两个可能性)

在1848年的革命时代,马克思提起了德国革命将沿着两个可能的过程发展的问题。马克思看出一个过程是布尔乔亚革命向着普罗列达里亚革命之连续的转化,又一个过程是布尔乔亚时代之革命的完成。明白的,1848年德国革命的这两个实在的可能性,表现了当时德国社会之本质的矛盾之两方面的可能的发展。马克思赞成了第一个过程。他说:"民主主义的小布尔乔亚希图尽可能的早点结束革命;反之,我们的利益和我们的任务,在于不断地把革命连续的实行,直到那持有多少财产的一切阶级从其支配的地位中被驱逐,国家政权被普罗列达里亚所夺取,不单是一国的并且全世界的一切支配的国家中的普罗列达里亚的团结显著进步的结果,这些国家中普罗列达里亚的竞争消灭,而且至少最主要的生产诸力都集中于普罗列达里亚的手中"。

在19世纪中叶的德国,布尔乔亚革命向着普罗列达里亚革命之连续的转化,没有实现。可是,马克思的分析,在历史上,上演了非常重要的作用。伊里奇体会了这种分析,完成了布尔乔亚民主主义革命向社会主义革命转化的伟大的理论。在1905年,伊里奇如此地说过:"俄国之经济的及政治的组织,向着布尔乔亚民主主义的方向变革,是不可避免的,是不可抗的。地面上之任何的力,也不能够妨阻这种变革。但是,从造出这种变革的现存诸势力之作用的构成,将能生出这种变革之二重的性质,或二重的形态。二者之中,(一)是,事态由于'革命对沙皇主义之决定的胜利'而告终结;(二)是,没有取得决定的胜利之力量,事态由于布尔乔亚之最'不彻底的'并且'最利己的'要素和沙皇主义的妥协而告终。任何人所不能预见的细节及构成的无限复杂性,在大体上,总要正确地归着于这两个联结之一。"在19世纪中叶的德国,没有对于君主制获得决定的胜利之力量。所以,在德国,君主制存续到1918年,资本主义的组织直到今日还存在着。在1917年的俄国,对于沙皇主义之决定的胜利被取得了,布尔乔亚民主主义革命转化为社会主义革命了。

发展的两个实在的可能性之问题,在苏联新经济政策的初期中呈现了。

当时，伊里奇说道："斯美诺勃夫主义，表现着无数的布尔乔亚及苏维埃的使用人与我们新经济政策的参加者之心理。这是根本的现实的危险。因此，在这问题之中，我们不能不把注意集中于谁战胜谁的问题。"于此，伊里奇提起了"谁战胜谁？"的问题。普罗列达里亚胜利呢，或布尔乔亚的要素绞杀社会主义呢？只有社会主义的工业化，农业的全境集体化以及富农阶级之清算的成功，是这个问题之终局的解决。只有这种成功，把社会主义之实在的可能性转化为现实性，因而完全除去苏联中资本主义复活之内的可能性。但是，在国际的规模中"谁战胜谁？"的问题，愈益尖锐化起来。斯丹林说："或是我们于最短期间在技术的方面追上并超过先进资本主义诸国，或是我们被压溃。"在这里，存在着与世界社会革命时代中世界的社会之本质的矛盾的两个方面相对应的两个实在的可能性。

以上是可能性向现实性转化的问题之本质。根据以上所述，我们能够对于已经说过的机械论的因果论，加以补充的结语。前面说过，机械论的因果性是外的因果性，是外力的结果。我们又说过，机械论者蔑视原因和结果之间的质的不同。现在，可以明白机械论的因果性中这两种特性是互相关联的。新质的发生，乃是一定的实在的可能性向现实性转化的结果，即根据之运动的结果。可是，机械论者不理解内的矛盾之作用。他们把因果性还原于外力的作用。其结果，他们当然不能理解原因和结果之质的特异性。在机械论者的眼中所映出的运动的形相，极端的被单纯化了。即是说，某种物体在空间中变化其位置，而与其他物体冲突时，他物体就不同样地移动起来。这也是外力的作用，在这种场合，任何质的转化也没有发生。问题被还原于机械的运动之量的保存。即，第一个物体所失掉的机械的运动，被第二个物体所获得。

新东西之生成的源泉，是根据的运动。可是，这并没有说，种种的条件在这种过程上不发生任何的作用。如前面所述，在发展的全部过程上，条件①具有一定的意义②。不论在新东西的生成之际，或在实在的可能性转化为现实性之际，条件都具有意义，这是不待言的。苏联的普罗列达里亚和农民同盟，

---

① 　1935 年 6 月版此处添加了一个"是"字。——编者注
② 　1935 年 6 月版此处添加了一个"的"字。——编者注

在 1918—1920 年的内乱及干涉中,保持了十月革命的胜利物。但是,那打倒了本国布尔乔亚的匈牙利的[①]劳动者,在帝国主义战争终了以后,却被资本主义的干涉者的武器所压倒了。苏联和匈牙利之社会主义的归结,所以不相同的条件之一,在于地理环境。苏联因为具有广漠无涯的国土,所以能够支持内乱;反之,在和反革命的资本主义诸国毗连的匈牙利,因其领土的狭小,所以劳动者革命的发展,不能顺利地进行。

可能性向现实性转化过程中的条件之意义,不可过大评价,亦不可过小评价。在这种场合中,条件之过大评价,就要变得和机械论者把条件与根据看作同一的一样。例如,在苏联社会主义建设之问题中的托罗斯基及季诺维夫的假国际主义者,就是那样。斯丹林说:"俄国呈现着矛盾的两个集团。矛盾之一个集团,是存在于普罗列达里亚及农民之间的内的矛盾。矛盾之另一个集团,是存在于当作社会主义国家的俄国及当作资本主义国家的其余一切国家之间的矛盾。第一个集团的矛盾能够由一国的诸条件所完全克服,第二个集团的矛盾在其解决上却有赖于二三其他国家的普罗列达里亚的努力之必要——把这两个集团的矛盾混同起来的人,是对于伊里奇主义冒犯了最大错误的人。这样的人们是昏乱者,否则是不可测的机会主义者。"

在一国的社会主义建设的过程上,其根据,是第一个集团的矛盾。至于第二个集团的矛盾,是外的条件。自然,如果外的矛盾被解决了,即如果国际的普罗列达里亚胜利了,那么,社会主义建设的任务将是非常容易的。如果国际普罗列达里亚革命没有成功,那么,一国内的社会主义建设,将成为困难的事业。不但如此,在国际普罗列达里亚革命没有成功的场合中,一国内的社会主义建设,还有被干涉及复古所中断的可能性。这个命题,在第十四次党大会中被确认;在其决议案中,写着:"对于布尔乔亚诸关系的复古,具有完全的防止的意义上的社会主义之终局的胜利,只有在国际的规模上,才是可能的。"但是,不论在一国内实行社会主义建设的特殊困难,或这个国内资本主义之复古——由于外国干涉——的危险,并不成为否定一国内社会主义建设的可能性之论据。这些困难,这种危险,不过是条件。一国内的社会主义建设之可能

---

① 1935 年 6 月版删除了"的"。——编者注

性,是被根据的运动、被这个国内的劳动阶级能否克服其内的矛盾所解决的。如果,这劳动阶级已使社会主义建设开始成功,那么,去否定其完成这种建设的可能性,是不逻辑的。托罗斯基及季诺维夫不能理解这些考察。他们的谬误,在方法论上,就是不能区别根据和条件。因而在政治上,他们的谬误,就意味着机会主义。斯氏对于他们的见地,给予了批判。并且五年之后,即在1930年,第十六次党大会确认了苏联已经进入社会主义时代。

可能性向现实性转化过程中的条件之意义,不可作过大的评价,也不可做过小的评价。如果党主张苏联中社会主义的建设是可能的这种命题,而同时不指明那意味着防止干涉及复古的革命之终局的胜利只有在国际的规模中才是可能的,那么,党就是把苏联社会主义建设的条件过小评价,无视了从资本主义的外国所发生的危险。然而,区别了根据和条件的党,同时,预见了条件的意义。所以,托罗斯基、季诺维夫及其他对于党的决议之批判①,在理论上是无力的,在政治上是有害的。

我们阐明了在一定的条件之下,新东西从旧东西中生出,实在的可能性转化为现实性。但是,单只这样,可能性到现实性的问题,还不能说已经完全解决了。怎么样并且由于什么,可能性转化为现实性呢？这个问题还存留着。

如前所说,实在的可能性,在根据即本质的矛盾之必然的发展中,被包含着。为着实现社会主义,普罗列达里亚革命是必要的。社会主义,并不能依着自己生长而从可能性转化为现实性。于此,明白的,普罗列达里亚只有通过斗争、革命的活动,才能把社会主义的可能性转化为现实性。右翼机会主义者对此毫不理解,宣扬了自己生长的理论,阶级斗争的消灭等。斯氏说:"右翼机会主义者主张着:新经济政策在我们之中保证社会主义的胜利,因而不须注意工业化的速度、集体农业以及国营农业的矛盾等;因为胜利的到来,总是确实的,譬如说它是自然发生的。这种主张,当然是不正确的并且愚劣的。这样的说法,等于否定社会主义建设中的党的任务,否定党对于这个建设的责任。伊里奇决没有说过新经济政策在我们之中保证社会主义的胜利。伊里奇只说:'新经济政策在经济上在政治上对我们保证社会主义经济之基础工事的可能

右栏注:可能性转化为现实性基于斗争的现实

---

① 1935年6月版将"批判"改译为"批评"。——编者注

李达
全集

第
十
卷

物质的自
己活动规
定自身由
可能性到
现实性的
转变

物质的自
己活动不
是物活论

性。'但是,可能性并不是现实性。为要把可能性转化为现实性,首先,应当放弃自己生长论,重建(改造)国民经济,对于都市及农村之资本主义的要素加以决定的攻击。"

不单只社会主义,任何历史的现象,都是当作人类之积极活动的结果而到来的。马克思说,"人类自己制造其历史"。可能性之通过活动而转化为现实性,不单是关于人类历史发展的事实,即自然的发展也是如此。物质具有积极性与自己运动。这自己运动,规定物质所具的可能性向现实性的一切转化。物质,依着积极性,在一定的条件之下,使其可能性转化为现实性。

和这个问题相关联,我们应当检讨普列哈诺夫的一种错误。

普列哈诺夫倾向于承认物活论——即一切物质,一切事物,在某种程度上,都具有活气的思想。普列哈诺夫在其哲学的著作中,涉及物活论说。例如,在《马克思主义根本问题的解说》中,普列哈诺夫说:"在现代自然科学上,所谓物活论,即物质一般特别是有机物在一定的程度上具有感性的学说,相当急速地扩张起来。这个学说被一部分人看作是和唯物论正相反对的东西,但是如果正确地理解了之时,这个学说不过是把那关于存在与思维,主观和客观之统一的费尔巴赫唯物论的主张,化为最新自然的言词而已。"普列哈诺夫的这种说法,明白地显示着他是表同情于物活论。并且这种同情绝不是偶然的,正好像普列哈诺夫对于费尔巴赫及其他若干初期唯物论者采取无批判的态度,不是偶然的一样。否定新东西之生成的机械唯物论者,不能说明意识在物质发展的一定阶段之上发生,因此,他们之承认的物活论,是当然的。物活论,以为无机物也具有极贫弱而难见的程度的意识,这样的见解,在自然科学及哲学还没有发达的 17 世纪及 18 世纪的唯物论,尚可原谅,至于生在黑格尔,马克思,恩格斯之后,目击了 19 世纪自然科学之进步的普列哈诺夫,也倾向于这种见解,那是不能容许的事情。普列哈诺夫对于这个问题的研究,不是辩证法论者的立场,所以,他不能正确的解决在物质发展之一定阶段中意识发生的问题。对于这个问题,唯物辩证法论者是依着上述可能性和现实性之辩证法的关系去解决的。和这个问题同样,那向社会主义推移的可能性,在资本主义之中被包含着。这种可能性,在一定的条件之下,通过劳动阶级的斗争而转化为现实性。同样,意识的可能性在无机物中被包含着;这种可能性,在适当的条件之下,即物质到达了一定的发展阶段,组织阶段时,基于物质之积极性而转化为现实性。恩格斯说:"在物质的本性之中,包含着物质发达而成为思维的存在物之事情。所以,在适当的条件存在时,这种发达常是必然的进行。"这是对于意识发生的问题之唯一正确的答复。自然,这种回答,单只是最初的方法论的回答。具体的解决,①这个问题的学问,是特殊科学。可是,特殊科学,只有从正确的方法论的规定,即从唯物辩证法所给予的规定出发的场合中,才能够解决这个问题。

以上,我们阐明了实在的可能性向现实性转化的问题。可是,在现实上,还有新的实在的可能性发生的事实。这些新的实在的可能性,不是如机械论者所主张的那样,以为从最初起就在物质之中被包含着,新的可能性,乃是在一定的阶段中之一定的条件下,由于物质之具体的发展被造出的。例如,无机物,只有在其发展之一定的阶段上,并且只有在一定的条件之下,才作出生命之实在的可能性。进到社会主义时代这件事,造出许多新的实在的可能性,即工业发展之新的未曾有的速度,大众文化发展之新的未曾有的展开,科学及技术发达之新的可能性等。

新的实在可能性之发生

我们要以此来结果实在的可能性及现实性之相互关系的问题的讨论,带有少数派色彩的观念论,无视了这个问题。对于这个问题之上述的分析,在带有少数派色彩的观念论之中,是看不见的。这种观念论,其对于辩证唯物论之理解,本质上没有进到普列哈诺夫以上。马克思、恩格斯及伊里奇关于可能性及现实性的问题之深刻的贵重的思想,被德波林学派所蔑视了。马克思、恩格斯及伊里奇的这些思想,在党大会的决议及斯氏的著作之中,被发展了,被具体化了。可能性和现实性的范畴之历史的展开,精当地指示出:在我们哲学发展之过去的阶段上,把唯物辩证法发展了的是谁呢?破产了的哲学的指导呢?抑是党的指导呢?这个历史又指示出:唯物辩证法怎样的发展了呢?并且怎样才能发展呢?在哪从生活割离了的静悄悄的哲学研究的书斋中发展的呢?抑在革命的斗争及社会主义建设的经验之中发展的呢?

可能性和现实性的范畴之历史的展开具有重大意义

---

① 1935 年 6 月版删除了逗号","。——编者注

第四节　偶然性与必然性

　　我们在前节已经说明了:新事物是当作根据的发展之结果产生的。新事物的原因,是旧事物的根据之发展。但我们又知道,对象的根据是不横在表面上的。为要发展根据,深刻的分析是必要的。所以人们往往不理解多种现象的原因。他们没有看到现象的原因,所以把这种现象叫做偶然的,对它不感到兴趣。恩格斯批判这种见解,说了下面一段话。

　　能够在法则之下包摄的东西,因而是知道着的东西,就感兴趣。但不能在法则之下包摄的东西,因而是不知道的东西,那就随便怎样都可以,不必注重它。但在这种见解之下,一切科学都要完结。因为科学的任务,在于探求我们所不知道的东西。这就是意味着:在一般法则下能够包摄的东西,被看作是必然的东西;不能包摄的东西,就被当作偶然的东西。这样的科学,是把能够说明的东西作为自然的东西,把不能理解的东西归着于超自然的原因的科学,这是容易看到的。在这种场合,把我们所不能理解的现象的原因归着于偶然,归着于神,在事实的本质上,全然是任何方面都可以的。这两个名称,单是自己的无知的表现,与科学的知识全然无关。科学在必然的关联失掉效力的处所,是不存在的。

　　事实上认定一切不明白的东西为偶然的东西——与合法则的东西相对的意义上的东西——这件事,与认定超自然的东西相等,意味着完全排斥科学的发展。恩格斯的下面一段话,是比较不容易理解的。他接着上面所引用的文句,这样说着——

　　采取与它相反的立场的东西,是从法国唯物论移到自然科学中的决定论。这种决定论,一般的否定偶然性,因此了结偶然性。依据这种见解,在自然之中,只是单纯的直接的必然性支配着。这个豆荚中,有豌豆

五粒,而不是四粒或六粒;这狗的尾巴是五寸,不长一分也不短一分,这个
苜蓿的花,今年由于蜜蜂,并且由于一定的蜜蜂,在一定时期结实,那个苜
蓿却不是这样;因风而运行的这一定的蒲公英的种子发了芽,别的种子却
不曾发芽;昨夜蚤虱在黎明四时咬我,而不是三时或五时,并且咬的是右
肩而不是左肩——这一切,都由于原因结果之必然的联结而引起,由于不
动的必然性而结合。太阳系所从发生的气体球,其构成恰如那些事像只
照上述那样发生的一样。用这样的必然性,我们也不能超出神学的自然
观的界限。在科学上,我们与奥古斯庭及加尔文一同把它叫作神的永远
的摄理,或者与土耳其人一同把它叫作必然性,完全是无论怎样都可
以的。

偶然性一般的否定,一切东西都具着绝对必然性而发生的这种事实的承
认,是对于宿命论的信仰,即对于不变的①命的信仰。恩格斯说,这种见解,是
从法国唯物论移到自然科学中的东西。我们的机械唯物论者,恰好站在这种
见解之上。据他们的主张,在现实之中,一切的东西,一律是必然的,所谓偶然
性只是主观的范畴,我们叫作偶然的现象的东西,是我们还没有知道它的原因
的现象。

例如布哈林这样说着:"严密地说来,偶然的,即没有原因的现象,一个也 〔布哈林对
没有。现象,在我们没有充分知道它的原因的范畴内,反映为'偶然的'东 于两者的
西。"在这里偶然的问题与因果性的问题,不正当地被混合着。但是偶然性的 见解〕
否定,却完全表现出来。诚然,没有原因的现象是不存在的。而因果性不与偶
然性对立,如前面所说,它与合目的性对立。偶然性所对立的东西,是必然性
的范畴。没有原因的现象既然一个也不存在,就绝不能发生偶然的现象不存
在的结论。

所谓偶然性没有客观的意义那种机械论者的主张,被德波林派的批判所 〔德波林派
打破了。这种批判含有着真理的一片,同时也含有错误,不是充分的东西,我 对于这两
们先就偶然性的问题叙述德波林派对于机械论者的批判中的正确的部分,然 者的见解〕

---

① 1935 年 6 月版此处添加了一个"运"字。——编者注

后再说明德波林派的错误究竟在哪里，是否有什么订正它的必要。

德波林派，非难机械论者否定偶然性，但是批判机械论者的时候，并不曾从偶然性是外力的结果那个命题前进一步。并且，他们自己在这一点也犯了错误。为说明这种错误，我们要注意德波林的下面一句话："——由于从事物之必然性的本性以外发生的纯粹外面的条件所规定的一切东西，都可以叫作偶然的。"在这句引用文之中，我们加上傍圈的处所，是不正确的。究竟"纯粹外面的"条件是什么？那样的东西，在现实上是不存在的。在现实上，外面的与内面的，都是相关的范畴。对于某种过程是外面的东西，对于别种过程就是内面的。因而偶然性这个范畴，是相对的。蛇腹的落下，在被打而死的不幸的人的生命看来，是偶然性。但是对于蛇腹本身的发展过程，在一定瞬间中它的落下，反而是必然性。因此，所谓"偶然的东西，从事物之必要的本性以外的东西发生"那种思想，显然错了。蛇腹落在过路人之上，这是偶然性。但这种偶然性是从蛇腹之必然的本质，从它的落下发生。我们不能像机械论者那样，把偶然性与必然性视为同一，也不可以使这两个范畴形而上学地互相对立。

恩格斯一方面批判了把不知道的一切东西认为偶然的人们的见解，另一方面批评了对于偶然性的机械论的决定论的见解，又这样写着："与这双方的见解相反，黑格尔提出了前代未闻的主张。即，偶然的东西有根据，因为它是偶然的。但它又没有什么根据，因为它是偶然的。偶然的东西是必然的，必然性本身，把自己当作偶然的东西规定，另一方面这种偶然性无论①是抽象的必然性。"恩格斯这些话以及黑格尔的与这相当的处所，德波林派和德波林自己，曾经引用了无数次。但是他们对于这些话，并没有明白理解。否则，为什么说偶然性是从必然性以外的东西发生的呢？

偶然性与必然性，与现实性的其他一切范畴同样，是辩证法的、互相转变的范畴。关于偶然性与必然性，可以确立如下的五个命题，并且必须确立。（一）偶然性是种种过程的相互作用的结果。（二）偶然性转化于必然性。（三）对象的发展之必然性，由其根据的发展所规定。（四）必然性积极的克服

---

① 1935 年 6 月版将"无论"改译为"毋庸"。——编者注

偶然性。(五)必然性在偶然性的形态上表现。以下举出两个例子来说明这五个命题。

每个劳动者参加革命运动与否,在革命运动的过程上,这是偶然的事情。为什么呢? 因为他之参加与否,系于很复杂的事情——这个劳动者的出身、他的年龄、劳动、家庭形态、他的朋友、他的教育程度与教养、历史的时期、革命团体的活动、劳动者所受的剥削的程度等。换句话说,每个劳动者参加革命运动与否,依存于与这个劳动者的生活相结合的种种色色的原因与条件之极复杂的相互作用。所以每个劳动者参加革命运动与否,对于革命运动全体的过程,是偶然的东西。但是,从那样的偶然性形成革命的劳动运动。这种运动,已经是必然的。因而必然性是偶然性的被转化了的形态。为什么革命的劳动运动是必然的呢? 这是因为资本主义社会的基础,在其自身中包含着资产阶级对于劳动者的压迫与剥削。因为资本主义的矛盾,随着资本主义社会的发展而增大。对象(在这里场合是劳动运动的发展)的必然性由其根据的发展所规定,因此可以明白了。这种必然性,不顾那通过一切偶然性而表现的资本主义国家所实行的资本家的残酷的迫害,也不顾种种基督教团体的宣传,也不顾社会改良主义与社会法西斯主义,而参加于革命运动的劳动者人数,却随着资本主义社会的发展而不断增大了。事实上,必然性通过一切偶然性,展开着自己的道路。另一方面,必然性不离开偶然性的形态而表现。发展着的劳动运动,表现于每个劳动者参加这种劳动①的形态之中,表现于运动的每个行动——罢工、示威运动、暴动等——的形态之中。必然性的每个发现形态,依存于互相作用的无数的原因与条件,因而是偶然的。

每个动物的生死,关系于无数的极复杂的原因,因而对于一定的动物种属之发展,是偶然性。所以在这里,偶然性是相互作用的结果。从那样偶然性的总体,形成了这动物种属的发展。动物种属的发展,在一定根据之上——自然淘汰的根据之上,必然地显现着。在这里,必然性通过偶然性而起作用。就各个的场合看来,最适应的有机体反而灭亡,不怎样能适应的有机体反而生存。但这些各个的场合,为一般的规律性所克服——在多少长久的时代之中,种属

---

① 1935 年 6 月版将"劳动"改译为"运动"。——编者注

的发展,必然地显现着。但同时,必然性,在这种场合,也不表现于偶然性以外的形态。种属的发展,在其各个代表者的生活之中表现出来。各个①代表者的生活,在各个的场合中,是在无数的相互作用的种种原因的影响之下形成的。

这些例子,证明上面的命题之正确。这些命题的重要性,在于由它决定科学的预见。(页边注:科学的预见之决定)

偶然性转化于必然性,转化于对象之内的根据之发展。根据之发展,克服偶然的盲目的游戏。因此,我们由于发现根据的发展,可以预见对象自身的发展。这样,马克思预见了社会主义革命的到来。如果他不因此预知各个一定的劳动者怎样去活动,以及各个一定的资本家怎样去对付劳动者,他当然就不能预见社会主义革命了。但是,在马克思看来,预见各个一定的劳动者与资本家的运动,却一点必要也没有的。他发现了资本主义社会的发展法则。即发现了资本主义社会之发展,必然引起阶级的矛盾之尖锐化、普罗列达里亚的革命。马克思根据这一点,预见了社会主义革命。他的预见,已经由历史美满地证明了。

预见的问题,在上面还没说完,我们现在再来研究这问题。现在根据上面所说的话,可以批判机械论者对于偶然性的见解。这种批判,比较德波林派的上面所引用了的批判,更加展开了。

机械论否定偶然性之错误　机械论者否定偶然性,认定世界一切的东西一律是必然。所以从他们的见地说来,要预见对象的发展,就必须预见与这对象的发展有关联的一切偶然性的发展。机械唯物论的代表之一,18 世纪法国哲学家霍尔巴哈,主张了国民的历史,能够依存于立法者头脑中的原子的运动。如果霍尔巴哈的主张是正确的,历史科学就会明明的不可能了。为什么呢? 因为要研究人类头脑中每个原子的运动,终究是不可能的。机械论者的见地,引导到科学的否定,这是明白的事情。科学的可能性,一方面由必然性与偶然性之现实的差异所决定;另一方面由偶然性转变为必然性,与必然性通过偶然性起作用那件事所决定。

---

① 1935 年 6 月版将"各个"改译为"这个"。——编者注

　　偶然性之机械论的否定：实质上不外是承认绝对的偶然性。我们已经说明了：对象的发展的必然性，由其根据的发展所决定；根据的发展，由其内在的积极性克服偶然性。机械论者没有理解发展过程中的根据的作用与意义，所以他们的"必然性"只是偶然性。恩格斯的下面一段话，完全是正确的。"如果①一定的豆荚含有六粒豌豆而不是五粒或七粒的那种事实，是与太阳系的运动法则或能力转化的法则具有同样性质的现象，那么，事实上不是把偶然性提高到必然性的水准，反而是把必然性降低到偶然性的水准。"

　　恩格斯指摘了：机械论的否定论，"语言上虽否认偶然性一般，而实践上在一切各个场合，却承认它"。这些话的真实性，被右翼机会主义者的理论与实践巧妙地证明了。史丹林对于他们这样说过："右翼反对派以前的指导者，不理解我们多数派的速度，不相信这种速度。他们一般对于超出渐次的发展、自己生长的框子以外的东西，什么也不容纳。不单如此，我们多数派的速度、关联于改造期的新发展过程、阶级斗争尖锐化的结果，使得他们感到狼狈、失神、恐怖、惊愕。所以，他们当然要放弃与党的最尖锐的口号有关联的一切东西。他们与有名的契可夫的小说的主人翁、希腊语教员、箱中的男人贝里可夫，害了同样的毛病。你们记得契可夫的小说《箱中的男人》吗？这个主人翁，如大家所知道的一样，无论在热天或冷天，随时穿着套靴，穿着棉外套，拿着雨伞走路。'对不住，为什么你在六月的热天中，穿着套靴，穿着棉外套？'有人这样质问贝里可夫。于是贝里可夫答道：'这是万一的准备，因为有什么事情发生是不知道的。忽然冷起来，那时怎么办？'害怕新事实，没有从新处理新问题的能力，'有什么事情发生是不知道的'——这样的狼狈、箱中的男人的这些特征，正是右翼反对派以前的指导者现在妨碍与党相一致的东西。"在理论上，右翼机会主义者否定偶然性。但在实践上，他们在偶然性之前，感到恐怖，感到恐慌。要之，他们不理解发展过程中根据的作用，不理解偶然性为根据的积极性所克服。

　　现在我们回到科学的预见的问题。

　　我们说明了偶然性转化为必然性的事情。因此，预见现象的发展，是有可

科学的预
见之可能

---

　　① 1935年6月版将"如果"改译为"如以为"。——编者注

能的。但我们又看到了必然性本身表现于偶然性的形态之中。因此,我们的一切的预见,不能不受某种程度的限制。必然性所表现的一切具体形态,不能预见它。但我们不能不努力尽量地使我们的预见成为具体的。为要使我们的预见成为具体的,就不能不尽量深刻并且全面的去研究对象。伊里奇说:"要真实的知道对象,就必须把捉并研究其一切的方面、一切的观念与'媒介'。我们绝不会完全做到这一层的罢,但全面的要求警戒我们避免错误与硬化。"

马克思努力的尽量深刻并且全面地研究了资本主义。他根据这样的研究,引出了关于社会主义革命的发展的许多具体的结论。例如,他指摘了:普罗列达里亚,不能占领现成的布尔乔亚的国家机关;普罗列达里亚,必须把它破坏,造出自己的新的权力装置。伊里奇在其社会主义革命的发展的预见中,也没有满足于抽象。反之,他努力了要尽可能地具体地研究这问题。

我们知道,少数派色彩的观念论者德波林派,没有正确地理解必然性到偶然性的转变,所以他们的预见是抽象的。

第五节　必然与自由

必然与自由的问题之提起

　　人类的行动由必然所制约呢,或是自由呢? 这个问题,是最复杂的哲学问题之一,哲学家关于这问题做过无效的论争,在长时间内不能解决它。哲学家对于宗教应该承认人类有自由与否这问题,非常地感到了苦恼。在中世纪天主教神学者之间盛行了关于这问题的讨论。包括基督教的大多数的宗教,如同可以承认人类对于罪恶的责任一样承认了人类的意志之自由,现在也承认着。

　　在必然与自由的相互关系的问题上,提起了有趣味的见解的人,是斯宾诺莎。他把欲情对于灵魂的支配看作必然或奴隶状态;把脱离这种支配的解放——这是由于自然的认识得到的——,看作自由。斯宾诺莎的见解的缺点,在于他直观的、并且不解决了这问题,而不是根据于必然的认识去解决它。①

----

① 1935 年 6 月版将此句改译为"斯宾诺莎的见解的缺点,在于他直观地解决了这问题,并且不是根据于必然的认识去解决它的。"——编者注

但是他结合了必然与自由,指摘了前者转变为后者,这是值得注意的。在这一点,康德却大大地退步了。康德开深了必然与自由的鸿沟。据康德说来,人类,当作现象界的存在物看,是绝对受制约的。但人类的灵魂,属于"物本体"的世界,它是完全自由的。

恩格斯说,最初在辩证法上提起了自由与必然的关系的问题的人,是黑格尔。恩格斯说:"在黑格尔说来,自由是必然的洞察。"恩格斯自己,对于自由的问题,这样规定着——"之所以自由不外是根据于自然的必然性之理解的、对于我们自己与外部自然的支配。所以自由,必然是历史的发展之产物。"下面我们解释恩格斯这句话。

恩格斯对于这问题的规定

我们已经说明了,人类是认识必然性的。于是我们不能不考察认识了必然性的人类现象的发展上发生实践的活动这件事。① 例如,人类在有害的细菌侵入体内与患病两件事之间,认识其必然的关联。于是他讲求传染的预防手段。又人类认识土壤的化学构造与植物的成长之间所有的关联。于是他为着要增高自己的田地的收获率,就施用人造肥料。人类在认识必然性以前,他是必然性的奴隶。在上面的例子中——他害病,他对于收获不良感觉苦恼。然而人类一旦认识必然性,就学习支配它,通晓于事物而行动。照这样,自由就是根据于必然性的认识而支配必然性。

自由根据于必然之认识而支配

恩格斯说过,自由是历史的发展的产物。关于自然的知识之历史的发展,及其在生产方面的实际应用的全过程,是人类从自然的必然性解放的过程。人类在其历史的初期,曾经是自然的奴隶。但是从那最初期的时代以后,人类除了自然的隶属以外又加上了社会的隶属。随着私有财产的发达与阶级社会的发生,人类变成了人与人诸关系的奴隶。阶级社会的压迫,在经济恐慌与帝国主义战争等用完全的破坏威胁社会的、资本主义社会的阶段上,达到了顶点。但马克思在被压迫阶级的斗争中,发现了人类从社会的奴隶的状态解放出来的道路。社会主义革命,就是人类脱离社会的、阶级的诸关系的压迫的解放。未来的共产社会,就是人类从社会力的压迫解放出来、从自然力的压迫解

---

① 1935 年 6 月版将此句改译为"于是我们不能不考察认识了必然性的人们在现象的发展上发生实践的活动这件事。"——编者注

放出来的社会。

我们知道,自由是历史的发展之产物。随着历史的发展,必然转变为自由。反起来说:随着历史的发展,自由也转变为必然。(页边注:必然与自由之相互转变)譬如说,我们得到知识,把它应用于实际,即是自由。在一定历史的瞬间,我们把所得的一切智识都利用于实际方面。这就成为历史的进步之更进的发展的条件。这件事,就意味着自由本身转化为必然。克服社会主义建设过程中的一切困难的普罗列达里亚的劳动精励,根据于不是强制而是自由——社会主义建设的必然性之认识——的这种精励,在俄国变成了向共产社会的运动之必然的动因。照这样,自由与必然,是互相转变的辩证法的范畴。

我们必须努力去正确理解自由与必然的关系。但机会主义者,却是不能不曲解这种关系。他们之中,有些人不估评自由的动因。这些机会主义者,把必然当作宿命的,不能克服的运动去理解。他们不正确的估评积极的意识的行动之作用。屈服于大众的自然生长性之前的经济主义者,曾经是这样。不相信劳动阶级的力量的少数派也曾经是这样。最后高唱自然生长论的现在的右翼派,正是这样。反之,一切"左翼",都忘记必然性。他们以为:根据自己的意志,可以克服任何必然性。高唱了立刻可以废除国家的无政府主义者,也是这样。空想着"批判的人格"可以变化历史的全过程的人民派,曾经是这样。又揭举了跳过不通过的革命的发展阶段的超革命的口号的托罗斯基,正是这样。

第六节 链 与 环

我们已经说明了原因与结果,根据与条件,可能性与现实性,偶然性与必然性,自由与必然的互相作用与互相转变。认识以相互作用开始,又以相互作用终结。但认识的开始时的相互作用的形相与其终结时的相互作用的形相,是不同的。在认识的开始,相互作用,表现为诸现象的完全没有秩序的错综。直到认识之后,原因与结果,根据与条件,可能性与现实性,偶然性与必然性,自由与必然的诸范畴,才被分离。在现实的相互作用的认识中,决定的东西,是它的根据的认识。现实的根据，即现实之内的本质的矛盾，如果被认识了，那么认识本身的过程，就很容易。但唯物辩证法，绝不忘记在其与具备了一切条件的相互作用的关联中，去观察根据的本身。

相互作用如果被认识了，就能够预见发展，并在这个发展上作合目的的活动。因之，发现相互作用的诸要素的链子中之决定的一定的环，并作用于这个环，借以作用于过程的全部发展之上，这是必要的事情。伊里奇说："一般的单单是革命家、是社会主义的信仰者或康民尼斯特，还是不够的。我们在各个瞬间，为要维持链的全体，并且坚决的准备推移到下一个环，就必须发现那不能不用全力去抓住的那个链子的特殊的环。"

为要在发展的链子中发现决定的环，就必须认识这个链子，随同一切内的及外的相互作用去认识那个根据。相互作用越是复杂，这件工作就越是困难。在这种意味上，表现最大的困难的东西，是政治的相互作用，特别是革命期中政治的相互作用。所以知道革命斗争的党及其领袖，不能不用先进的理论武装起来，为要正确地领导斗争，不能不具有许多的经验。

下面从党的历史中，指示关于决定的环的发现的几个实例。

本世纪初期的俄国劳动运动上的决定的环，是不合法的全俄政治新闻的发行。为什么呢；因为在当时的俄国，一般的经济恐慌，开始造出了革命的形势，而劳动者运动为手工业主义所烦扰，革命的劳动党之组织，因为一切反动机关及其他专制政府的奴仆之残酷的压迫，非常的感到困难。但是要靠在外国的活动组织革命的劳动政党，就必须发现某种的手段。这种手段，伊里奇在发行于外国而秘密输于俄国的全俄政治新闻之中发现了。于是那样的新闻——"火花"报——就发刊了。在那种活动之下，党的团结与革命开始，后来党大会就召集了。这样劳动运动的发展环被抓住，就准备到下一个环的推移了。

1918 年，俄国普罗列达里亚的发展的链子中的决定的环，是与德国讲和。它解决了关于革命的运命的问题。这个和约的缔结，所以是决定的东西，因为它巩固发展着的普罗列达里亚革命的发展的基础，决定了苏维埃组织之本质的矛盾，即工农的关系。但是农民对于战争已经厌倦了。农民无论怎样都要求着转变。

从链子中抓住决定的环

怎样去抓住决定的环

抓住决定的环的几个实例

253

李达
全集

第十卷

抓住决定
的环就能
维持链子
并准定到
下一环

苏联社会主义革命的现瞬间的决定的环,由"抓住技术"的口号表现着。苏联防御力的强化、全境集体农场化的任务,工业之社会主义的改造、完全脱离工业商品的缺乏的必要,劳动力的不足,阴谋的教训——这些,是我们把现时的劳动阶级和党对于技术的把捉,当作革命的发展的链子中的决定的环的最重要的诸条件。

为要从事成功的活动,我们必须在各个一定的瞬间去发现各个决定的环。只有抓住这个环,才能维持链子,造出到下一个环的推移的条件。

以上的例子,表示着决定的环的发现,具有很大的重要性。这样的发现,只有根据具体的情势之具体的分析,才是可能的。唯物辩证法,对于这种分析,予以指导。

第六章　唯物辩证法与形式论理学

第一节　实践与概念之发展

在说明唯物辩证法的前数章中,我们已经考察了当作关于最完全的全面的发展学说看的唯物辩证法之基本法则及范畴。我们不是把辩证法当作离开了世界的人类精神的产物去考察的,而是把它当作一种"现实性的类推"去考察的。这种现实性的类推,是社会的实践的东西,并且是革命的普罗列达里亚的实践的东西,是随着发展与丰富化而发展而正确,并更加完全而深刻地反映其对象的东西。我们一面把辩证法当作这样的现实性的类推去考察,并且研究了那些法则。我们在第三章中已经指出:只有把辩证法作为认识理论的伊里奇的解释,保证着马克思主义哲学之能动的、革命的实践之性质,不把它作为信条,而使它成为认识与行动的指针。

辩证法是认识论

伊里奇说:"论理学是关于认识的学说,是认识论。"这样解释了的论理学,并不是与辩证法对立的东西。论理学是主观的辩证法,是思维本身、认识的辩证法。认识的本身,是自然与社会生活对于人类的积极的反映。"它不是单纯的直接的反映,也不是全体的反映。它是一列的抽象化的过程,是概念法则等的定式化,构成。那样的概念、法则等,也只是有条件地、近似地把捉永久运动发展的自然之普遍的规律性"(伊里奇)。当作论理学看的、当作关于思维及认识的法则的学说看的辩证法,不是研究从自然与社会分离了的抽象的思维形式,而是研究从自然与社会的永久发展产生、由社会的实践所能证明的、有内容的形式。

论理学即是认识论

人类在其社会的实践过程中,加入于他与周围世界的极复杂的现象之相互作用中。从人类社会开始形成之时起,社会的存在,在其实践上,如没有从

人类在实践上作用于自然同时意识它

自然的关联中引出来的对象,是不能想象的。这些对象,在社会作用于它们以前,即令不作用于它们,它们是在自然的关联中并存着,社会由于在它们中间设立适合于自己要求的新关联,维持着自己的存在。

当然,人类理解客观世界的规律性,能够在实践上依照这种规律性,有规则地作用于周围的环境。甚至在资本主义社会——在那里,社会生活中人类的行动之终极的结果,往往与其最初的目的相矛盾——之无政府的社会实践上,人类的每个部分的任务之完成,也是由一定的有意识的目的与达到目的手段之明确的理解所指导。

> 蜘蛛实行着像起织工的作业的那种作业,蜜蜂建筑蜂窝,使得许多人类的建筑师感到惭愧。但是使得最拙劣的建筑师最初就超越于最巧妙的蜜蜂的东西,就是:人类的建筑师在用蜂蜡建筑蜂巢以前,已经在头脑中建筑着它(马克思)。

意识是社会的实践所必要的一个动因,一个方面。这种意识不是客观世界的规律性或属性——这些虽是由人类在实践中发现的——在人类头脑中之单纯的消极的反映。人类不单在对于世界的直接实践的作用中,并且在世界的认识中,都积极地与世界有关联。人类的认识,并不是消极地把一方面的世界认识与他方面的人类认识那两种不生关系的两种规律性混合起来的机械的结果,人类不单是实践上在一定的感觉和表象中积极地把捉物质的世界,并且把那些感觉和表象积极地加工来造成思想或概念。

"观念的东西,不外是在人类头脑中被转换被加工了的物质的东西"(马克思)。意识把物质的东西转到"观念的东西"的这种加工,在社会的实践种种阶段上,不是一样的。它从属于实践,由实践所检讨。"人类由于变化自然所给予的东西,同时又实现他的有意识的目的"(马克思)。但是这种有意识的目的,在关于对象的从前的表象以及对于对象的作用的从前的方法之下,却不一定能够达到。

实践有系统地暴露出事物之客观的规律性与主观的表象之间的矛盾。主观与客观之间的这种矛盾,由于被实践弄丰富了的感觉的认识材料之重新加工,由于重新更深刻地、并且多面地、积极地反映发展着的物质的客观于人类头脑中,而被解决。

"移入于头脑中的物质的东西"在思维上的这种加工,显现于概念的形态中。概念是加工的形态,同时是加工的结果。在概念之中,表现着包含主观与客观、自然与人类认识的矛盾的统一。"在那种处所,实际上有三个构成部分。(一)自然,(二)人类的认识——人类的脑髓(同是自然的最高产物),(三)人类的认识中自然之反映形态——这种形态是概念,是法则,是范畴"(伊里奇)。

希腊哲学家亚里士多德,把国家看作"共同生活的自然形态",把奴隶所有者国家与这种形态视为同一了。17世纪英国哲学家浩布思,说明了全能的国家是"万物对于万物的斗争"的结果。18世纪法国布尔乔亚的启蒙论者,拥护了自然契约说。依据自然契约说,国家是人类之间的自由的任意的契约之结果。照这一些理论看来,社会与国家的概念,是不可分离的结合着;社会生活,没有国家是不能想象的。但是马克思主义,提倡了新的国家学说——国家是具有历史的过渡的性质的东西,它只是支配阶级压迫被支配阶级的工具。国家概念的这个发展,究竟怎样去说明呢? 马克思主义以前的国家概念,都是一定阶级(奴隶所有者、封建贵族、进步的布尔乔亚)的意识中被限定了的社会的现实之歪曲了的、被提高到绝对的反映。普罗列达里亚,是敌对的社会之最后的阶级及其掘墓人。他们达到社会的实践之最高阶段,意识了国家与社会间的这种历史的、发展的转变的矛盾,正确地把它反映于国家概念的本身中。

当作关于思维的发展及运动的诸法则的学问看的辩证法的论理学,研究着反映物质世界诸过程的矛盾的发展的那种概念是怎样发展的。"所谓主观的辩证法,即辩证法的思维,只是在自然全体中支配着的运动——通过对立物的——之反映。这些对立物,因其不断的矛盾,因其相互间的或向着更高形态的终极推移,决定着自然的生活"(恩格斯)。

但是人类的思维,是发展着的社会的实践之一动因。社会的人类,在其实践上,变化物质的自然,并且变化自己。社会的人类及其思维本身,也起了变化。所以,实践的发展的结果,不但发生概念中的新矛盾及概念相互间的新关联,并且这个发展,又变化思维法则本身,变化概念的运动及发展的一般法则。"思维法则的理论,绝不如卑俗的思想与'论理学'的名词结合着考察的那样,

概念中三个成分

概念之发展与实践

辩证法的论理学研究概念之发展

关于思维法则的学问是历史的科学

是永远确立了的某种'永久真理'……关于思维的学问,和其他一切学问一样,是历史的科学,是关于人类思维之历史的发展的学问"(恩格斯)。

辩证法的论理学,在历史上先行于形而上学的(形式的)论理学。自从布尔乔亚科学正式地站在形式论理学的基础之上以后,科学的本身,尤其是自然科学的发展,不断地越发暴露着这种论理学的无力。形式论理学,当作人类思维的真实性之永久不变的规准被提倡,它完全不依存于认识的材料和被认识的东西。有些布尔乔亚学者,否定认识之辩证法的性质,连带着也排斥自然过程之矛盾的性质。又有些布尔乔亚学者,宣言自然是人类思维所不能认识的东西,把思维看作形式论理的东西。

对于革命的普罗列达里亚及其见解实行了的布尔乔亚及他们的代理人社会法西斯特之概念的斗争,在根本上,用形式论理学作武器。当着分析普罗列达里亚革命及社会主义之决定的环之时,他们用形式论理学代替辩证法,或者把辩证法论理学本身作形式主义的曲解,这件事变成着离开党的一般方针的机会主义的背叛之方法论的基础。自然科学与技术科学领域中布尔乔亚的遗产之学习及其批判的加工,在形式论理学的表象与方法所支配的这些科学之中,如果不深深地把辩证法引进去那是不可能的。因为形式论理学的方法,妨碍着这些科学的更进的发展,及其在社会主义建设上的应用。

第二节　形式论理学之根本法则

形式论理学的拥护者夸大地声明着:"论理学对于一切语言与一切国民、一切人们、一切时代,都是同一的。"他们说,论理学是关于正确的思维法则的科学;它从认识的一切材料抽象出来,建立这些的永久不变的法则。

在形式论理学看来,依照它的法则而作用的思维,与客观世界一致与否,是不成问题的。形式论理学者主张着:"论理学研究思维的本身,思维能够到达于离意识独立的世界之认识与否,那是不问的"。

形式论理学的根据中横亘着的东西,就是这样一种确信①——思维之永

---

① 1935 年 6 月版将"确信"改译为"实信"。——编者注

久不变的法则,离开它与客观世界的规律性的关联被考察,并且必须这样被考察。形式论理学,以研究概念与判断之间的外的关系,为自己的任务,从这些概念与判断的具体内容实行抽象。形式论理学,使论理的概念与经验的概念互相对立,把前者看作绝对,把后者看作二重的相对。论理的认识及其物质的感性的源泉这两者的分离,暴露出形式论理学之观念论的性质。但形式论理学不只满足于"纯粹"思维的范围。它在自身之中认定真实性与经验的认识之规准。形式论理学,从自己的"永久"法则出发,造出根据于经验与观察发现新真理的规准。因此它想使物质世界隶属于思维的"永久法则"。形而上学的世界观之本质的特征,就是把自然的对象及过程,隶属于表现思想——并且是离开实践而与实践独立的被造出的思想——之间的单纯的关系的法则。这样,形式论理学是形而上学的世界观之当然的方法论,它自身只有站在这种世界观的基础上才是可能的。

形式论理学,造出永久的图式。依照这种图式,我们的概念,如像它的结合的结果对于我们意识似乎没有错误一样,不能不互相结合着。形式论理学安放在这些图式的构成的根底中的东西,是所谓"思维的根本法则"。这些法则,有同一律、矛盾律和排中律三种。形式论理学,没有对照外界的关系,去建立这些法则的基础。它诉诸这些法则的直接明了性。例如形式论理学这样说:只有严守这些法则,才能使我们确信思维的结果的正当性:我们的思维就是这样构成的。

同一律要求着把任何对象,任何概念,当作与它自身同一、与它自身相等的东西去观察。苏格拉底是苏格拉底。农民是农民。镭的原子是镭的原子。这些都与自己是同一的,在其标识上,必须当作不变的东西去观察。这个法则,在普通图式上,造出了甲是甲或甲等于甲的公式。

同一律要求着在关于某一对象的我们的推理过程中,我们必须不断地在那个概念之中装入同一不变的内容。例如,农民在发展着的资本主义诸关系的诸条件之下,如果被规定为反对封建秩序的阶级,那么,我们通过革命的一切转变,对于全体农民,就不能不从农民的那种政治的特征出发。但是,如果是那样,18 世纪法国革命时代的维安特,俄国内乱时代的农民中的富农与要钱如命的地主贵族的联盟,就弄得不能理解了。

形式论理学的三个公式

同一律的内容及其批判

同一律,如上面的例子所见,也可以作成如下的定式——"关于每个概念,属于它的任意的标识,都可以被表明出来"。不消说,在这里,属于对象的标识的总计,是永久被确立着,这是可以预先想到的事情。例如,如果资本主义被规定为进步的生产方法,那么,资本主义的这种"标识",就是在帝国主义时代,关于资本主义,也可以"表明"出来。考茨基就是这样做的。他常常把资本主义和封建主义比较,力说在这种比较中表现的资本主义之进步的特征,极力抹杀其内的矛盾与反动性。伊里奇在 1917 年,就考茨基对于资本主义的估价,说了下面一段话——"考茨基,和年年反复背诵历史的教科书的中学校的先生一样,固执的背向着 20 世纪,回到 18 世纪,千篇一律的、穷极无聊的、无论在一节之中,关于布尔乔亚对于专制主义与中世主义的关系,重复地反刍着陈腐的东西"。

矛盾律。亚里士多德把论理学的这个根本法则作成如下的定式——"同一的宾辞对于同一的主辞,在同一的时候与同一的意义上,不能被肯定又被否定"。这个原理的图式的定式是:甲不是非甲;或甲是乙,同时不能是非乙。这两种判断中,必有一个是错误的。

据这个法则,中农(甲)能够是社会主义建设的参加者(是乙),否则从中农之中发生资本主义(非乙),这两个判断之中,必有一个是错误的。在辩证法的现实上,个人主义的中农刻刻发生资本主义,但同时又是普罗列达里亚的同盟者,在其指导之下改造自己的二重性,像这样的事情,就形式论理学说来,是不成问题的。

最新的物理学,说明了原子的电气性,说明了原子是"无限小的太阳系那样的东西,在它的当中,阴电子以一定的速度运动于阳电子周围"(伊里奇)。概念论的物理学者,在这种很重要的物理学发现之中,看出了"物质消灭"的证明。在这个场合,它们是根据适用于自然的形式论理学的矛盾律的。他们说,物体是从不可分的粒子成立的呢,或者原子自身是带有电气性的无穷的复杂的构造物呢,二者必居其一。如果是前者,物体是物质的;如果是后者,就没有原子,也没有物质。伊里奇批判那些固执同一见解的俄国马赫主义者时,美满地说明了:在概念论的物理学者及形而上学者认定物质消灭的处所,实际上存有辩证唯物论之辉煌的确证;原子对于各个化学元素,当作特殊的实在的固定的构造物存在着,同时是"可以分割",在其内的电气的构造上是复杂的东西。

矛盾律用消极形态主张着的东西,排中律用积极形态主张它。这个法则主张在两个自相矛盾的判断中,一个是真理,另一个是错误。关于同一事情的一切第三种判断,在原则上都被排除着。这个法则的图式是:甲是乙或不是乙。恩格斯说过,形而上学者是依照"是—是,否—否,其他都是错误"这种公式去思维的。他这句话,正是针对排中律说的。

沙皇主义时代的俄国的农民,是不是阶级?依照上述法则的见解,对于这问题,只能给以两个互相排斥的解答——是阶级或不是阶级。这两个解答中之一,不能不含有真理。对于这问题的第三个解答,预先被排除着。例如把沙皇主义下的农民、驱逐封建遗物而发展着的资本主义诸关系的诸条件之下的农民,当作分化并分解为种种社会集团的阶级去观察了的、伊里奇所给予的解答,是被排除着。在社会主义之下,国家被保存吗?在普罗列达里亚革命家看来,与布尔乔亚相妥协,这是被许可的吗?新经济政策,在社会主义初期被废除的吗?依照排中律,对于这一切的命题,只能是被规定了的那样的"或——否则"的解答。如果国家在社会主义之下被保存,那么,国家就必须与普通的国家概念中所包容的一切标识,例如官吏机构等,一同被保存。如果新经济政策在社会主义初期被保存,那么,它与某一时代的例如1923年的新经济政策所具有的一切标识,一同被保存。右翼机会主义者,正是这样做了。他们把新经济政策的最初时代的规律性,硬放在社会主义的初期。

在排中律之中,形式论理学之观念论的性质,明显地暴露着。对于自然及社会生活的矛盾,闭着眼睛,到底办不到。社会生活的发展与科学的发达,自然地暴露出现实之内的矛盾的构造。与关于原子的不变性及终极性的从前形而上学的观念不相容的原子之内的构造,被物理学发现了。伊里奇关于这件事这样写着:"物理学在临盆,它正要产生辩证唯物论。"在这种场合,使用矛盾律的形式论理学,究竟怎么做呢?通过内的对立物之斗争的发展、实在的现实上统一的分裂,在那种场合是不能认识的。因为,从形式论理学的法则的见解说来,这些东西是不能认识的。形式论理学的现代许多拥护者,这样声明:矛盾律与排中律,只是关于我们人类的概念的东西,它与外的对象无关。现实的实在的农民、原子、资本主义等，或者是内在的矛盾着。但从他们的见解说来，这些矛盾只发生于意识中，不发生于客观的现实中。所以不必研究实在的农民、实在的原子，只需研究它们的概念。那样的概念，当然不能反映其对象之本质的方面。

不能把捉客观世界之实在的关系的形式论理学，与思想的内容及其对象之内的关联无关，只停滞于思想相互间之外的诸关系的研究圈之内。停滞于那样的圈子内，只有排斥客观世界的实在性，或至少排斥世界之合理的、论理的认识之可能性，才能做到。

但在自然与社会之科学的认识之实践中，站在形式论理学的见地上的大多数学者，都是自发的唯物论者，在这种论理学之中，承认客观世界的现实的诸关系之论理的反映。现实的世界是在矛盾着。我们在自己的实践中，发现自然及社会的这些矛盾。所以布尔乔亚学者，只有离开实践，离开对于世界的能动的态度，才能把形式论理学当作实在世界的认识方法去维持，在实践上，世界不可避免地暴露其矛盾。正因为这样，客观主义关于对象之观照的态度，从实践分离理论、尤其是由革命的阶级的实践分离理论——这一切都成为形式论理学的特征。我们将在下节批判形式论理学的根本法则的这种理解。

第三节　普列哈诺夫的形式论理学的批判

要批判形式论理学必须理解对立物统一的法则

辩证唯物论的反对论者，在对抗当作存在与思维的根本法则看的对立物之统一的法则时，所常常提出来的东西，就是形式论理学的矛盾律。国际修正主义者创始人伯伦斯泰因，和前世纪八九十年代的反动的人民派领袖之一密海洛夫斯基，把辩证法，尤其是把对立物统一的法则，当作死板的非科学的"黑格尔主义"看待，使得他们的全部批判，都站在形式论理学的矛盾律的立场。

马克思主义的"反批判"，以及马克思主义对于当作形而上学的世界观基础看的形式论理学的批判，当然首先要攻击那个矛盾律。马克思、恩格斯和伊里奇留下了这种批判的很好的范例。

为要真正批判并克服形式论理学，关于对立物统一的法则之正确的伊里奇的理解，是必要的。因为没有学习这种理解，所以普列哈诺夫以及今日德波林派的代表们，对于形式论理学的根本法则，不能作充分适切的原则上强有力的批判，他们在许多问题上转到了反对者的立场，以至于曲解唯物辩证法。

伊里奇从前世纪 90 年代的末期起，对于普列哈诺夫解决劳动运动的根本问题时所犯的形式主义的反辩证法的错误，实行了不假借的斗争。

普列哈诺夫的形式主义之批判

伊里奇对于普列哈诺夫所作的普罗列达里亚与"勤劳大众"间形式的同一性之规定——从劳动与压迫的标识出发的——，对于普列哈诺夫否定勤劳大众的内部的阶级的界限的事情，曾经加以攻击。伊里奇指示了，把普罗列达里亚的不满与小生产的不满视为同一，并且把两者混同起来，这是不对的。因为后者往往发生"想拥护小所有者的自己的存在的要求，即拥护现在的秩序的基础甚至使之后退的要求"（并且不可避免地要发生那样的要求）。伊里奇指摘了：小生产者到了"放弃自己的见地、站在普罗列达里亚的见地"（马克思）之时，普罗列达里亚才开始成为小生产者的先进的代表；社会民主党直接地只站在劳动阶级、劳动运动的前面，并且不能不站在前面。

伊里奇所要求了的对于小布尔乔亚的特征的鉴定，就是这样的：即，暴露小布尔乔亚的充满矛盾的二重性；不把劳动者的纲领降低到小布尔乔亚的现在的利害的水准；对于普罗列达里亚不失掉自己的政治的方针之独立性；并且在资本主义发展诸条件之下，为转移"小生产者于普罗列达里亚的见地"一件事提示斗争的任务。

伊里奇对于在形式上处理诸现象的分析的事情，对于①少数派与普列哈诺夫依照同一律从抽象的概念引出具体的矛盾事实的特征一件事，作了有系统的斗争。例如关于少数派对 1905 年革命的原动力的估价，伊里奇这样写着：

　　……普列哈诺夫所领导的右翼社会民主主义者之间常常使用的考察方法，即在关于俄国革命的根本性质的一般真理之单纯论理的发展中探求对于各种具体问题的解答的那种倾向，是马克思主义的俗流化，是完全嘲弄辩证唯物论。

---

①　1935 年 6 月版将"对于"改译为"对立的"。——编者注

伊里奇所指摘的东西,就是:少数派从关于这革命的布尔乔亚性的一般真理出发,力说了革命的"布尔乔亚的指导作用",力说了社会主义者在革命中有支持自由主义者的必要。

不消说,如果①普列哈诺夫在其学问的、政治活动的全部生涯,当着在理论上分析具体问题时,当着规定俄国阶级斗争的发展过程时,②彻底地贯穿了他对于形式论理学与辩证法论理学的关系的见解,那么,劳动运动史上就不会记载他是俄国社会民主党的一个创始者,是"国际文献中马克思主义的最好的东西"(伊里奇)的著作者。

但是,普列哈诺夫对于解决劳动运动所遇到的许多各个任务时,采取了非辩证法的形式的态度;并且后来他的防卫祖国主义,在其方法论的基础上,表现着他不理解辩证法及其与形式论理学的相互关系。这是明明白白的事情。

然则,普列哈诺夫对于形式论理学的见解,究竟怎样?

据普列哈诺夫说来,形式论理学及其法则的缺陷,在于过分夸张了一般性与绝对性。所以"从形式论理学的诸法则,夺去形而上学者所附加上去的绝对的意义",把它们放在严重的被限制了的领域,这件事是必要的。辩证法就是做这件事的。

然则形式论理学的矛盾律所支配的这个领域究竟是什么东西,辩证法论理学分给它的领域究竟是什么? 普列哈诺夫如下的答复了这个问题——

普列哈诺夫对于形式论理学的见解

　　物质的运动横亘在自然的一切现象的根底中。运动明明是矛盾着。关于运动,必须如伯伦斯泰因所说,根据"是—否,否—是"的公式作辩证法的判断③……但是一旦物质的一定的一时的结合当作永久运动的结果而发生,直到它当作同样永久运动的结果而消灭,关于它的存在的问题,不能不在肯定的意义上去解释……当各个对象成为问题时,在我们关于它们的判断中,不能不由思维的"根本法则"所领导。在这个领域中,伯

---

① 1935年6月版删除了"如果"。——编者注
② 1935年6月版此处添加了"如果"二字。——编者注
③ 1935年6月版将此句改译为"关于运动,必须根据如伯伦斯泰因所指摘的'是—否,否—是'的公式作辩证法的判断"。——编者注

伦斯泰因所喜欢的"是—是，否—否"的公式支配着。

照这样，对象、"物质之一时的结合"之领域，被移到形式论理学的"思维的根本法则"的支配之下。但是辩证法论理学的领域，究竟被留下了什么？普列哈诺夫的答复是——

> 一定的结合，在当作一定的结合而停止的范围内，我们对于它，就不能不依照"是—是，否—否"的公式去判断。但是它如果变化，不当作那样的东西而存在，那么，我们就不能不依靠矛盾的论理学。

在人的头发脱落的那种场合，不能说他是秃着，也不能说他是不秃着。在青年的面颊上生须的那种场合，不能说他是白面的青年，也不能说他是有须的男子。在这种场合，"对立物"实际上是一致的。

照这样，为对立物之辩证法的统一的领域留下来的东西，是从这种质到别种质的推移，而质的本身之认识，是具有矛盾律的形式论理学的思维所掌管的。照那样，普列哈诺夫对于形式论理学的根本法则之批判，就归着于辩证法论理学与形式论理学的"势力范围"之区别。只有一个质与别个质之间的、某种"安定的结合"与他种的结合之间的、被限定了的领域中，对立的统一才存在。从一个"联结"到别个"联结"的运动之安定的形态本身，从形式的矛盾律的见地说来，必须当作同一的东西去观察。

普列哈诺夫的批判，显然是不圆满的东西。他调停形式论理学与辩证法论理学，并没有把前者"扬弃"于后者。

普列哈诺夫的立场的错误之方法论的根源，在于他没有理解当作辩证法的本质看的对立物统一的法则。辩证法被变为隶属于量到质的转化的法则的形式之交替以外的东西。对立的统一，在这里，只当作在不断的生成过程中互相继起互相否定的物质之独立的运动形式之关联而存在。

普列哈诺夫，没有洞察物质的"自己运动的源泉"及其"推进力"——即对立之统一与统一之分裂。所以他以为对象可以当作无矛盾的同一性去处理，只替"矛盾的论理学"留下了推移。如果依照普列哈诺夫的公式——例如，从

普列哈诺夫调和形式论理学与辩证法

265

形式论理学的立场考察社会主义革命以前的资本主义,对于辩证法,替它留下社会革命的时代——那时旧东西(资本主义)已不存在,新东西(社会主义)也不存在。但是从形式论理学的见地去考察资本主义,这件事就会意味着:拒绝阐明那种引导到资本主义的最后阶段——帝国主义——与普罗列达里亚革命的资本主义运动之内的源泉(劳动之社会的性质与领有之个人的性质之间的矛盾,普罗列达里亚与布尔乔亚之间的矛盾)。

单只在现象之领域中,形式论理学的法则也不适合于实在世界,因而它不能成为这世界中的完全的认识方法。在客观的世界中,内面的互相排斥的斗争,不仅支配"飞跃"推移的时代,又支配着"平和的"、"有机的"发展的时代。我们只有在这些对于物的认识中,才发现那理解"旧物的废灭与新物的生成"的关键。

劳动运动
史上许多
应用形式
论理学的
不正确的
理解

伊里奇,在资本主义之下,和许多反动的东西曾经斗争过。譬如,在普罗列达里亚胜利以后也看到的,劳动阶级本身内的必然的非同一性之无理解,关于劳动阶级的教育和组织的固执的长期活动的必要之无理解,以及前卫与普罗列达里亚大众的差异的忽视与普罗列达里亚的发展中种种阶段的特殊性之忽视等事情,伊里奇都和他们斗争过了。

对于劳动阶级的形式的狭隘的基尔特的态度之表现,一个是俄国劳动运动史上的经济主义,另一个是"左翼幼稚病"。这两个倾向,把劳动阶级全体(党也在内)当作同一的某种东西去观察了。经济主义者把前卫解消于阶级大众之中,因此忽视了政治斗争中前卫的意义与作用。但是"左翼共产主义者",对于阶级全体,都赋予了党的意识性与革命的决断性,因此陷于冒险主义,忽视了劳动阶级不息的日常斗争。那样的左翼空论主义(依照暗记了的公式),在革命的成熟期有不少的危险。

即在革命胜利之后,劳动阶级,并不因万里长城与其他诸阶级相隔绝,他们因无数的联络线与其他诸阶级相联系,他们不断地由农民及小布尔乔亚去补充,与一切阶层一样,没有脱离布尔乔亚的偏见与布尔乔亚的意识形态,——这一切事情都不能忘记,否则就会冒犯很粗笨的错误。劳动阶级在革命胜利以后,也不是成为"同一性"的东西。党在其教育的与组织的活动上,为要领导落后的阶层,脱离基尔特的精神,表示前卫是模范,并用普罗列达里亚的协作精神的全部力量,对社会主义的敌人实行斗争,所以党不能不顾虑劳动阶级内部的这些差异。在革命的新阶段上,对于普罗列达里亚内部的社会主义的进攻的破坏者,我们实行"防卫劳动阶级的利害"(并且正在实行着),我们对于社会主义企业中的游移者、获取不正当利益者、徘徊者、假突击队等,组织了大众的斗争。

不待言,从那种关于形式论理学与辩证法论理学的相互关系的普列哈诺夫式的解释的观点出发,不能够分析社会发展的真正推进力,也不能在各个阶段上,在社会运动的质的各种一定形态上,去探求引出链子全体所必须抓住的决定的环。 普列哈诺夫式的解释不能理解发展的过程

例如,资本主义体系与社会主义体系,在今日共同存在,并且互不和解地敌对着。这是互相排斥的对立物。在决定的最后的斗争发生以前,资本主义世界与苏联之间,有怎样的相互关系存在呢?依照形式论理学的见地说来"或——否则"——是苏联之完全的经济的及政治的隔离,或是资本家对于苏联的无关心的"无原则的"交易。但现实比较形式的图式的布洛克尔特斯的睡床复杂万分。斯丹林在十六次党大会的报告演说中,把资本主义对于苏联的对立的诸倾向,巧妙地分析了。资本主义世界充满着矛盾。其中有两个灵魂,对于苏联的两个倾向,互相斗争着。一个用经济封锁包围苏联,遇有机会,对于"多数派的传染"的中心,实行反动的干涉。另一个是想享有苏联的(当作大需要者看的,当作价廉物美的原料及半制品的供给者看的)广大的市场。历史上决定的倾向,当然是与社会主义同盟不和解的敌对的第一侵略倾向,是资本主义体系与社会主义体系不能长期和平共存的倾向。只有辩证法,使我们能够认识这些对立的诸倾向及其互相渗透,使我们能够在各个一定的阶段上确定这些倾向中谁是决定的东西。

第四节　形式论理学与实践

少数派色彩的观念论者,与普列哈诺夫一样,没有理解当作辩证法的本质看的对立物统一的法则,没有理解认识论中实践的作用。他们也不能正确的研究形式论理学与辩证法论理学的相互关系。他们不曾批判过普列哈诺夫对于这个问题的立场。因而德波林学派本身,也没有超出普列哈诺夫的这种相互关系的理解。他们使形式论理学与辩证法论理学和解了。他们完全仿照普 德波林派也不能理解形式论理学与辩证法的相互关系

列哈诺夫,贯彻这个和解,把形式论理学当作运动之相对安定的形态之论理学观察了。

他们说:我们在实践上,不能完全把捉现实世界的非常复杂的潮流,我们不得已把它单纯化,从其自然的辩证法的关联分裂事物与现象,当作安定的东西去观察,因而在形式论理学上去研究。

理论上——辩证法,实践上——形式论理学,亚斯姆斯这样说。

如果从这种见地说来,伊里奇就变为反对辩证法的"全面性"而拥护形式论理学的规律性及论理性的人了!因为伊里奇,在其革命活动的全生涯中,对于党的各个的环的动摇与踌躇、观照的客观主义、少数派的小布尔乔亚的折中主义"在这方面在那方面"等,都斗争了的。

形式论理学的这种"批判",对于辩证法论理学与形式论理学的关系的这种"理解"当作唯物辩证法的曲解看,是可以逐出门槛之外的东西。

事实上,那样的理解,不注意于理论与实践的统一是辩证法的最本质的特征,而从实践分离了辩证法。这样的理解,把形式论理学——原则上与实践全然无关的呆板的论理学,当作实践的方法论表示着。

伊里奇的
战术是辩
证法的最
高表现,
不是形式
论理学的
赠品

但是,伊里奇的战术的坚实与明确何以是革命的辩证法之最高显现,而不是形式论理学的赠品呢?为了要说明这一层,我们举几个具体的实例,来检讨这个立场。

1905年的革命,少数派在1905年四五月会议的决议中,把革命的一般性当作布尔乔亚革命规定了,但是很狡猾地对于共和国却没有说及半句,回避了普罗列达里亚的当面的真正斗争的任务。伊里奇指出少数派会议的政治方面的特征,就是"把民主革命的指导作用委诸自由主义布尔乔亚,而成为自由主义布尔乔亚的单纯附属品"。

同时在伦敦举行的多数派的第三次党大会,采用了斗争的决议,把胜利的民众专政当作到达民主共和国的唯一的道路提倡了。伊里奇关于这个决议这样写着:

> 政治的及经济的秩序向着布尔乔亚的民主的方面之变革,是不可避免的,是不可抗的……但从引起这种变革的现存势力的作用之构成看来,

这种变革将能够得到二重的结果或二重的形态。两者中之一,(一)事态以"对于沙皇主义的决定胜利"而终结呢,抑或(二)没有得到决定胜利的力量,而事态以布尔乔亚的最不彻底最"利己的"分子与沙皇主义的妥协而终结呢。

普罗列达里亚,完全站在这个革命的第一形态一方面。因为这是要利用民主革命以准备自己解放的下一个阶段——社会主义革命。这种态度,是普罗列达里亚唯一正确的战术,其他一切战术都是革命的背叛。

这样给了革命之理论的分析的伊里奇,说明了这个革命的两个可能的互相排斥的道路。这些道路,它自身,在任何人不能预测的无限复杂的细目与构成之中,又是根本的东西。伊里奇在规定普罗列达里亚的战术的任务时,列举了下面一件事,作为党的唯一正确的任务,即"一面保存自己的完全的阶级的特殊性,一面用自己的口号,把革命的民主主义的小布尔乔亚,尤其是农民,提高到普罗列达里亚的彻底的民主主义的水准"。在这个场合,伊里奇,果然在理论上是辩证论者而在实践上是形式论理学者吗?伊里奇自己,解答了这个问题。即他主张了:多数派的战术,是从阶级势力的客观的相互关系之马克思主义的辩证法的分析发生出来的,它自身在这些关系之中,又当作必然的动因被包含着。

> 民主主义的变革绝不是社会主义的变革,它决不单是引起无产者的"关心"的东西,它的最深的根源,在布尔乔亚社会全体的不可避免的必要与要求之中。这样的前提——从这个前提出发,我们引出了下面的结论:先进的阶级,不能不越发大胆地揭举民主主义的任务,越发尖锐地说起这些任务,提出共和国的直接的口号,宣传临时政府的必要,以及完全打倒反革命的必要。

从同一前提出发了的新火花派,没有规定普罗列达里亚对于反革命的斗争的积极的任务,只指摘了"相互斗争"的过程。借伊里奇的话来说,他们是书生,不是政治的活动家。

少数派的"辩证法"与今日少数派色彩的观念论者的辩证法一样,因其对于具体的现实的那种客观主义的、抽象的、观照的态度,与伊里奇的革命的辩证法不同,革命的主体、世界的主体之实践的态度,被他们"排除"于现实的分析之外。但革命的主体,即劳动阶级,在实际上,因其积极性,显著地规定着过程的一切方面的相互作用的过程。少数派从普罗列达里亚的革命的实践那种"小事""抽象"了的分析,并不给予关于行动的指针。在伊里奇看来,认识世界这件事,不单是给予客观过程之摄影的复写,而是说明这个过程向着什么方面生长,说明对立诸倾向之分裂与斗争所给予的各阶段上的过程的运动怎样被决定——这样的认识这个过程①。辩证法的认识之必须条件,就是决定下面两件事;在互相斗争的倾向之中,哪一种倾向的要素是认识的主体;为保证一定的(应用于社会时——是进步的)倾向之最迅速的胜利,使这个主体的活动,向着什么方面,并且必须怎样向着那个方面。

辩证法唯物论者的任务,在于能够正确地决定对象中的矛盾的极端尖锐化的瞬间。他绝不至于因为忽视这一瞬间,而演出破坏那种为使进步的可能性转化于现实性而被组织了的积极性的全部力量的愚举。在社会的发展上,那样的时机,"是死活的关键",如与阶级的敌人相妥协,就是背叛革命。伊里奇对于社会的发展中那种转向的瞬间之决定,对于那样的瞬间之分析,对于那样的条件下的必要的战术的口号之作成,给予了唯物辩证法的应用的最大之范例。他在十月革命前的"或——否则"("现在呢,否则永久没有这机会"),在布列斯特讲和时(平和呢! 否则,革命的灭亡呢),在转变到新经济政策时(由于十年——二十年间与农民的正确的相互关系保证世界规模的胜利呢,否则,受二十年——四十年的白色恐怖呢),他的"或——否则",是社会的现实成熟到一定瞬间的客观的"或——否则"之天才的反映。

形式论理学,不能够在客观上决定内的对立性的最大的尖锐化成熟的瞬间,也不能答复使主体的积极性应该怎样地向着什么地方去的问题,也不能保证具体的现实之迅速变化的诸条件之下的这种积极性的成功。

----

① 1935 年 6 月版删除了"——这样的认识这个过程"。——编者注

第五节　形式论理学与辩证法

从上面所说的看来,我们已经知道:形式论理学要求具有思维科学的意义这件事,是怎样的不对;又,使形式论理学与辩证法论理学相和解,并且对于前者也想给予和后者一样的"太阳下的地位"那种尝试,是怎样的无力。

现在,我们把唯物辩证法与形式论理学的关系实际上究竟是怎样的东西这个问题,当作整个的东西来研究。

世界没有绝对不变的东西,没有绝对安定的东西。在客观的世界中,也没有绝对的无定形的流动性。现实上,我们在世界发展的过程中,看到具有特殊规律性的相对安定的运动的阶段。在现实上我们所看到的东西,是一定的质的内部中内的矛盾之成熟,当作这个成熟的结果看的旧东西被破坏,当作新矛盾的表现看的新质被形成。我们区别动植物的各个种属,但对于它们的无用性与相互独立性,绝不怀抱形而上学的观念;不单知道类缘的种属的生物有机体,并且知道非常远隔的种属的生物有机体的标识相一致的中间形态。我们知道以个体参加于化学反应的物质粒子,把它叫作原子(不可分割的东西)。但我们知道,这些粒子,是由带有阴电与阳电的电子构成的;并且已经把许多原子再加以分割,加以变化。

依照这种暂时相对的安定被保持的程度,可以说起过程之相对的有条件的同一性。

这是物质运动的各个形态的相对安定性,是形式论理学在其绝对化上成长了的存在之客观的一方面。但形式论理学崇奉这种相对的安定为绝对的安定,把相互作用的现象的相对独立性转化为现象之完全的外的孤立性。所以形式论理学,如伊里奇对于概念论所说过的一样,是存在与认识之小的现实的特征之"夸张、膨胀",是从物质的一般关联分离了的一面的夸张。因而,它只给予着现实的根本的规律性之被曲解了的映像。

形式论理学,与辩证法的论理学比较起来,是更低级的不完全的认识方法,近世社会的发展之实践,发现了自然、社会生活与认识本身的发展的诸过程具有矛盾的性质,因此粉碎了形式论理学对于思维法则的科学的作用,对于

（眉批）

形式论理学与辩证法的关系之辩证法的理解

过程之相对的有条件的同一性

形式论理学把相对的安定性提高到绝对的阶段

形式论理学是最低级不完全的认识方法

271

认识的方法论的作用所有的一切野心。

事实是这样的。"如果一切的东西都是发展的,那么,思维的一般的诸概念与诸范畴,不也分担相同的运命吗? 如果不是那样,思维就与存在无关。如果是那样,就应该有具有客观意义的概念的辩证法与认识的辩证法"(伊里奇)。

在唯物辩证法中,对于形式论理学并不曾有当作部分的场合看的地位,也不曾有当作从属的一方面看的地位。

辩证法在
认识的最
初阶段也
切断连
续、分割
联系,但
与形式论
理学的方
法不同

诚然,在我们的认识中,我们不可避免地要把事物的现实关联来"损伤",来单纯化。这件事情,伊里奇在《黑格尔历史哲学》的梗概中,也说着。

> 我们若不把连续的东西来中断,把生动的东西来单纯化、来损伤、来分隔、来杀死,就不能把运动来表象、来表现、来计量、来描写。思维上运动的描写,是由于思想与感觉而实行的损伤与麻痹。不只运动是这样,就是概念也是这样。在这里,就存有辩证法的本质。表现这种精髓的东西,就是对立物之统一的公式。

照这样,在运动与发展之思想的反映中,常有现实的损伤与"麻痹"的要素,有因不变的境界隔离的生动的过程的切断的要素。形式论理学,把这种麻痹升高到绝对的地位。一切的问题都在于下面几点:由于我们的概念而实行的物质发展的"麻痹"的程度,是不动的吗? 这种程度,是由于我们的思维的属性而永久被决定吗? 反之,在社会的实践与认识的发展的过程中,我们的概念,是不断地具有柔软性,它变为普遍的,并且越发完全反映物质世界的矛盾的发展吗?

伊里奇在用"在这里,就有辩证法……"结束上述的引用文之时,他并不是对于我们的概念"麻痹生动的东西"一件事,看出了认识的本质。唯物辩证法,是在这种"麻痹"之相对的=历史的过渡的性质中看出认识的本质的。即,在各个一定的阶段反映现实的我们的认识,不是完全的妥当的东西;永久发展的物质,在于矛盾的统一之中——,在这种处所,唯物辩证法看出了认识的本质。

所以,伊里奇在其他的处所这样写着:

> 概念之全面的普遍的柔软性、到达于对立物之同一性的柔软性。在这里,就有问题的本质。客观上被应用了的柔软性,即反映物质过程的全面性与统一性的柔软性,是辩证法,是世界的永久发展之正确的反映。

辩证法的概念之柔软性

在对象的认识的最初阶段上,如果说辩证法必须从属于形式论理学,那是错误的。就是在知识之原始的蓄积开始之时,辩证法为预防陷入于一面性,也曾努力在"一切媒介上"去把捉对象。辩证法一面为认识一部分而"切断"生动的全体性,也曾努力选择一种切断的方针,使这些部分在客观上与互相作用的对立之现实境界相合致,绝不忽视从部分引导到全体的关联①。辩证法唯物论者,"分割"社会为诸阶级,而其分割的标准不是收入的多少,或收入源泉之外的标识,乃是历史上特定的社会的生产体系中的地位,是对于生产手段的关系。因为这些方面是现实的阶段斗争之基础。照这样,在这种场合,我们的认识的方法论也是唯物辩证法。

辩证法在认识的最初阶段上努力在一切媒介上把捉对象

无论把当作认识的方法看的形式论理学应用于现象的任何领域中,或把它应用于任何的阶段中,都必会真正的麻痹发展,停止发展。分解生动的全体为互无关系的构成分。

害怕发展、害怕产生布尔乔亚社会将来的死灭的矛盾的那个社会中的思想家与学者,其所以为形式论理学所牵引,实是由于这种论理学的上面所说的那种本质。

形式论理学的这些特征,正是把形式论理学作为劳动运动上的反伊里奇的偏向的方法论的东西。

第六节　当作认识的一个动因看的抽象

我们一切的认识,都从属于我们的实践。我们认识周围的对象,同时又作

人类实践上最初的直接的认识

---

① 1935年6月版将"关联"改译为"关系"。——编者注

用于那些对象。关于资本主义与阶级的观念,是在直接的阶级斗争的过程中发生并发展的。人类之得到关于自然的种种现象的最初的分裂的观念,是在这些现象以某种方法闯入于社会的实践的对象的范围之时。在社会的发展的最初阶段上,人类的认识,带有直接的性质。但直接的认识不但在自身当中,包含现象的多样性及诸方面的反映,并且又在某种程度上包含着关联与关系的反映。否则任何社会的实践,将是不可能的。如果原始的人类只被限定于"纯粹"的感觉之中,他就会不能分析周围自然的诸现象,不能预见自己的行动的结果。因为他的感觉的认识所表示的事物的一切关联、一切属性及一切关系,对于他将是当作一样重要一样决定的东西反映出来。

从分析到抽象 为要革命的变化①世界,为要用把捉规律性的目的而真正认识世界,就必须由现象移到本质,从比较不深刻的本质移到更深刻的本质。但表现事物之内的矛盾的运动的本质的规律性,不直接在感觉的表象中暴露出来。为要在其实践的一定阶段上,在我们——以发展了的姿态或只当作内的倾向——所能暴露的程度上,去反映本质的规律性,就必须做到下面一件事:在对象之中看出相对安定的核心,即在现象的一切方面之中,从偶然的东西区别必然的东西;在对象表现其本质的那个对象的一切媒介之中,从外面的东西区分内面的东西。只有依照那样的方法,我们才能够认识对象的发展以及这对象与那对象的相互作用的规律性,才能够认识这对对象的种种现象形态的必然性。但是这件事,必须在论理上组织认识的经验材料,必须发现当作实在世界的反映而被包含于认识之中的内的矛盾,才能做到。

抽象之意义 感觉经验的这种论理的组织之必然的方面,是抽象。我们从那种当作诸方面的连缀的"合成的"(具体的)统一而表现于我们的感觉的表象的对象,通过抽象,去认识那本质的规律性——决定对象的特殊性与发展的东西。当作从诸方面的全部多样性出来的抽象的结果而被发现的过程之本质的矛盾,使我们能够理解诸方面的关联与相互作用,使我们能够在其多样性上,把对象再生产于思维之中。但这种完全的具体性,已经不是直接的经验的认识之结果,而是当作由于对象发展之内的必然性所结合的诸方面的统一而被理解了的

---

① 1935年6月版将"变化"改译为"变革"。——编者注

具体性。

马克思研究资本主义经济时所使用的方法,实是上面所说的那样的方面。成为马克思分析的出发点、当作全体看的具体的资本主义经济,被他从商品与价值的最单纯的抽象规定,在思维上再生产出来了。从表现商品经济的本质矛盾的商品与价值的这种最单纯的规定出发,在其种种阶段上追求这个矛盾,因此马克思到达了当作全体看的资本主义的理解。资本主义的这个具体的概念,比较我们从它出发的资本主义的直接表象,更为丰富。所谓认识对象,就是发现一切过程的根本的规律性,从偶然的现象形态解放这个过程,确立其诸方面之历史的类缘关系,规定他们的自然的相互依存关系及相互作用。

> 物质、自然法则的抽象、价值的抽象等,作一句话说,一切科学的(不是无条理的、而是真实的、正确的)抽象,更深刻地、更忠实地、更完全地反映自然(伊里奇)。

伊里奇继续马克思的事业,应用马克思的方法,研究了资本主义的最后发展阶段的帝国主义。他并不像布尔乔亚经济学者那样,单只在直接的表象上列举一定的帝国主义的表面的标征。他从帝国主义即资本主义的独占之最单纯的本质的规定出发,说明了帝国主义从资本主义生长的经过,在思维上再生产了具体的帝国主义之一切特性。

辩证法之本质的特征,在于下面一件事:即对于当作复杂的具体的全体性之论理基础来研究的最单纯的规定,不是像一看容易想到的那样,在对象发展的最低阶段上去观察它。反而是在最高阶段上去观察它。例如,马克思从那种在发展了的资本主义中——不单是在单纯商品经济中——被展开了的商品的诸矛盾之见地出发,研究了商品。

照这样,辩证法是从最单纯的抽象出发的。因为,最单纯的范畴,"在历史上,也能在具体物之前存在。但在其完全的……发展的姿态上,只能够在更复杂的……形态上才能看到"(马克思)。例如,货币在古代希腊及罗马的经济生活中已经实现,并且占有了一定的地位。但货币并不曾决定当时经济关系之奴隶所有的、在根本上是自然的性质。所以要完全暴露古代货币之社会

右侧旁注:
抽象之作用

为研究的出发点的最单纯规定从抽象得来

最单纯的规定须在最高阶段上去观察

275

的作用及其内的矛盾,只有对照在资本主义下发达了的货币的诸规定,才是可能的。当作矛盾的社会关系看的货币之本质,只有在社会发展的高级阶段上,即只有在资本主义之下,才能暴露出来。

高级形态是理解低级形态的关键。"人类的解剖,是猿猴的解剖的关键。在下等动物中看到的、向着高等动物的暗示,只有在高等动物已经知道的场合,才能理解"(马克思)。反之,若把低级形态的抽象规定移到高级形态之上,那么,就会至于曲解现实,抹杀高级阶段的特殊的诸矛盾,同时也不能真正地认识低级形态。少数派的鲁宾这样写着——"资本是价值的一个变种。因为资本家与劳动者之间的生产关系,是当作具有同权利的商品生产者、经济的自治的主体之间的诸关系而发生的"。因此,鲁宾把抽象的单纯商品经济的规律性移到资本主义之上,抹杀了资本主义的根本矛盾——劳动者生产剩余价值与资本家领有剩余价值。并且阶级斗争发展的规律性,资本主义崩溃的必然性,都在鲁宾对于马克思经济学的解释中被曲解了。

布哈林在社会主义进攻贯穿于全线而展开的时期中,当着反对对于富农的非常手段,反对结合中农的新生产形态时,他已经把在形式上理解了的新经济政策初期的抽象规定,移到了那最后的时代。实际上,关于新经济政策的伊里奇的思想及其合作社的计划之一切深刻丰富的精髓,与新经济政策初期的真正本质的特征,在新经济政策的最后阶段上,才完全展开于党与劳动阶级全体之前。

若把社会或自然的发展之低级的未发达的阶段上之本质的矛盾,移到高级的阶段,那就会只是缓和矛盾,把新东西解消于旧东西,把现在和未来解消于过去。那样的方法,只对于反动的社会阶级与社会群及其思想家,才是有效的。如果有些革命家或社会主义者,用二十五年以前的、多少有效的尺度或价值,去研究今日的社会民主党,那么,我们对于这种人应该怎样说呢? 我们这样说,这是阶级的敌人借他们的口——不管他们意识着与否——来说话。但是对于今日的社会民主党,简直表示那种形式的愚蠢的"战前"的态度的人,只是少数派色彩的观念论代表者德波林。在 1929 年出版了的,以大众的读者为目标的著作(《思想家的伊里奇》)中,他这样写着——"……对于当作普罗列达里亚掌握国家权力的手段看的国家之渐次的民主化,社会民主主义者所怀抱的一切希望,是极端空想的东西……在布尔乔亚手中的'纯粹德谟克拉西',是支配社会民主主义者的很好的手段,这件事已经明白了。社会民主主义者固执于这种形态,不注意分析其内容"。国际执委第一次大会,已经把社会民主党看作"布尔乔亚独裁的主要的台柱",而德波林却不注意这一层,在他们之中,只看出为狡猾的布尔乔亚所欺骗的天真的小布尔乔亚空想家。

认识从革命的实践之分离,以及联带着的用空虚的形式的抽象代替辩证法的抽象——发现过程之本质的规定的东西,这样,必然到达于上述反动的非伊里奇的结论。

第七节　辩证法唯物论的概念论

形式论理学具有着它自己的概念论。它在构成概念时也应用抽象。但形式论理学与辩证法论理学的概念构成之间,却存有根本的差异。

在形式论理学说来,对象是其标识的总计。这些标识对于对象是外面的东西,一个标识对别个标识独立着。研究对象这件事,就是把对象分解为属于它的种种的标识。规定对象这件事,不外就是举出那根本于标识。但形式论理学所认为根本的东西,不是对象之本质的规定,而是在一定种类的对象中通常被反复的标识(由于它能够容易从其他种类的对象区别这个对象)。这些特征的标识,在对象的发展中,在对象的各方面的内的关联中,究竟有什么意义,这一层,形式论理学是置之不问的。从形式论理学的见地说来,关于人类之正确的规定,是"具有发音分明的语言的动物"。这样的规定对于人类的发展上的本质的规律性之认识,并没有何等的贡献,这是谁都知道的。

形式论理学最初从全体性、从其诸方面的生动的相互关联,完全抽象出来,把这个关联破坏。于是对于全体,得到只是死的抽象的标识的堆积。形式论理学是总合许多标识,借以构成全体性即具体的对象之概念的;而其总合标识的方法,是根据于对于对象是外面的或任意的见地,例如,便于分类,容易识别对象,使用对象等的见地。

具体对象的这种形式的概念是死的抽象,这是完全明白的事情。那样的概念与对象不相似,正和人的四肢无论怎样巧妙地在外面地使它们互相结合

形式论理学的概念之构成

形式论理学的概念不反映对象的生命

起来,仍然不像活人。这种死的抽象,不能抓住主要的东西、根本的东西,即生命发展的反映。生命发展的反映,不是由于对象的诸方面或诸部分之外的结合所能得到,而是由于社会的实践所暴露的这些方面及部分之内的有机的矛盾的统一,才能得到。

照那样,不单当作分析的结果得到的规定的全体,就是当作形式的诸规定的结合的结果得到的全体,对于实在的具体的对象,都会变为死的抽象。

在形式论理学说来,当它从各个分离的对象的认识,移到这些对象的关联和关系的认识时,更遇到新的困难。

在社会的实践之发展过程上,我们的思维中,构成关于一列的现象间的关联及一般性的表象,得到一般的概念之形态。这一般性的意识,在言语上表现出来,就变为一般的名称,论理学努力要发现一般的概念之意义及其构成之法则。伊凡、彼得、黑人及黄色人与人类一般的区别在哪里? 资本主义的、封建的、奴隶的社会与社会一般的区别在哪里? 金、银、铜与金属一般的区别在哪里?

形式论理学是照下面那样解决这问题的。一切概念,都有外延与内包。内包是加入于一定的概念的标识之总体;外延是具有这些标识的对象之总体。一般的概念,与个别的概念不同之点,就是它在内包上是贫弱的,在外延上是丰富的。在内包上最丰富的概念,是单独的具体的对象之概念(对于人的概念是彼得,对于犬的概念是扒儿狗)。在内包上最贫弱的形式的抽象的概念,例如自然、精神等概念。一般的概念,是从单独的或者比较非一般的东西之一定的标识抽象得来的。例如把扒儿狗的特殊的标识除掉,就得到犬的概念。从一定时代的一定国家的资本主义的特征标识抽象起来,就会得到资本主义一般的概念。对于一切社会的构造,如果更进而除掉那特征的标识,这样一来,就会得到内包很贫弱而外延很大的社会一般的概念。照这样,由形式论理学的见地看来,从一般的概念到部分的概念,从类概念到种概念,从种概念到特殊概念的下降,是很单纯的。只要对于一般的概念,加上部分的概念之特殊的标识就成了。伊里奇讥笑布哈林的"定义的游戏"(这里所说的定义是形式论理学的定义)时,他是指着概念的这样的构成说的。

照那样,形式论理学,只指示当作空虚的思维的范畴看的一般与个别之单纯的外面的关系。至于他们的实在的相互关系，以及他们与客观世界的诸关系的关联的问题，是形式论理学所不能解决的问题。单只知道绝对的对立物的形式的思维，只能答复实在的东西是一般或是个别那种问题，经验论者，只承认个别的感觉的表象之实在性。他说一般的概念是"一般的名称"，是一般的创造之结果，是我们贴在一定的见地上的类似的一列现象之上的一种贴纸。经验论者，当着答复资本主义之下的、当作阶级看的农民的问题时，不以生产方法中的农民客观地位为标准，而以决定农民之"外面的"标识的一定主观的见地为标准。当作阶级看的农民的问题，对于实在的农民，并无关系，对于农民的命运，一点也没有说起。这种主观主义，与马＝伊主义，当然没有什么共通点。马＝伊主义，把阶级看作实在的势力，主张阶级斗争及其相互作用，决定社会的发展。对于农民的阶级性的问题的回答，决定普罗列达里亚在革命的种种发展阶段中应付农民各阶层的战术。

经验论的
形式的概
念

　　形而上学的唯物论者，并没有那样想。他是从一般概念对于个别表象的优越出发的。他把实在的实在性附加于一般的概念，他适当地添加非本质的新标识于这一般的概念，借以说明客观世界的个别对象的多样性。但是每个一般的概念，离开每个的现象，不能存在，所以这一般的概念，就转化为站在感觉现象彼岸而支配它的观念的"本质"。"一般的物质"，"社会一般"的概念——依据少数派色彩的观念论者，对于自然是社会生活之实在的现象的论理的形式，不能不从那种一般的概念开始——，正是从物质世界分离了的抽象。

唯理论的
形式的概
念

　　恩格斯在《费尔巴赫论》中这样写着："唯物论每逢自然科学领域中有划期的新的大发现出现时，不能不采取新姿态。并且，自从站在唯物论的立场研究历史以后，在这一方面，也开拓了新的发展的道路"。俄国机械论者们，在1925—1929年的论战中，依据这个引用文的最初的命题，作了下面的曲解；即是说，恩格斯承认了唯物论追随于自然科学的发展之后，因而唯物论对于自然科学，不能而且也不该演出何等独立的作用。德波林派对于部分科学与自然科学拥护了哲学的独立性，这是正确的。但是他们站在错误的立场，对于机械的废弃唯物论的人们，拥护了唯物论哲学。他们对于反唯物论者的指摘，有些地方是不正确的。即，恩格斯说起唯物论"不能不采取新姿态"之时，他的心目中不是指当作一般世界观看的唯物论；而是说，与社会及科学的认识之一定

机械论派
与德波林
派对于形
式的概念
之态度

发展相关联。"这个世界观,在一定历史阶段上所采取的特殊形态"(恩格斯)。又,他们指摘了不应该把物质的概念与关于物理的物质之构造的一定表象,视为同一,这一层也是正确的。但同时他们把唯物论从部分的科学分离了。自然科学与社会科学中物质的具体诸形态的科学认识之发展,在他们看来,并没有充实物质之哲学的概念。但是恩格斯放在心目中的东西,是下面一件事,即由于各个科学的发达,充实了关于自然、社会与思维的一般发展法则的科学之全哲学,以及当作一般的概念看的物质概念。

黑格尔派
的概念之
空虚德波林学派,把物质转化为概念论的自己发展的"一般的本质",转化为从外部支配各个形态的本质了。伊里奇认定了普列哈诺夫对于马赫主义批判之本质的缺点之一,是同样地蔑视了哲学的发展与部分科学及自然科学的发展之关联,这是很有特色的事情。"如普列哈诺夫所为,蔑视这个关联(新物理学与观念论哲学的),分析马赫主义——是愚弄辩证唯物论的精神"。

黑尔占把前世纪 40 年代俄国黑格尔主义者照下面那样描写着(这些黑格尔主义者,在一切事物之中,只认定一般的概念、"一般理念",从具体的现实夺去了感觉的内容)——"实际上,一切事物,一切单纯的感觉,被提高为抽象的范畴,从那里变为没有一点血色的苍白的代数学的阴影回来了……散步于索可尼克的人,是为着把宇宙与他的统一委诸汎神论的感情而散步了的。如果他在途中遇着酒醉的兵士或村妇,就是开始了会话,哲学家[1]是单纯地和他们说话的。他在直接的偶然的现象上,规定了国民的本体"。

经验论从
一般分离
个别,唯
理论从个
别分离一
般在经验论者[2]方面,在唯理论者[3]方面,我们都看到一般对于个别的分离。在前者的场合,因为一般的现在性被否定,各个现象的存在就被承认,世界的统一就被否定了。[4] 在后者的场合,一般的抽象,从各个的现象夺去了一切的独立性。这样,经验论从一般分离个别,把一般还原于个别。唯理论从个别分离一般,把个别还原于一般。

---

① 1935 年 6 月版此处添加了一个"不"字。——编者注
② 1935 年 6 月版此处添加了一个"的"字。——编者注
③ 1935 年 6 月版此处添加了一个"的"字。——编者注
④ 1935 年 6 月版将此句改译为"在前者的场合,因为否定一般的实在性,所以承认各个现象的存在并否定世界的统一了。"——编者注

辩证法唯物论的论理学,对于普遍与个别的相互关系的问题,给予唯一正确的解说。概念是外界在人类思维上的直接反映的构成的形式,是它的结果,这种构成是从不断的具体的实践之下实行的实践出发,而复归于实践;所以个别的概念与一般的概念,都反映这个世界。这些概念,因为个别与普遍都实在地存在于客观世界,所以是实在的。个别与普遍、特殊与普遍,不像形式论理学所要求的那样,它们不是当作具有自己的存在的独立的对象而在外面互相对立的东西。这些东西,在人类头脑中,只有在其统一上,才能存在并被反映出来。离开个别没有普遍,离开普遍没有个别。

伊里奇对于那种在观念论上从社会的死的形式的抽象,引出具体的社会诸现象的规律性的事情,曾经斗争过。他说:"社会是什么,进步是什么,从这样的问题出发,就等于从终点到始点。在你们还没有特别研究一种社会的构成,不能确立这个概念,不能研究真实的事实,不能在客观上分析任何社会诸关系的时候,你们从什么地方取出社会和进步一般的概念呢。"社会是当作一定的社会经济的构造而存在的,它不是与那种构造并立,而是在那种构造之中并且通过那种构造才存在的。在另一方面,个个社会经济构造的发达及其相互推移的法则,是社会发展的一般法则之特殊的——就那种构造每一个说的——阶段。并且采取发展了分化了的姿态的社会规律性本身,在社会的发展最高阶段上展开出来。资本主义规律性的研究,是更深刻的理解先行的社会经济构造的一段规律性的关键,其原因就在这里。

一般之辩证法的理解,不是对象之停滞的本质,而表现其本质的推进的矛盾,同时又指示到达个别的道路。机械论者企图证明机械的运动是运动的一般形态之时,他们造出形式的一般的抽象。那样的抽象,不能表现物质运动,例如,不能表现生命、社会的一切具体形态。

辩证法的概念是具体的。因为它在其他一切方面的充满矛盾的统一上因而在一般与个别的统一上,论理地反映出对象。

伊里奇说:"个别,在引导到一般的关联之外①,是不存在的。一般,只在

_____

① 1935 年 6 月版将"在引导到一般的关联之外"改译为"如排除那引导到一般的关联"。——编者注

唯物辩证法对于一般与个别的相互关系之理解

辩证法的概念是具体的

个别中,并且只通过个别而存在。一切个别,在某种方法上是一般,一切一般是个别的一部分、一方面或本质。一切一般,只是近似地捉住一切个别的对象。一切个别不完全地进到一般之中,等等"。

像那样的辩证法的概念之古典的模范,伊里奇在帝国主义的规定中给予了,斯丹林在新经济政策的规定中给予了。伊里奇不把帝国主义与"资本主义一般"看作同一的东西,并不用资本主义之非本质的标识去描写帝国主义。例如他并不像考茨基那样,说帝国主义是一定的资本主义各国之一定的政策。他也没有把帝国主义,当作新的社会经济构造与资本主义对置。伊里奇把帝国主义,当作资本主义的一般矛盾的发展之直接的连续、当作最高段表示了。但同时,他又在帝国主义的特殊形态中,暴露那些矛盾,在帝国主义本身之中指示了它的明日(帝国主义是独占的资本主义,帝国主义是垂死的资本主义,是社会革命的前夜)。

斯丹林在新经济政策的规定中,把过渡期的各个阶段中,新经济政策的一切个别的现象中所表现的那种一般的本质的矛盾及指导的方面暴露出来了。

少数派色彩的观念论之形式主义的性质,在他们的概念论的叙述中,特别显著地表现着。德波林派,一面引用伊里奇的关于辩证法的概念的具体性的言辞,而在其理论的实践上,却往往"完全反对的"行动了。他们在许多的机会,从关于自然与社会的部分科学之发展过程,分离了各个运动形态的部分的规律性之具体的多样性,因而从空虚而无内容的物质一般的抽象概念,由论理的方法去引出来——这件事当作他们的纲领揭示了。德波林派向着理性的观念论、黑格尔主义、概念的自己发展——不是发展着的世界在概念中的反映——这种方向倒退。这种倒退的征候,在他们的几个代表者为着认识具体的社会构造而要求从抽象的社会的规律性出发那件事当中,也表现出来。

在别种场合,普遍与个别的相互关系的问题中这种形式主义,引起了如下的结果。即个别被宣言为认识所能捉住的唯一的实体,当作一般或全体看的过程之本质的规律性,被蒸发出去,被宣言为非本质的东西。例如,史的唯物论之对象,被当作研究社会的发展之各个阶段之规律性的东西,因此,当作全体看的社会的发展之规律性被忘掉了(例如,加列夫的场合)。

在形式上构成一般的概念,并把普遍与个别对置这一点,右翼与左翼机会主义者,与他们的方法论者——机械论者于少数派色彩的观念论者相一致。例如,社会概念的构成上,布哈林与哥尼克曼的全部差异,只在于下列一点。即,布哈林依照形式论理学的一切准则,构成这个概念,顺次排除各个社会经济构造的标识。而哥尼克曼,在研究各个社会经济构造以前,论理上确定社会的概念,从这个概念引出一切各个的社会现象。其结果,在布哈林方面,社会被规定为"互相作用的人类的最广泛的体系"。这种规定通用于一切时代,于一切国家。正因为如此,它对于一致具体的历史的社会形态的一切推进的矛盾之反映,都不存在。① 布哈林与
哥尼克曼
在形式上
构成社会
概念的错
误

哥尼克曼,对于布哈林的社会概念,作了严格的批判。但是他事实上并没有超过布哈林。他在论理上构成社会概念,忘记伊里奇的指示,从那种应该作为出发点的、当作社会发展的各个实在阶段看的一定的社会构造,实行抽象。他的思想中,飘浮着"社会一般"。他探求关于这种"社会一般"的本质的标识。他这样写着:"……人类社会首先是由于共同劳动结合起来的人类的总体。"对于叙述劳动一般的这样的社会概念,布哈林也会同意。

德波林派暴露了他们自己不能理解普遍与个别之辩证法的统一,也不能在实际上应用它。他们把普遍当作独立的自己发展的本质,与个别对置了。他们不能在革命运动的各个片断中,看出全体运动的根本矛盾之个别的具体的形态。

概念之形式主义的构成及运动的各个形态与阶级之具体的特殊性之蔑视,是反革命的托罗斯基的特征。托罗斯基,把他的"永久革命论",看作是通用于一切国民的理论,至于那国民所到达的发展阶段及其国内国际的状态之特殊性,是毫不介意的。大家都知道,这种可怜的理论,被 1905 年和 1917 年的革命的具体过程所粉碎了,被全世界的战后劳动阶级的全斗争过程所粉碎了。但是托罗斯基在已经站在反革命方面的现在,他对于伊里奇的关于从布尔乔亚民主革命到普罗列达里亚革命的转变以及一个国家的社会主义胜利的 托罗斯基
的永久革
命论是形
式主义

---

① 1935 年 6 月版将此句改译为"正因为如此,它对于一个具体的场合,完全没有用处。在这个规定之中,一切具体的东西,都被冷却,诱致具体的历史的社会形态的一切推进的矛盾之反映,都不存在。"——编者注

可能性的理论,却更热心地把自己那种理论当作国际革命发展的一般公式与之对立了。

伊里奇对于外国的党所给予的多数派战术战略上的教训,有系统地这样说着:"共产主义的劳动运动的国际战术之统一性,并不要求排除多样性……只是必要的事情,就是在适用共产主义的根本原则时,要按照国民的及国民＝国家的差异,正确的变化这些原则来使用。各个国家对于统一的国际的任务之解决,对于机会主义与劳动运动中左翼空论主义之克服,而具体地进行之时,要把国民的特异性,国际的特殊性,实行调查、研究、探求、考察、把捉。……在这里,存有现在的历史的瞬间之主要任务"。

但是托罗斯基的反革命的"左翼空论主义",轻视国民的特殊性与国民差异,蔑视具体的着手解决统一的国际任务之必要。他的永久革命的公式,不顾虑各国的特殊性,要求立即把民主革命转到社会革命,主张社会主义的胜利,只有在世界的尺度上才是可能的。

托罗斯基的"永久革命"是形式的抽象,蔑视帝国主义条件下的民主革命转变为国民的及国际的普罗列达里亚革命的运命过程,不考虑这个转变之具体的特殊性、各个一定的国家中革命的特殊过程及其种种方面的关联。

在托罗斯基一方面,辩证法唯物论,被那种臆造的一般公式之观念论所置换;这些公式,在阶级斗争的具体过程上,是从外部引进来的东西。

第八节　判断与推理

辩证法的概念不是现实性之瞬间的写真。反映过程之本质的矛盾的辩证法的概念,在近似的、有限制的、附条件上的形态上,给予理解过程的运动的关键。由于暴露辩证法的概念之内容,我们同时就暴露从个别到特殊和普遍或从普遍到特殊与个别的运动。思维上的概念之具体统一之内的矛盾,我们用判断把它暴露出来。伊里奇说起"国家是在支配阶级手中的工具,不是别的东西"之时,他在这个判断中,在国家与支配阶级之间,把关于国家的根本决定的关联确立着。国家只存在于这个关联之中,我们只有暴露这个关联,才能确立关于国家的根本的矛盾。

形式论理学把判断看作是概念的标识之暴露,这种暴露,对于概念,并不加减什么东西。形式论理学的判断,是两个互无关系的概念之联结。例如,"社会由人类而成",或"鲸是哺乳动物"那样的判断之中,形式论理学单只看到预先给予社会及鲸的概念中的各种标识之暴露。"社会"、"鲸"、"哺乳"等概念,依然是互无关系的,是不变的。

形式论理学的判断是概念的标识之暴露

伊里奇这样写着:"从最单纯的东西,最普通的东西,最大量的东西等,即'树叶是青的','伊凡是人','扒儿狗是犬'等任意的命题开始吧。在这里(如黑格尔的天才的认识一样),就有个别是普遍的辩证法。总之,对立物(个别与普遍对立)是同一的。个别只有在引导普遍的关联之内,才能存在。普遍,只有在个别之中,只有通过个别,才能存在。在'伊凡是人'这个判断之中,个人的伊凡与一般——人——间之实在的关联被暴露着。伊凡在特殊的形态上表现人所固有的规律性。在另一方面,离开各个人而存在的人一般的规律性本身,是不存在的"。

判断中普遍与个别的辩证法之反映

唯物辩证法,在判断之中,看到概念所反映的客观的推进的矛盾之暴露。在判断中被结合的概念,把这个矛盾具体化。必然的有机的被结合着的这些具体的概念,被人类在其实践——物质的社会生产之实践与阶级斗争的实践——的发展中,暴露出来。

唯物辩证法的判断及其实例

在关于费尔巴赫的批判的论纲之中,马克思的判断,即"人的本质是社会诸关系的总体"那个判断,在"人"的概念的展开上,是在质的方面划分新阶段的东西。这个判断表示着:人类之本质的规律性,不是解剖学的及生理学的特殊性,也不是意识,而是在人类中并且通过他而实现而展开的,具体的社会诸关系。

这样的人类的本质之理解,在那些把各个人类的"本性"与社会诸关系相对立的狭隘的布尔乔亚的思维看来,是不能理解的。马克思对于人类的本质的这样理解,反映了阶级斗争的发展中的新阶段——有组织的普罗列达里亚的成熟。普罗列达里亚,为社会的发展过程所刺激,在自己与敌人之间,看出了一定的社会诸关系之担当者及拥护者。

恩格斯把关于能力的种种形态之关联的人类智识的发达,作为实例,指示了判断的种种形态是怎样与社会的实践的发展种种阶段相结合的。

辩证法的判断与实践的发展相结合及其实例

有史以前的人类,他们——或许在十万年以前——发现了摩擦取火的方法之时,在实践上已经知道摩擦生热的事情。但是在那个时代以前,早已知道摩擦身体的寒冷的部分借以取暖了。但从那个时代起,到发现摩擦一般是热的源泉这件事为止,不知道经过了几千年。但无论怎样,人类的头脑发达到表明摩擦是热的源泉的判断……的时代到来了。以后更经过数千年,在 1842 年……把这个特殊问题(摩擦生热),与以前所发现的其他类似诸关系,关联起来,实行研究了……于是形成了'一切机械的运动,得因摩擦之助而变为热'的判断。最后,三年后,迈尔作出了关于一切运动形态的如下的判断。即"任意的运动形态,在一定条件下,直接或间接地能够而且必须转化为任意的运动形态"。

辩证法的判断之构成过程　在第一个判断中,确立着个别的运动形态(摩擦)与特殊的运动形态(热)之间的关联。在第二个判断中,通过①个别(摩擦),而确立特殊(机械的运动)与别个特殊(热)之间的关联。最后,第三个判断,把一切运动形态的关联与推移之一般法则,公式化了。

　　顺次的由个别——现象间之经验的被确立了的个别所依据的——进到普遍——构成这些关联的一般法则的——的这些判断,"当作根据于关于运动性质一般的我们的经验基础的智识之发展,在这里被我们表现出来"。但这并不是那种因实践而充实的关于自然的实践智识的贮藏,在意识上单纯的机械的被反映了的东西。随着从个别到普遍的判断之发展,我们在这里看见从个别(摩擦)到一般(运动形态,能力)的概念之发展。

由判断到推理　在不知道能力转化的法则的听众之前,我们试着实行恩格斯所说的适应于社会的实践的各个发达阶段的实验,来想象一下。我们最初表示木与木、铁与毛皮②、水与推进机表面、冰与冰的摩擦,随着有热发现出来,就会到达于摩擦转化为热的结论。其次我们表示:不单互相摩擦必生热,就是打击、运动的阻止、气体的收缩、金属的穿孔也必生热。最后我们实行表示机械的、电气的、

---

① 1935 年 6 月版删除了"通过"二字。——编者注
② 1935 年 6 月版将"铁与毛皮"改译为"身与毛皮"。——编者注

光学的、化学的能力等互相转变的这种普遍的实验。依照世界物质的统一与实践是认识的源泉与规准这个前提,我们就可以在论理上组织这些实验的材料,构成能力转变的法则。我们的认识之与实践相关联而通过的各个历史阶段,被我们在思维上当作推理当作结论再生产出来。

从具有共通概念的两个判断(所谓前提),必然的引出第三个判断,这样的推论,形式论理学把它叫作三段论法。例如,"封建的国度,通过资本主义阶段而发展到社会主义的方向"与"蒙古是封建的国度"这两个判断,都有"封建的国度"这个共通的概念,但是就三段论法的见地说来,从这两个判断出发,就产生下面的结论:"蒙古当然通过资本主义发展的阶段"。在这种实例上,三段论法之形式的性质,非常明白表现着。在这里,只根据于"蒙古",这概念与外延上的共通概念"封建的国度"之间的外的关系,引出结论。但我们,从蒙古的历史的发展过程看来,从其与苏联相邻接一点看来,从蒙古的劳苦农民之革命的积极性及其政治的组织看来,我们知道,蒙古不通过资本主义的社会经济构造而向着社会主义发展。

概念的由普遍到个别以及由个别到一般的道路,是由于社会的实践一切方面——工艺、阶级斗争、科学的实验之实际——之发达所暴露的事物的现实关系的、根据于人类认识的反映。三段论法及一般的推理,是从实践分离而与之对立的东西,所以不是认识客观世界的新规律的工具。例如,我们把"贵族是沙皇政府的台柱"与"鲁易列夫及彼斯得尔是贵族"这两个判断,检讨一下。依照形式的三段论法的原则,我们就不能不到达于这样的结论:"鲁易列夫及彼斯得尔是沙皇政府的台柱"。这个结论的错误,形式论理学是不能暴露的。只有具体的研究历史的现实——在这个场合,是 19 世纪初期的俄国,我们才能表示发展的真实路程。只有这样的研究,才暴露十二月党员中普遍(贵族)与其各个集团之间的矛盾,是地主阶级的利害与在其各个部分中发展着的布尔乔亚倾向的利害之间的矛盾。但思维的全过程与实践的这样有系统的"接触"、当作对立物具体的统一看的概念的这样的处理,是唯物辩证法之必须的要求,并且只有在它的基础之上,才是可能的。这样的具体的统一,不能依靠抽象的一般的概念之自己运动所能简单地得到,而必须从现实本身中把它引出来。

形式论理学的三段论法之形式的性质

三段论法不能认识客观世界的新规律

恩格斯说:"思维的法则与自然的法则,在它们正确地被认识之时,就不能不互相一致"。（页边注:思维的法则与自然法则之一致）这些法则的认识,究竟正确到什么程度,这是由社会的实践所决定、所试验的。

唯物辩证法,不否定三段论法及其他推理形式的意义。但唯物辩证法,在其自己的运动上,把那些东西的真实本性,当作反映对象世界的思想的运动过程表示出来。黑格尔说:"一切事物都是推理,是某种普遍,通过特殊性而与个别性接触着"。这句话,在形式上在本质上都是观念论的。伊里奇对于这句话这样写着:"很妙! 最普通的物理的形象,是最普通的学校式描写了的事物的关系"。

唯物辩证法,不排斥当作概念构成的工具看的推理。它在推理之中,看到对象发展的现实路程的思想上的再生产,在那种法则之中,看到客观世界的矛盾的发展法则之近似的反映。我们的思想的积极性所表现的论理的结论,是我们的社会的实践之必要的动因。如果没有它,我们就会不能超出因实践的一定阶段所充分暴露了的客观世界规律性的界限。如果没有论理的结论,那么,对象之理论的研究的任何过程将是不可能的,对象的发展法则以及个别现象中这法则的实现条件的认识之任何过程,也将是不可能的。

但是,上面几句话,并不是说论理支配实践、而实践只是论理的草稿之单纯的实现。那样的考察,是观念论的。"论理的形象,并不是当作自己的他在而具有人类的实践（绝对的观念论）。反之,人类的实践,是几十亿次被反复着,而在人类意识中当作论理的形象被固定的。这些形象因为几十亿次被反复着（只因为这样）,具有偏见的永续性、公理的性质"（伊里奇）。所以,永久的思维法则那东西,是不应有的。我们的实践,发现事物的关联及其种种方面的新规律性。这些规律性无数次反映于我们意识之中,当作新的思维法则,当作新的形态（更正确而妥当地反映自然运动的客观规律性的思想之关联及相互推移的新形态）,固定于我们的意识之中。

具体的社会的实践与有机地结合了的新的革命的思维方法,开始由普罗列达里亚的思想家构成了,并且能够构成了。普罗列达里亚,是敌对的社会的最后阶级,是那种社会的掘墓人。在他看来,自由只是正确地理解了的历史的必然,那样的阶级,只有普罗列达里亚。普罗列达里亚,由于全世界的历史的经验与自己的斗争的实践,是在社会的自己运动——普罗列达里亚自身是其最重要的方面——之内的矛盾中,探求社会发展的推进力的唯一的阶级。(社会发展的推进力不是在"神、皇帝、英雄之中"去探求,也不是在一般任何外力之中去探求)。但是在资本主义的条件之下,普罗列达里亚全体,不能发展到政治的自觉及其前卫的组织性的阶段;同样,唯物辩证法,在布尔乔亚支配的地方,也不能成为一切劳动者的意识的思维方法。

只有在苏联,只有在今日,唯物辩证法,才越发广泛越发深刻地破坏劳动阶级及劳苦农民的广大群众之形式论理的思维方法。这只是因为俄国几百万劳动群众,接受党的指导,参加着生产关系之革命的、计划的及组织的改造。这只是因为社会主义的建设之实践,要求各个参加者理解他所实行的个别的小事业与社会主义建设的历史任务之辩证法的关联。自由——几百万人的合作团体的行动所意识了的必然,它自身成为俄国成功的前进运动之必然的条件。在 19 世纪 80 年代,恩格斯的卓见,已经喝破了:形式论理学的常识,"在四壁围绕的家庭中,是最可尊敬的伴侣"。恩格斯这句话,是指的永久停滞的小布尔乔亚的生活说的。但是现在,自己的"四壁"被扩大到共同生活及社会主义的都市之范围。个人的厨房,革命地被转变为科学的有组织的厨房=工场;连带着,全部生活组织在最初是半盲目的发生变化,后来却越发有意识的有组织的发生变化;几百年来固定了的人类诸关系的诸形式,积极地被改造。在这样的现在,形式论理学的"常识",也快要告终。

唯物辩证法转变为大众的常识之过程

新的实践,在诸现象之间,发现新的关联形式,在大众之中,产生对于一切问题的新态度、新思维方法,唯物辩证法,正被几百万社会主义建设者当作"常识"。

第九节 分析与综合,归纳与演绎

我们在前面已经看到,马克思的《经济学批判》的叙述,是从商品与价值开始的。商品及其价值,是马克思因分析资本主义经济的诸现象之具体的多样性而发现了的最单纯的本质的规定。资本主义的生产方法的一切现象之基础,即这个最单纯的一般的规定,变成了构成全体的资本主义的生产过程的理

经济学批判中的分析与综合之实例

论之出发点。

从资本主义经济的最大量的一般现象——商品——出发了的马克思,把当时资本主义社会,连同其一切矛盾,当作这个社会的一切本质方面的具体统一,当作基本的诸规定的发展之必然的结果,再生产出来了。马克思给予了资本主义之具体的综合的理解。他实行这样的综合时,他是根据于资本主义的现实的发展过程的研究,根据于当时资本主义的现实——那本质的方面,由于普罗列达里亚的实践、由于阶级斗争暴露了。

分析与综合是认识上的必要的动因

分析与综合,在我们认识客观世界及其规律性上,是必要的动因。化学家分析蛋白质,发现它是从一定的更简单的物质成立的,他实行蛋白质的分析。但是单只决定它的成分,还不能认识蛋白质。即是还没有认识使蛋白质成为生命的担当者的本质的规律性,这是不待言的。因之,我们不能不抓住蛋白质的综合的规律性,就是抓住从非有机的构成部分构成新质——有生命的物质——的规律性。这是现在合成化学的当前的任务。例如橡皮的化学构造,虽在很久以前早已知道。但是直到最近十年间,由其他更单纯的化合物合成橡皮的作业,才告完成。

分析与综合不是独立的认识方法

"以分析为主要研究形式的化学,如果没有分析的对立物——综合——就没有一点价值"——恩格斯这样说着。

机械论者之形式的分析

从上面所说的看来,分析与综合,是独立的认识方法——这样的结论能够发生吗? 像那样地理解分析与综合以及两者在认识中的意义的人,是形而上学者。例如,在机械论者看来,全体是部分的机械的总计。因为机械论者所理解的全体的属性及规律性,不外是部分的属性及规律性被复杂化了的东西。所以更深刻地认识对象,就是更深刻地推进分析,而其结果到达于横在现象的根底中的极端单纯的要素。那种极端单纯的要素,在机械论者看来,是没有特性的微粒子及其空间上的物质变化。从彻底的机械论者的见地看来,任意的对象,例如人类社会之分析,由于发现这些极端单纯的要素,才告终结。但分析如果终结,我们就必须在量的方面把这些要素作种种的结合,借以综合全体。这样,机械论者,在分析的阶段上,把客观世界的一切质的多样性,溶解于对于一切现象在形式上是共通的、同一的、内容空虚的机械的运动的规律性之中。在综合的阶段上,机械论者在机械运动的这些规律性之下,把物质运动的其他内容更丰富的形式,例如,化学的现象、生命、社会等都包括了。但在机械论的经验论者说来,认识上的主要点,是机械论的分析,是从复杂到单纯、从全体到部分的分解。

当作独立的认识方法看的形式的分析之批判,黑格尔已经实行了。把全体当作派生的部分之单纯的综合的形式的分析,杀死了全体。把社会看作"人的原子"的相互作用,例如把资本主义社会的规律性还原于各个人的生物学及心理学的社会学者,由于那样的办法,把资本主义社会消灭了。因为,在资本主义社会中实在的互相作用的东西,不是孤立的人而是阶级。 黑格尔对于形式的分析之批判

黑格尔这样写着:"化学家拿一片肉放在长颈蒸馏器之中,加以种种的操作,然后我说发现了肉是由氧、炭、氢等构成的。但这些抽象的元素,已经不是肉。"

氧、炭、氢——对于肉是抽象。当作独立的单纯的元素看的炭,与肉中包含着的蛋白质的成分的炭,是不同的东西。在蛋白质之中,暴露出炭只有在从蛋白质到炭的关联上才存在的那样的规律性。

这样看来,不顾虑全体的特殊规律性而实行的分析,只造出贫弱的形式的抽象。那样的抽象,当然不能给予理解实在的对象的认识的关键。 形式的分析到达于不可知论和观念论

形式的分析,即令从实在的事物及其诸关系出发,也到达于不可知论,到达于显明的观念论。在这种分析主义者说来,世界一切质的多样性种种运动形态的一切财富,都被溶解于任意选择的元素的部分之最单纯的最贫弱的运动形态之中。如果把社会当作各个人的总体去观察,把有机体当作细胞的总体去观察,动植物的类与种,就变为主观的抽象,变为非本质的单纯的假象。这样的分析,在某种形态上,就到达于质的范畴是主观的那种结论。达到了那种结论的人,是机械论者莎拉比雅诺夫和斯特巴诺夫。

只有靠摸索,只有通过由实践面向自然被订正的无数的错误,那样的分析,才能够在力学、物理学、化学上,暴露出若干物质的对象之本质的方面。

但是,形式的综合也不能成为客观的认识方法。

现代的理论物理学者,离开了自己的科学的实验的基础,他以为认识上根本的东西是这个综合。他把这个综合,解释为在一般的抽象的结局上,包括部分的内容丰富的现象于机械的规律性之下。 形式的综合也不是客观的认识方法

形式的综合,不"与现实相接触",不与历史,对象的发展相结合。(页边注:形式的综合只是所谓纯粹的思想)例如鲁宾在其马克思主义经济学的注解上,研究生产价格时,不以价值转变为生产价格的内的必然性作基础,而以发现能"包括"生产价格于价值范畴之下的那种生产价格的标识,作为自己的任务。至于反映资本主义生产方法的历史的经济的诸范畴之现实的历史,是鲁宾所不介意的。所以他的综合,不过是"纯粹"思想的事情,是本质上观念论的构成。

经验论者的归纳法的应用

但是我们怎样知道;由分析与综合得到的新的一般的规定,或诸现象间的新的依存关系,是确实的,是作用于一定诸现象群之上呢? 只有在那样的场合,分析与综合的结果,才能有科学的价值。

经验论者答道:我们的结论为要得到科学的价值,就必须依照一定的方法,对于我们的经验和观察的全体材料,加以一定的组织;这样的唯一的科学方法是归纳法。

经验论者所说的归纳法,是把对于若干现象确定了的某种标识或关系,推及于这一种的一切现象之上。例如我们所知道的反刍动物是有蹄类。他们从这里就引出结论:由于反刍动物的分析所发现的"有蹄"这个标识是必然的标识;因而一切反刍动物都是有蹄类。但这"法则"的现实的必然性质在哪里,反刍动物的消化器官的构造与蹄的构成之间有什么关联,这些是归纳论者所不说的。如果提出这"法则"的某种的说明,它不会根据于归纳,于外的标识的一般化。

经验论的归纳只拘泥于现象

布尔乔亚经济学者,在历史上的一列的产业恐慌中,看到产业循环的衰落期以后有复活的时期,即好景气的时期到来。它从这里就引出了一种"归纳的结论"——资本主义经济的一切恐慌,必须以新的一般的产业兴旺而告终。它把恐慌作为不可避免的东西,它不深刻地研究决定其种种阶段的资本主义之内在的矛盾。各个新的恐慌,表现资本主义的矛盾中的新阶段,因而有其特殊的性质:例如这次的世界恐慌,是资本主义没落期的恐慌,不是它的新的兴旺,而是孕育着革命的变革——这些是布尔乔亚经济学者所不过问的。经验论的归纳,不进到现象的表面以上,而停止在其外面的标识之分解与一般化。

演绎

补足归纳的东西,是演绎。归纳是把根据于一列特殊事实的结论实行一般化,而演绎被解释为一般命题,或从特殊事实引出结论。①

　　形式论理学者,从几何学上的所谓三角形的内角之和等于二直角一般条件的定理出发,引出直角三角形中除直角以外其二角之和等于一直角的特殊条件之时,只看到从一般到特殊的演绎。他不注意下面的事实;即这个"引出",在他所以认为是必然的,只因其根据于社会的实践之庞大的材料。人类在这种社会的实践上,处理了无数经验的事物以及包括直角或一般的角的那些空间的外形。

形式论理学的演绎法

　　例如,许多布尔乔亚历史学家,不能确立社会发展的一般规律性,或者感到恐怖,把历史事象的说明,从各个事实——某一国王的人格、政治家、支配的思想等,"演绎"出来。但是当着实行曲解社会诸现象的现实关联的这种很错误的说明时,他们在事实上是从所谓历史的过程由国王的意志、思想及其他所决定的一般前提出发的。这种错误的一般的前提,是根据杂有许多历史事实之皮相的先入见解的分析而得到的。

布尔乔亚科学上的演绎法

　　经济论哲学家和经验的自然科学代表们,把归纳与补足它的演绎,看作认识客观世界的唯一的科学方法。据他们的见解,只有这种方法保证科学对于事实的忠实,使我们的结论从一切主观的"叫座"解放出来。

　　但在实际上,归纳和演绎,不给予对象的发展之本质的推进的规律性之认识。归纳的一般化,是照下面那样作成的:若果一定的标识在许多场合被反复时,它不能不在一切场合发生出来。但为什么不能不是那样呢?这个标识在一切场合被反复的必然性在哪里?——这个问题,归纳论者没有答复,并且不能答复。18 世纪及 19 世纪布尔乔亚革命的指导者是布尔乔亚。这件事,在帝国主义时代的落后的布尔乔亚革命中,也还有布尔乔亚是指导者的意思吗?归纳的分析不能不到达于这种答复(例如少数派实际上到达了)。

归纳和演绎都不能认识对象的规律性

　　归纳停止于现象的表面。它取出现实的各个方面,在种种现象上比较这些方面。这些方面如果被反复出来,就把它们一般化。但归纳是不能抓住现象的运动法则,本质的矛盾的,所以它到处是现象的俘虏。所以归纳论者爬行

---

　　①　1935 年 6 月版将此句改译为"归纳是把根据于一列特殊事实的结论实行一般化,而演绎被解释为从一般命题,或特殊事实引出结论。"——编者注

于发展过程的背后,用手摸索,从一个一般化移到别个一般化。它们转变为如恩格斯和伊里奇所严格嘲笑了的爬行的经验论者。

归纳的分析,不发现对象之本质的规律性,对象之实在的推进的矛盾。所以归纳的分析之一般化,不具有内的必然性。每逢某种新事实出现时,归纳的构成,就完全没有办法,而相信恶魔的方法,相信心灵论。恩格斯在《心灵界的自然科学》一篇论文中,指示着:当作对于一切烦琐哲学家及形而上学者的有希望的武器而被提出了的"经验的=演绎的"方法,怎样把两个卓越的自然科学家——物理学者塔尔克斯及生物学者渥列斯——引导到信仰心灵论的方面。

各个自然科学家,如上所说,把归纳法看作科学的结论的真实性之唯一保证,但是恩格斯依照自然科学发达上的许多实例,指示了:归纳没有演绎就不能实行,分析没有综合就不可能。恩格斯说:"由于归纳,在百年前发现了;螃蟹与蜘蛛是昆虫,更下等的动物是蛆虫。同样,由于归纳,现在发现了那是不合理的。归纳不能说明无乳腺的哺乳动物绝对不会被发现的事情。以前,乳房被看作哺乳动物的标识,而鸭嘴动物却完全没有乳房……因为发展理论的进步,有机体的全部分类,也从归纳夺去,而被还原于'演绎',于发生论了。某一种由于从他一种发生而被演绎被引出①。但靠归纳证明发展理论是不可能的……"。今日的生物学,不用外的标识而用发生的共通性作为有机的分类的基础。这种发生的共通性,不是根据归纳的分析而是根据发展的规律性之历史的研究确立起来的。

分析与综合、归纳与演绎只是认识的诸要素不是独立的认识方法在辩证法唯物论的认识论上,分析、综合、归纳、演绎,绝不是独立的认识方法,也不是接连发生的认识的诸阶段。唯物辩证法,把分析与综合,归纳与演绎,当作客观世界之辩证法的认识之必然的诸要素、诸方面,在其统一上去观察。在认识的一切阶段上,我们同时分析而且综合,使用归纳也使用演绎。但分析与综合,在唯物辩证法上,不仅失其独立的意义,并且得到与布尔乔亚论理学完全不同的性质。

---

① 1935 年 6 月版将此句改译为"某一种由于从他一种发生,而被演绎被引去"。——编者注

我们的认识，不能离开我们的实践。在实践上，我们不单是把事物分解为它的构成部分，并且综合这些部分，在其中确立新关系，构成新事物。例如我们当着分解矿石为许多构成部分时，不单是分析它，同时又造出具有为从前矿石所无的新属性的新金属。如果这个综合不是分析的前提，没有伴随于这个分析，科学的分析本身，将是不可能的。

伊里奇在普罗列达里亚的激烈的阶级斗争的实践中，暴露了帝国主义的根本矛盾。伊里奇对于帝国主义的根本矛盾之分析，只有根据于普罗列达里亚对于帝国主义展开了的斗争，才做成功了。但普罗列达里亚对于帝国主义的一般的阶级斗争，其任务不是绝灭帝国主义的各个方面及其表现，而是要把整个资本主义秩序实行社会主义化。所以伊里奇并不随便地引出帝国主义的各个表现。他在这个分析中，探求了帝国主义的根本的方面——对于普罗列达里亚可以成为社会主义建设即社会主义社会的综合之出发点的方面。当着实行帝国主义之理论的分析时，指导了伊里奇的东西，是整个帝国主义的概念，以及由普罗列达里亚实行的它的①革命的变革之必要。

马克思的《资本论》的方法，只有在很皮相的被观察了的场合，在布尔乔亚经济学者的眼光中，或许当作分析的方法反映出来，而以为马克思的天才在于"分析的智能"。但马克思的辩证的方法，同时是分析的，是综合的②，资本主义之本质的诸范畴（马克思根据庞大的事实材料之研究所达到的），在马克思看来，是不当作资本主义的"元素的""构成部分"、它的标识表现的，而是当作反映资本主义的发达的资本主义的认识之发达中的诸阶段表现的。

看起来好像是马克思从商品开始叙述而以具体的资本主义终结，但并不曾交互的使用了分析的方法与综合的方法。马克思并没有把资本主义的概念"包括"于商品经济的概念之下。当着认识资本主义的最单纯的规定时，在马克思面前，"整个的社会"不断地飘浮着。马克思论理的再现出资本主义，反映了那客观的发展之必然的阶段。但在资本主义的这种再现、"综合"的过程上，马克思在叙述的一切阶段上分析各个范畴，规定这范畴在资本主义的发展

分析与综合并用之实例

唯物论辩证的方法是分析的同时是综合的

---

① 1935 年 6 月版将"它的"改译为"那个"。——编者注

② 自 1933 年 5 月版起删除了右边的旁注"唯物论辩证的方法是分析的同时是综合的"。——编者注

上反映的新东西。只有依靠暴露资本主义的根本矛盾的发展中的新阶段的这种分析,资本主义的更具体的认识才是可能的。马克思的综合,在一切阶段上与分析结合着。

我们的思维如果只限于追求对象的运动与发展的踪迹,规定这个运动中相互作用的诸方面,它是分析的起着作用。但我们的思维是积极的,它规定对象的种种方面,同时在其与物质的全体性的关联上观察那些方面,在思想上,在其发展的必然性上,再生产这个具体的全体性。因而我们的思维是综合的。

伊里奇引用黑格尔的话,并加以赞成,这样地说着:"哲学的方法,是综合的,同时是分析的。但这句话的意思,绝不是说,有限的(被限定了的、形而上学的)认识的这两个方法,无关系的共同存在或单纯的交代;而是说这两个方法在哲学的方法中以被扬弃的姿态包含着,哲学的方法,在其每一步的运动上,同时是分析的、综合的起作用。"

所以马克思的辩证法的综合,并不是从派生的单纯规定在空想上构成复杂的概念。辩证法的综合,从其本质自身说,是历史的。它不是由于外面的标识,人为的从单纯的东西构成复杂的东西。论理的综合,依据于社会的实践(那种综合自身是这种社会的实践的一个要素),再现出对象发展之历史的过程。但是从最单纯的矛盾再现出具体对象的论理的思维过程,不能够也不应该奴隶地追求具体的历史过程的一切曲折。任何对象的历史,比较种种的偶然,是无限的丰富。按照一切细目追求对象的经验的历史,这就是意味着不立足于历史过程之指导的根据而在论理上说明它,反而是为混乱的历史过程所支配。在资本主义的诸条件之下,以对抗布尔乔亚的革命开始,在普罗列达里亚的政治的胜利之后,以社会主义建设终结——这样的劳动阶级斗争的天才的论理的综合,是伊里奇的普罗列达里亚革命理论。这种理论,以帝国主义诸条件之下的布尔乔亚与普罗列达里亚的根本矛盾为其出发点。

伊里奇的理论,再现着革命的发展上的根本阶段——劳动阶级与其贮水池的力量之组织,布尔乔亚民主革命到普罗列达里亚革命的转变、暴动蜂起、苏维埃国家树立、新经济的组织等。但具有世界史的意义的这种理论的创造,如果只是奴隶地追随于某一国家,例如俄国的革命的具体过程的一切转变,将是不可能的。因为在那种场合,我们的认识上本质的东西与非本质的东西、内面的东西与外面的东西、普罗列达里亚革命之必然的规律性与其偶然的外面诸条件之间，就会失掉区别。

照这样，在对象发展的历史过程之论理的再现上，辩证唯物论，表示分析与综合、归纳与演绎的统一。辩证唯物论，把各种个别的形态，当作一般的东西的发展阶段去研究。一般的东西之认识，因其个别的阶段之认识而得到（归纳）。伊里奇，关于《资本论》中商品的研究，这样写着——马克思“把它（商品）当作社会的诸关系分析着。分析，具有二重的性质。即价值形态之演绎的及归纳的、论理的及历史的分析。在这里，由于与实践相对照的事实而实行的检讨，在每一步的分析上实行着”。

分析与综合、归纳与演绎的统一

第十节　认识中的经验与实验之作用

招致物质世界的新方面及规律性的认识的社会的实践最重要动因之一，是经验与实践。广义上的经验，是一切社会的实践，是具体的社会的人与自然及他人之积极的相互作用，是一定社会诸条件下人类的物质的生产之实践与人类的阶级斗争之实践。

经验与实验是认识的要素

在当作科学的认识一个要素看的经验与实验之中，我们努力要造出在不因许多外在的相互作用妨碍一定规律性的姿态上所能阐明的那种条件。在自然科学上，实验具有特殊的意义。为要决定重力的加速度，我们就把同样重的物体在真空的圆筒中落下，使重力不受空气的抵抗所妨碍。为要确定土壤的种种成分对于植物的生育所有的意义，我们就在浸进了种种盐类的溶液的纯粹的沙泥中，插入植物的根。梯米里瑟夫因为确定太阳的种种光线对于植物的生活力的意义，把植物的叶与茎，插入于太阳分光镜的种种色带——赤、青、紫等——之中。

自然科学上的实验

然则实验在我们的认识上有怎样的意义？经验论者指出实验在自然认识的发达上所演的很大的作用，自称他们所谓研究家的唯一任务单是记述各种现象，不是发现那内在的规律性那种主张巧妙地由实验证明着。

经验论的实验观

“物理学害怕形而上学”——这是反对理论的认识的经验论的自然科学家的呼声。他们不把实验看作本质与现象的统一，不努力确立过程之内在的必然性。

实际上,在科学的事业之实践中,彻底贯彻经验论的立场的自然科学家,一个也没有。建筑家在实际上建立建筑物以前,先在头脑中建筑它——马克思这句话,也适用于实验家。实验家并不是像盲目的小狗那样,从现象到现象、从实验到实验的乱碰。他并不偶然地结合他的经验的种种要素。在着手新实验的那种场合,他是由一定的推测——根据于已经实践所暴露的对象的属性及规律性的东西——所引导。

经验论者因为损伤自然的研究的理论要素的意义的目的,常常引用成为大发现的基础的"偶然的"实验。但把那样"偶然的"实验更仔细地研究起来,我们就知道无论是实验本身,或基于这实验的发现,都是由于物质的社会的生产之发达、支配阶级的利害及科学的理论的发达所完全准备着。新发现的思想及其可能性,是撒播于空中的东西。这种思想,把从事于科学工作的研究家,引到一定的方向。决定着实验或观察的思想及方法。物体落下的法则,在牛顿以前已经在实验上确定了(由于加里莱)。天体的运动,在他以前,也同样地正确地被记述了。在哲学上,自然之一般的机械的规律性之思想,已经支配着。一切都是向着牛顿的发现准备着了。关于水银的气化及从水银的气化物的水银的还原的拉波氏的实验,立刻引起所谓燃烧是热素由物体放出的热素论的崩坏,引起气的发现,以及物质不灭律的确立。而有意识地计划出这种实验并实行了的人,是拉波氏。但是准备了这种实验的,是当时科学的运动的一切。物质不灭律,在拉波氏以前,已经有许多哲学家所表明,所以这定律另由与拉波氏独立的洛摩诺索夫做成公式,并不是偶然的。

唯理论的
实验观

当着认识基于实验而发达而丰富之时,理论的思维是必要的。这个意思,当然不是说实验是自己发展的理论之受动的附属品,或是外面的补充物。一面的,唯理论的夸张理论对于实验的意义,这是错误的,是观念论的,正与经验论者奴隶的,盲目地随从于实验一样。理论的自然科学、尤其理论物理学的进步,在最近五十年之间,在实验的自然科学家与理论家之间,确立分工;把实验的材料的构成上的复杂的数学的分析之意义增大了。其结果,在许多学者的观念中,自然科学的理论,就离开了实验的基础。理论与实践的分离,为布尔乔亚思想家的一般观念论的性质所固定了,这是不待言的。自然科学的理论家,就把他的理论,当作对实验独立的东西去观察了。

那样的唯理主义,曲解了科学的历史中理论与实验之实际的关联。唯理论忘记了:理论相互的交替是由实验所决定的;实验结局是由社会的实践之全体发展——由于生产力与阶级斗争的发达,首先是由支配阶级的利害所准备的。唯理论蔑视理论所被构成的路程本身,即在实验上发生了的假设,是被法则理论所构成的。在经验论者看来,理论常是假定,是主观的假设。但唯物论者,不把假设当作到达于知识的路程去观察,而当作离实验独立的正确的或错误的理论去观察。

理论与实验之关系

但在实际上,如恩格斯所说:"自然科学在运用思维的范围,其发展的形式是假设。新事实已经发现,关于同一部类的现象的旧说明方法,就没有用处。从这一瞬间起,新说明方法成为必要。——它最初只是根据于被限定了的数量的事实及观察。还有在其以上的实验材料,清除假设,除去其中的一部分,订正其他部分,最后就至于确立纯粹的法则"。法则不是在学者的头脑中完成了的姿态上表现的。它是从根据于"被限定了的数量之事实与观察"的假设成长起来的。但这种假设,是到达于法则的必然的路程。如果没有假设,就不会有法则即理论。"我们如果以为要等待材料成熟到能够确立法则,那么,到那一瞬间为止,将不能不延长理论的研究。正因为这个缘故,我们就决不会得到这个法则"。

假设的意义

如果没有它就到底不能想象现代科学最重要的理论,是曾经通过假设的阶段的。原子论在仅仅三十年以前由许多学者当作便利的"主观的拟设"被考察,它被当作没有实在对象而给予"最简单的"叙述经验材料的可能性的东西。以马赫为先驱的观念论的物理学者,执拗地否定了原子的实在性。在到达于现代的理论与法则为止的科学历史路程上,撒布着不堪实验与实践之试练的许多假设。

在社会现象的科学理论的构成中,假设也演了不下于此的重要作用。伊里奇说——马克思的社会发展论本身,在前世纪 60 年代,就是在马克思写《资本论》以前,曾经是天才的假设。但它是"开始使对于历史的及社会的诸问题的严格的科学态度成为可能的"假设。马克思根据于向着阶级斗争的直接的积极地参加,根据于黑格尔哲学之唯物论的改造,根据于英国的经济学及

假设的作用

法国的空想社会主义之批判,造出了这个假设。马克思为这个假设所引导,"采取社会经济的构造之——商品经济的体系,根据庞大的资料(他把它研究了 25 年多)很详细地分析了这构造机能及发展的法则"(伊里奇)。伊里奇接着说:"现在,《资本论》出现以后,唯物史观早已不是假设,变为科学上已被证明的命题了。"这个科学的命题,由数十年来资本主义的发展所证明了。马克思许多理论的预见,被这资本主义的发展巧妙地实现了。如果马克思关于历史之唯物论的说明之法则,要等待到"材料成熟到法则被确立的程度"(恩格斯),就是等待到他对于资本主义发展的研究终结,而没有提出那个假设,那么,人们将不能从马克思知道那个法则。如没有这个假设,资本主义的研究就会是不可能。

实践与理论　　实验是实践的一个要素。在实验上,实践与理论的统一被实现;在实验上,思维积极的暴露物质的对象之规律性。但实验也暴露理论的缺陷。理论在认识的各个发展阶段上,不是完全反映绝对真理的东西。理论的这种缺陷,在实验上,更正确地说,在许多的实验上,被克服了。同时,关于科学的认识之发展的指导方面,是决定科学的思想方向与实验的客观可能性及条件的实践,这是明白的。

　　当作实验(它自身从社会的实践发生,由于它,全部被解决)上的行动这种指针看的理论的作用,在苏联,即在实行有计划的社会主义经济的国家,是特别明白的。

　　在独占资本主义之下,实验科学的模范代表者,已经不是关在自己的实验室中的单独的学者,而是直接间接由托拉斯维持的研究机关的雇员。但从资本主义的构造说,不论个别的研究所事业的联合,或研究所中长期的多少有计划的事业,都变为不可能。在资本主义之下,"五年计划",无论在生产上,或在科学的事业上,都是不能实现的。

苏联是一个社会的大实验场　　但是在苏联的各种事情之下,由于全国的规模上科学研究事业之计划化,以及这个计划在社会主义建设的一般计划中的包含,保证社会主义实践对于科学事业的作用,表现着科学的实验与理论的空前的发展。

　　在苏联,实验越发失掉其实验室的规模,与"纯粹"科学的性质。实验越发带有半工场的及工场的性质,与工业及农业的实践,直接一致。并且,稀有的高等工业学校＝工场,实验＝研究工场及国营农场,是近的将来的科学的实验的事业之"中坚"。

我们对于应用于自然科学,关于狭义的自然的科学的实验及经验,上面已经说过了。但实验与经验,在社会的发展上,也以特有的形态显现着。巴黎公社是最大的经验。从此,马克思、恩格斯与伊里奇,引出了革命的斗争的教训,充实了普罗列达里亚革命的理论,建立了普罗列达里亚专政的学说。

革命的辩证法论者马克思,把 1871 年的巴黎公社,看作是有历史的意义的历史的经验,是世界普罗列达里亚革命莫大的前进,是比较几百纲领和议论更为重要的实践的行动。"分析这种经验,从此引出战术的教训,由于这种经验,再检讨自己的理论——马克思正是这样地树立了自己的理论"(伊里奇)。

伊里奇,指出马克思所加于共产党宣言的唯一的本质的"订正",是根据巴黎公社的经验的深刻注意的研究做成的。这个订正,就在于这点,即"劳动阶级,不能单只掌握(现成的)国家机关,为自己的目的来运用它"。

伊里奇也是那样地理解了历史的经验之意义。即,他引出 1905 年 12 月暴动的教训,后来在 1917 年 7 月很好地应用了这个教训。他又研究 1905 年的全盘的练习之教训,依据帝国主义战争及其以后的革命时期中第二国际的公然背叛,更精密地鉴定了机会主义的特征,等等。十月革命以后要求"休息"要求把新生活的实际建设的事实,深刻注意地加以检讨加以研究。伊里奇警戒了不负责任的空论,投机的政治施设以及智识分子式的议论,要求了"多多注意于劳动者与农民在其日常活动上怎样建设实际上新的东西"。他聚精会神地观察了一切新经验与新事物的萌芽根据革命的理论努力要在那些萌芽中找出社会主义的生产组织之最合目的形态。

普罗列达里亚革命胜利以后,社会主义建设的实践,发生了对于社会现象的经验的问题之新研究。因为,普罗列达里亚革命胜利以后,随着社会主义建设的展开,随着社会主义计划对于盲目的小商店经济的胜利,事态在本质上起着变化,社会主义的普罗列达里亚的自由,不单是意味着那种为达到一定目的而"熟暗事物的"(恩格斯)去利用客观环境的能力与判断。在我们所到达了的有计划的社会主义社会的诸条件之下,自由的意志,就是说:社会环境的一切要素不是自发地集聚于普罗列达里亚的背后,而这些要素本身,是普罗列达

经验的意义及作用

新经验与新实践在新建设上的意义

里亚有意识的革命的创造之产物。

在俄国,生产能力到处正在更新。这些生产能力不单是更新,并且依照广泛的有意识的计划,有规则地建设着。在俄国,大规模的阶级组织的变动一直显现着。连带着,农民层的相貌发生变化,几百万大众的心理,劳动上及生活上的习惯,起着变化。但这不是自然发生的过程,而是有意识的革命的创造的产物,是俄国社会主义建设的一般计划的一阶段。世界布尔乔亚及第二国际的思想家,反对农民的集体化及五年计划,预言"斯丹林的实验"不可避免地终归失败。但这个历史的实验,用空前的速度,向着成功。这是因为那种历史的实验,在用马=伊的理论武装了的党的指导之下的由几百万勤劳者之英雄的努力完成着。

在那样的事情之下,被应用于社会现象的实验的问题,重新被提起。因为客观环境由我们自己造出,而其决定的要素越发服从于我们,所以我们能够基于社会的规律之认识,把一定社会的现象所发达的诸条件,在一定界限以内变化起来,而更深刻地、完全地支配这种现象的发展。我们组织着实验的工场、国营农场、集体农场、学校。我们在实验上,把各个工作场和企业,移到劳动组织、工钱、计划化的新形式之下。我们因为决定苏维埃建设的最合目的的形态,创造着实验的地方。后来,扩张到全联盟的许多施设,最初作小规模的实验,是在一个企业中试行的——社会主义的竞争,推及计划于机台,冗费节约队等即是。这种空前的,在资本主义条件之下是不可能的,社会主义的实验,在党的指导之下,由庞大的勤劳大众实行着。与社会主义实践直接共生的这种实验,将充实社会主义的实践,促进理论的发展。

第十一节　科学的预见

自然科学
上的预见

"奇迹的预言是童话,科学的预言是事实"——伊里奇对于1887年恩格斯的预见——世界战争是不可避免的,它造出劳动阶级终极的革命的条件的预见,这样说了。

我们每天看到那样科学的预见被使用着,天文学者很正确的预言日食与月食。气象学者虽不怎样正确,却预言着迫近的气候。农学家预言收获的状态。医生预知许多病症的大体的经过,等等。天文学者拉维礼依据自己的计算,预言了当时还没有知道的新行星——海王星——之存在,与一定时间中它在天空的位置。望远镜实际上在一定时间一定场所发现了新行星,孟德列夫(确立了元素的原子量及其物理的化学的性质之间的周期的依存关系的人),预言了当时还没有知道的新元素之存在。那些元素,后来实际上被发现了。物理学者安斯坦,依据理论的计算,预言了光通过大物体旁边时脱出直线的进路。这个预言,在观察日食时,实际地被确证了。苏维埃的极地研究者威色,依据极地的潮流方向之研究,预言了在很远的北极圈的那一边,地图上当着大洋记载的处所,有岛存在着。1930 年,碎冰船"色多克"号在那个处所发现了陆地。

　　科学的预见之根底中横亘着的东西是什么? 由于什么,我们的认识从直接给予于经验的现象进到还不知道的现象呢?

　　科学的预见的可能性,在辩证唯物论中,首先是由于自然及社会的运动与发展的客观规律性建立基础的。如上面所说,辩证法的概念,不单是反映对象之外面的标识的东西。它发现决定对象的运动法则的那种本质的矛盾。正因为这个缘故,唯物辩证法,不单是反映对象中存在的东西,并且也反映其将来的根本的外貌及方面。辩证法的认识,给予对象的肯定,同时又给予其规律的否定。对象从这种否定成长,并且在其中具有自己的生存的根据。 科学的预见根据客观世界的运动法则之认识

　　马克思的资本主义的生产方法之分析,不单是指示了它的存在及运动之内的法则,它从封建制度发生的必然性,同时又说明其规律的否定,指示了资本主义的崩坏及社会主义社会之必然构成之不可避性。在马克思时代,社会主义不但没有在完成了的姿态上存在,并且社会主义革命的一列的前提还没有成熟。但是马克思,或革命的马克思主义者,在数十年之间,对于社会主义,都当作无数次反复着的自然现象一样的实在的洞察说明了。他的确信是科学的确信。他把资本主义社会的发展,当作合法则的自然史的过程研究了。社会主义的发生与资本主义的必然崩坏,由于资本主义本身中发展了的内在的矛盾的过程所准备了。资本主义本身,在其自然生长的发展中,不单造出了自己的灭亡的必然性,并且造出了新组织的前提及自己的掘墓人。马克思在其 科学社会主义理论之科学的预见

科学的社会主义理论中,发现了资本主义发展的自然法则,所以预见了社会主义社会。"把被给予了的历史的一定的社会之生产诸关系,在其发生发展及没落上去研究——这是马克思经济学说的内容"(伊里奇),所以,"这天才的预见,这天才的理论,是变为现实的"(伊里奇)。

辩证法的预见,不从现实分离,不从社会的实践分离,如像乘在"纯粹思想"之翼而飞翔于现实之上的那种事情,是不做的。从实践分离理论而使两者对立的许多少数派色彩的观念论者,对于事物却是那样的去看的。在现实上,正是它的反面。真正科学的预见,是现实之最深刻的洞察。只有"在其一切媒介上"的对象与相互作用的全社会的实践之理论的那种有机的统一,能发现对象的运动法则,因而能够预见其将来。

科学的预
见是现实
之最深刻
的洞察/
科学的预
见是现实
之最深刻
的洞察

马克思预见了对于社会之革命的改造,普罗列达里亚的革命是必然的。他素描了共产主义的第一阶段即展开了的阶段之特性。这素描的一切含蓄,在我们自己进到了社会主义的今日,才能够真正地加以估价。恩格斯在1871年以后预见了德国所参加的战争将成为世界战争,并且普罗列达里亚革命将从那个战争中发生。这是根据了与现实的、与阶级斗争的实践有最深刻的关联的理论预见之天才的模范。

1908年,革命的马克思主义者,在同一的国际的内部,在外国就是同一的党的内部,都与修正主义者共同存在的时代,伊里奇关于与修正主义的斗争的将来的发展,写了下面一段话。

> 我们现在常常与那种只在观念上去经验的东西,即与马克思之理论的修正所实行的论战——在今日的实践上,与修正主义者的战术上意见的差异,以及基于它而分裂的,单只关于劳动运动的各个部分的问题而表现的东西——这个论战,一直到他日普罗列达里亚革命使一切论战的问题尖锐化,集中一切意见的差异于对大众指导的决定有很直接意义的诸点上,大众在斗争中因为区别敌人与同志而给敌人予以决定打击而弃掉不欢喜的同盟者之时,劳动阶级不能不在更大的规模上再去经验它(即论战)。

伊里奇的这种预见,在帝国主义战争,十月革命,及战后社会法西斯主义的进化的经验中,完全被实现了。它是辩证法的预见。它是在其发展上观察其与修正主义者的意见的差异的。它探求这个发展之本质的根据,在资本主义之阶级的诸矛盾的尖锐化之中发现出来。因为它是从下面一件事出发的:即在普罗列达里亚斗争的最高阶段——普罗列达里亚革命的时期,意见的差异,被集中于暴露修正主义的真实的阶级的容貌的本质的诸点。

在今日世界资本主义恐慌以前,国际内部的右翼分子,用"关于'组织了的资本主义'的自由主义的哓舌"(斯丹林),代替了战后资本主义第三期之马克思主义的分析。斯丹林在恐慌以前,早已在 1927 年 12 月对第五次党大会的中委的报告中,关于资本主义稳定的以后的发展,作了如下的分析。 斯丹林的
预见之一
实例

> 从稳定的本身中,从生产增大一事中,从贸易增大一事中,从技术进步与生产可能性之增加,同时世界市场与这市场范围及各个帝国主义列强的势力范围多少稳定着一事中——正由于这件事产出新矛盾并威胁任何稳定的存在的最严重的世界资本主义危机,就成长起来。从部分的稳定之中,资本主义危机的强化,就生长起来成长起来。恐慌破坏稳定——这是今日历史的瞬间中资本主义发展的辩证法。

一般的危机,很好地确证了斯氏的多数派的"预言"。斯氏在其分析上,在稳定的本身之中,在资本主义"成功"的本身之中,指示了预见这个恐慌的一切根据。这些根据是在帝国主义战后一般危机的诸矛盾的具体形态之中,帝国主义绝不能脱离这个危机。

最近数十年间阶级斗争的一切实践、一切革命的实践,如果党即普罗列达里亚政治的前卫,不用对于社会主义的必然性给以科学基础的坚实的确信武装起来,是不可能的,是难于理解的。马克思的理论本身,如果忘记了马克思在其资本主义的研究上,由关于资本主义的不可避的灭亡与社会主义的思想所引导的那件事,就不能正确地理解并估价。忘记了这种"小事"的人,是少数派的鲁宾。他以机械的叙述资本主义的生产诸关系一件事,看作主要任务。但伊里奇这样写着:"马克思学说的主要点是什么,说起来它就是阐明当作社 科学的预
见是实践
的指针

会主义社会建设者看的普罗列达里亚之世界史的作用",在社会发展的将来阶段的必然性之科学的辩证法的预见中,由于自己的实践,又包含着准备这个将来的一定阶级的、一定政治的活动之不可避性。这个阶级的实践以及与实践结合了的意识,是这个将来的发生之必然条件。革命的预见,包含着大众的一定的革命的实践之预见,它自身是这个实践的必需的动因。伊里奇在反动时代,预见了革命的新高潮。但在这个预见之中,包含着大众的革命及革命的猛烈发展之必要,没有它革命是不可能的。关于帝国主义战争到革命的转变的伊里奇的预见,同时又是实际的革命口号,是为这个口号之自我牺牲的实现而煽动大众的东西。

普罗列达里亚,说明了许多的事情。他们把最伟大的社会的积极性与最科学最正确的预见相关联着的事情,当作了自明的事实。联共中央关于1931年度,国民经济的统计数字的决议,预见着这件事完成社会主义经济的基础。但中央的预见,当作实现的必要条件,包含着下面两件事:即大众以全身投入劳动;党、劳动组织、国家诸机关及社会诸机关,无厌倦的实行组织的及启蒙的活动。中委的决议,预见"工农间新热心的爆发及新的劳动兴奋",同时预见"阶级敌人的憎恶与恶意"之增大。

辩证法的预见是党派的,与马=伊主义哲学全体是党派的一样。

《史前期中国社会研究》序[*]

（1934.6）

在中国史研究的课题中,据我目前所感到的,有两个重要问题:第一是历史方法论的问题,第二是史料的缺乏及其真伪考辩的问题。关于第一问题,如果能够生动地应用而不误入实验主义或机械论的歧途,困难还容易解决。关于第二问题,史料的缺乏,阻碍我们研究的进行;而史料的真伪的鉴别如有错误,结果必会颠倒历史的真相。这两个问题是密切联系着,我们必须连同去解决,才能着手研究。

本书著者吕振羽君,在着手以前,曾提出许多问题来和我商榷,本书写成以后,也经我阅读过一遍。

著者对于方法论的应用,可说是很严谨,关于史料的搜集上,也是很慎重。

其次,著者对中国史发展阶段的划分,先把中国史和世界史作比较的研究,以探讨其一般性;又从中国史本身所具有的种种固有的独特之点,以指出其特殊性。因此,著者把中国史划分为如此的连续的发展阶段:

一、传说中之"尧舜禹"的时代,为中国女性中心的氏族社会时代;

二、传说中之"启"的时代,为中国史由女系本位转入男系本位的时代;

三、殷代为中国史的奴隶制社会的时代;

四、周代为中国史的初期封建社会时代;

五、由秦代到鸦片战争前这一阶段,为变种的封建社会时代;

六、由鸦片战争到现在,为半殖民地半封建社会时代。

本书的著者,采取谨严的态度,一方面指出波格达诺夫主义的"商业资本

---

[*] 本文原标题为"李序"。——编者注

社会"论的错误,另一方面指出马扎尔派"亚细亚生产方法"论的错误;同时,又从世界史的观点,指出非奴隶制度社会论的错误,坚决地确认奴隶制度为社会发展过程中必经的阶段。这是本书的第一个特点。

对于殷代以前的那一长远的历史时期,著者根据莫尔甘的《古代社会》,恩格斯的《家族私有财产及国家之起源》,卢森堡的《经济学入门》等著,探求出史前期人类社会的一般特征;根据中国古籍中神话传说式的记载和仰韶各期古物,探求中国史前期社会的一般特征,对这一历史时期,整理出一个整然的系统。这是本书的第二个特点。

我认为吕君这本书,确实有许多新的收获,特向读者介绍。同时,我希望吕君继续努力,完成全部著作。

1934 年 4 月 10 日

(原载 1934 年 6 月由北平人文书店出版的吕振羽著《史前期中国社会研究》,署名李鹤鸣)

中国现代经济史之序幕

（1935.5）

一、帝国主义侵入前中国经济之性质

（一）封建经济之特征

中国现代经济史，在我们的研究上，实是帝国主义侵入以后的中国经济史。所以，中国现代经济史之叙述，应当从帝国主义侵入的时期开始。

我们叙述现代中国经济史之时，依照论理的程度，首先有说明帝国主义侵入前中国经济的概况并决定其性质之必要。

帝国主义侵入以前的中国经济究竟是怎样的经济？这个问题，近来研究中国社会史的人们，有种种不同的见解，但据我个人的研究，却认定当时的中国经济仍属于封建经济的范畴。

为要说明帝国主义侵入以前的中国经济是封建经济这个命题，还得要把封建经济的性质加以说明。

封建经济的性质，必须从封建的生产方法与生产关系中去探求，而不应该从商业资本的现象形态，封建权力的组织形态，或土地所有权的法律形态中去探求。因此，我们先要说明封建的生产方法与生产关系。

封建的生产方法，是建立在一种自然经济之上的。在这种自然经济中，直接的农业生产者，使用者手工的劳动手段，利用地主的土地，经营自然的农业，一面自己又经营家内的工业，在其小规模的生产上，去生产出必要的生产物与剩余的生产物。这必要的生产物，留在他们自己的手中，作为再生产的前提条件；那剩余的生产物，流入土地所有者的手中，采取实物地租的形态。他们是与市场相隔离的，他们自身以外的社会部分之生产的及历史的运动，也与他们无缘,所以他们的生活是自给自足的生活。这便是封建秩序下的农民取得生活资料的方法。

封建的生产关系,主要的是土地所有者与直接农业生产者之间的关系。这种关系,与上述生产方法相适应,显现于封建的剥削形态之中。"只有从直接的生产者,从劳动者剥削剩余劳动的形态,区别社会的=经济的构成"。封建的地主从直接农业生产者剥削剩余劳动的形态,是劳役地租、实物地租、货币地租。在这些剥削形态中,现出封建的剥削关系、阶级关系。因而在法律方面的土地所有之大小与分合,在政治方面的统治组织之地方分权与中央集权等,都属于上层构造。它们不能说明经济的性质,反而被经济的性质所说明。

我们抓住了封建经济的特征以后,更进而说明都市,都市的手工业,与商业,商业资本在封建经济上所演的作用。我们知道,实物地租,以直接的农业生产者之较高的文化状态为前提,以他们的劳动及社会一般的较高的发达阶段为前提。在这类前提之下,我们一面可以看出农民劳动生产能力的向上,一面又可以看出社会分工之发达,生产物交换的频繁,手工业的进步,商品经济及货币经济的发展。在农民方面,他不能不把必要的生产物的一部分付之交换,以买进其他必需品,而进行其再生产的车轮;在封建领主或土地所有者方面,他不能不把在实物地租形态上剥削得来的剩余生产物之一部分付之交换,实现为货币,以买进其他的奢侈品或必需品。所以具体的封建的秩序是极其复杂的。随着农村手工业者适应于封建领主的需要而团聚于他的所在地,都市便成立起来。都市成立以后,都市手工业者之行会的组织必然出现。因而在都市中便形成店东与职工徒弟的对立。

随着都市的发展,生产物交换的频繁,商业首先在都市发达起来,其次通过地方的市场,扩张于农村经济之中,而商人资本与高利贷资本,就逐渐发挥它们的机能。所以我们当说明封建经济的性质时,第一要抓住它们的特征,即抓住直接农业生产者与封建领主或土地所有者之间的生产关系。其次要指出都市中的店东与职工徒弟的生产关系。知道了封建的生产方法及生产关系,就可以理解商业资本的作用。商业资本这东西,并不能创造它自己的生产方法。它和它的双生兄弟高利贷资本,都依存于一定的生产方法以发挥其剥削的机能。因为"当作商品进到流通界中的生产物,不论是在任何生产方法的基础上生产出来的,即不论它是在原始共同体的基础上被生产出来,也不论它是在奴隶制生产,小农的及布尔乔亚的生产,或资本制生产的基础上被生产出来,对于生产物之商品的性质,绝不发生变化"。所以商业资本这东西,在任何生产方法的基础上都可以发生出来,并不特别地去与一种特定的生产方法相结合。因而商业资本对于任何生产形态都没有支配的作用,反而它是依存于一定的生产形态而发挥其剥削及破坏的机能。

商业资本的发展,与封建经济的发展,具有极密切的关系。因为生产物到商品的转变,商品交换的发达,货币的种种机能的发展,都是商业资本存在的前提。商业资本在土地所有者、都市生产者与农村生产者之间,造出货币交换的环境。它一面促使封建领主或土地所有者逐渐加重其对于农民的剥削而增加其财富与权力,一面又促进封建领主支配的崩溃与农民的自然经济的分解。它能够促使土地的自由买卖与豪强兼并,又能够促使农民因受土地所有者过重的剥削与高利负债而陷于没落。所以封建经济并不否定商业资本的发展,反而商业资本有破坏封建经济的机能。

但是商业资本的发展,如果到了形成资本家的生产方法的前提条件时,它自身的独立发展也将被否定而隶属于产业资本了。

由以上所述看来,商业资本在封建经济形态中,并不能发生什么支配的作用,反而是依存于封建的生产形态去发挥其剥削及破坏的机能。因而所谓"商业资本独立支配的时代"的这种时代的划分,是无意义的。

(二)现代期以前具体的中国经济之过程

现在依据上述封建经济的性质,来考察现代期以前的具体的中国经济之过程。

许多研究者拘泥于"秦废封建置郡县"的一件史实,去证明中国在秦代以前是封建社会,在秦代以后不是封建社会而是商业资本支配的社会。这是从封建社会的上层建筑或封建经济的现象形态去研究中国社会的方法。据我看来,中国经济的发展,在其封建的生产关系的表现上,是由劳役地租的形态转变为实物地租的形态的。中国经济,在西周到春秋的时代,主要的是农奴制的经济,那时的地租形态是劳役地租与实物地租杂然并存(即所谓粟米布帛力役之征），但劳役地租在这时期占居主要的地位。比如所谓"周人百亩而彻"，即是沿用殷代的办法，封建领主借民力以耕公田，耕者助而不税，这便是劳役地租为主要的地租形态的实例。此外如粟米布帛车马等之贡纳，就属于实物地租的范畴。但是到了春秋时代，直接的农业生产者已进到较高的文化状态，他们的劳动以及社会一般已进到较高的发达阶段，于是地租的主要形态，开始从劳役地租转变到实物地租了。例如鲁宣公十五年的"初税亩"，鲁成公元年的"作邱甲"，鲁昭公四年的"郑子产作邱赋"，鲁哀公十二的"用田赋"，这些都表明了当时封建领主已逐渐加重其对于直接农业生产者的剩余生产物的剥削，因而实物地租，逐渐增加其重要性了。随着这种地租形态上所显现的生产关系的改变，形成了土地所有制的变迁的端绪。直到秦商鞅"废井田开阡陌"之时，实物地租已成为地租的主要形态。在这里，我们看到由劳役地租转到实物地租的范例。随着实物地租之分裂为田赋与地租，而土地所有者也分裂为封建的领有与私人的占有。所谓封建的领有，即是说封建的最高权力者私有全国的土地，也就是所谓"普天之下莫非王土"的形而上学的规定；此外，最高权力者依私意以分封于贵族及臣僚的官庄、官田等，也可以列入封建的领有的范围。所谓私人的占有，即是由豪强兼并而可以自由买卖的土地。中国自秦汉时代以来的土地所有权的法律形态，在大体上就是这样。但是在其下层构造的生产关系上，却仍是封建的经济形态，即是与封建的生产方法相联系的实物地租的形态。这种实物地租是分裂为两个部分的，一部分是缴纳于封建政府的贡物（即所谓"出粟米麻丝以事其上者"），另一部分是缴纳于土地所有者的地租。不过实物地租并不是采取单纯形态独自存在的，以前的劳役地租，仍留有它的遗迹。这种劳役地租，在秦汉以后，仍有一小部分直接由农业生产者担负着，不过随着时代的进展，已退居次要的地位。此外，封建的权力者对于农民所苛征的"口赋"或"丁税"以及所谓"免役钱"等，仍是过去劳役地租的遗物，后来也渐渐改征实物，如所谓"租庸调"、"两税法"或"一条鞭"之类，其中就是包括将劳役地租改变为实物地租的东西。总之，中国自秦汉以来，与封建的生产方法相适应的实物地租，是地租的主要形态，期间虽因"转朝易代"而不断地变更封建领主或土地所有者，而那些封建领主或土地所有者又不断地变更其分配实物地租的形式，或加重实物地租的分量，但实物地租之为物，却是仍旧。即是说，封建的生产关系，并不曾有本质上的变化。

再则，还有些研究者说中国没有像欧洲那样的大地主，所以中国在秦汉以后与现代期以前，并没有封建经济。这种见解也是不对的。大的土地所有者并不是封建经济所不可缺的条件。封建经济中所固有的地主与农民的关系，即是在实物地租形态上所表现的阶级关系，与土地所有的大小无关。

其次，再就封建权力的组织形态来考察这个问题。封建权力的组织形态，在中国历史上，出现为地方分权与中央集权的两种形式。即在秦代以前是地方分权，在秦代以后是中央集权。地方分权是封建领主对于农民的直接支配；中央集权是地主的代表对于农民的支配，即是土地所有者独裁的国家。中国的中央集权的封建国家，本来是代表地主的东西，这一层，我们用不着列举历史材料去说明，无论哪一朝的皇帝，总没有不实行重农主义的，实则皇帝便是"富有四海"的大地主。所以封建经济的性质，因其经济之自然的性质，固然以地方分权为特征，但在这种特征上，也就能发生本质的具体的现实的变化。不过即令由地方分权转到中央集权，而封建制度中所固有的生产方法与生产关系，并不发生根本的变化。

依据以上所述，我们可以说现代期以前的中国经济实是封建经济。

（三）中国商业资本在封建经济中所演的作用

这里，我们再说及现代期以前的中国商业资本在封建经济中所演的作用。

关于商业与商业资本，中国自古即有"日中为市"的传说，殷书盘庚篇由"以迁肆"、"新邑肆"的记载，这是说明中国商业的发生是很早的。殷代的交换手段为贝货类，这些贝货，积贮于商人手中，就成为商人资本与高利贷资本。如甲骨文中之"贮"字、"贷"字，便是说明商人资本与高利贷资本在殷代即已发生了。到了周代，交换手段改用金属货币，商业比较以前更见发达。因为，随着封建领主们所剥削的实物地租的增加，随着农工业各部门的社会的分工的发达，商品交换的范围就必然扩大，货币的种种机能就必然开展，因为商业资本与高利贷资本就必然成长起来。春秋时代的商业资本家就已经不少，子贡范蠡之徒，便是模范者。

商业资本的发展与货币经济的长成，沁入当时社会的一切气孔中，把个别的生产细胞连缀起来。它使得都市发展,它伸出魔手到农村。它虽然没有它自身的生产方法,他却能站在生产过程之外,依存于一定的生产方法以发挥其剥削与破坏的机能。它终于冲倒农奴制的闭锁性,打破市场的孤立性,使得土地也变成可以买卖的东西,而把封锁的农奴制经济摧毁了。他能加强市民的拘束,促进都市的发展。于是在比较发达了的单纯商品经济之上,封建的政治的地方分权终于消失,而统一的封建的中央集权国家,地主代表的独裁国家,于是发生。这便是由战国以前的地方分权的封建政治转变为秦汉以后中央集权的封建政治之由来。然而,这种上层建筑的转变的过程,实根据于由劳役地租形态转变为实物地租的过程,至于商业资本的发展,只是促速这种转变的一种推动力,这是应当注意的地方。商业资本确实是具有摧毁一种经济形态使转变为他种经济形态的作用的,但它自己并不能造出新的经济形态。因为一种经济形态,是由一定的生产方法与生产关系所规定,如果新的经济形态还未曾在旧的经济形态孕育成功,商业资本也只能继续发挥其剥削与破坏的机能,而不能创造新的经济形态。

商业资本这种东西,自秦汉以来,确实也有过优势的发达,这是不可否认的事实。商业资本家之"富埒五侯,力过吏势,以利相倾",这原是汉朝初年就已经有了的现象。但我们不要忘记,商业资本这种优势的发达,只是在一种外在的,与它自身无关的社会的生产状态的基础上发达的。即是说,它的发达是与一定的生产方法及生产关系不相干。同时还要知道,中国的商业资本虽曾有过优势的发达,但是它不曾有过独立的发达。换一句话说,中国的商业资本的发展,从来没有脱掉它的隶属性和限制性。关于这一层,可以分为以下几点来说明。

第一,现代期以前中国商业资本的剥削机能的发挥,始终是依存于封建的生产方法。(现代期以后,他依存于资本家的生产方法。)

第二,自秦汉以至于满清,历朝的封建政府,都厉行重农轻商主义,商贾被轻视为末流,除担负重税外,还受种种的苛细限制。这种历史上的实例甚多,这里不必一一列举。

第三,封建领主及土地所有者,是剩余生产物的剥削者及贩卖者。因而他们是最初卖出生产品的商人。至于纯粹性质的商人,却是向他们买得那些剩余生产物再拿到别地方去贩卖的人。所以中国过去的商业,明明是附属于封建领主及土地所有者的。秦汉以后,商业之为封建政府直接经营的很多,如盐铁在周秦时代称为官业,汉代更设有专卖盐铁与酒的官吏。及到宋代除设有类似的官营商业外,还有所谓官茶。元明以后,更是变本加厉。清代对于盐尚有官运官销,官运商销,官督商销等项规定,茶则为官督商销。盐茶商人是特许商人,领有盐票或茶票,普通商人是不能贩运的。在封建政府这类商业条件之下,表现着地主的国家独占着国内人民主要的日常生活所需要品的贸易。普通的商人们,只能在那些限制之外去经营商业。

第四,就对外贸易方面说,普通的商人也不能插足进去。中国的对外贸易,到唐朝以后,才稍有进展,但自唐朝初年到明朝中叶的对外贸易,都由政府主持。外国商人到中国来通商,是在朝贡的名义之下实行。一切出入口货物,大都经由政府所设的通商机关去买卖。而封建政府对于中国商人之往国外贸易的,却是严加限制,不但不予以保护,反而加以摧残。其次从明朝中叶到鸦片战役的期间的对外贸易,是封建政府采用闭关主义的时代,对外贸易限制甚严,进出口货物都由政府特许的商人如官商或商行等经手办理的。所以一般普通商人,在对外贸易上,没有插足的余地。

从上述四点看来,现代期以前的商业资本,向来不曾有过独立的发展,当然说不到它的"支配的"或"非支配的"作用了。但是商业资本在封建的经济形态中虽然受了上述种种限制,而那些限制对于商业资本自身的发展,仍留有很多余地。即是说,商业资本在一种外在的,与它自身无关的社会的生产状态上,仍能成就其优势的发达。随着手工劳动的农工业生产技术之缓慢的发展,社会的分工之比较的发达,农民及工人所需要的生产物之逐渐向商品的转化,封建领主及土地私有者所需要的国内外奢侈品之逐渐加多,国内外贸易之逐渐地扩大,货币经济之不断地长成,等等,商业资本,必然要在封建的种种限制之下发达起来。它必然和它的双生兄弟高利贷资本一同站在生产过程之外去尽力发挥其剥削的机能而摧残封建的经济。这便是商业资本在中国封建经济史上所演的作用。

(四)从清初到鸦片战役期间的中国经济概况

以下我想单就清初到鸦片战役的期间中的经济状况,作一个单纯的缩写。

在这个期间中，生产方法和生产关系，仍与以前一样，依旧是封建的。在封建的生产关系所由表现的地租形态上，仍旧是实物地租占据主要的地位，至于与实物地租杂然并存的其他地租，还有劳役地租与货币地租。这种劳役地租，已经成为一种遗物，除了僮猺土司等所存的区域还有采取劳役地租的以外，在其他的处所，如佃农替地主帮工之类就变成劳役地租的遗迹了。只有货币地租在这时期中，还是一种新的形态，其所表现的地方，就是直接农业生产者对于政府的贡纳改征货币的实例。中国封建政府将课征农民的正赋改征货币的事实，由来已久，所谓"本色"与"折色"并征，即是实例。清代对于民赋田，大都改征银两，这也算是货币地租的一种形态。但这只限于所谓缴纳于国家的钱粮；至民田方面，地主所取得的地租，大都还是实物地租。所以就生产方法与生产关系方面说来，这时期的中国经济，仍然是封建经济。

然而我们能否说这时期的中国经济仍然与几千年的经济是一样的呢？这当然是不能说的。现代期以前的中国的封建经济，虽然好像是静止着，但并不能说它没有发展，只是发展得较为迟缓而已。这种发展得迟缓好像是静止着的现象，不但在中国是这样，就是在中世纪的欧洲也曾有过同样的情形。封建的生产方法，与资本家的生产方法相比较，是非常缓慢非常静止的进化着，但它的进化仍是不息的。

从清初到鸦片战役这时期中的中国经济，其发展比较以前是快得多了。这时期中经济发展的趋势，第一是在其基本的经济形态即农村经济方面，可以看得出来。随着时代的进展，手工业劳动的农业与家内工作的各部门中的分工，已是非常发达，生产物的种类已是日见增多。农村经济的各个生产细胞，已为商业及商业资本所连缀，而各个生产细胞间的关系，也比较密接起来了。简单地说，这时期的农村经济已由自然经济转向于单纯商品经济，而其受商业资本高利贷资本的剥削与破坏的程度，也达到了较高的水准。

其次，经济上的这种发达的趋势，在于封建的农业经济相结合的其他经济形态即都市的手工业与商业的方面，也表现得非常显著。这里先叙述当时都市手工业的概况。

这时期中，都市的手工业，已是非常发达，手工业的部门已有数百种之多（俗语常说"三百六十行"）。手工业者，除了一部分散居于农村而兼营农业者外,其余都是集中于都市的。这时期全国的省会各府县以及各大市镇,都是手工业者集中之地。都市中的手工业者,以专营手工业的居大多数,兼营农业的却是较少。都市手工业的组织,是行会制度。各业的行会,均具有地方的色彩,这是十足的表现着封建的特征。各业的行会,有规定货价及度量衡之权,对于客师的聘请,徒弟的招收,外来的同业者入会等,均有苛细的限制。

都市手工业的生产规模,在这时期中以作坊和手艺店最为普遍。这类手工业的生产,最普遍的是雇请客师和招收徒弟共同工作。规模较大的手工业,所雇佣的客师和招收的徒弟,有多至数十人的。所以当时都市手工业的生产,是手工业者利用自己和家属的劳动,或客师和徒弟的劳动,利用属于自己的手工器具和原料,以造出工艺品的生产。这样生产出来的生产物,当然属于自己所有,并无问题。店东对于客师,除供给食宿之外,再依照劳动市场的情形付给工资(这是工钱劳动制的萌芽)。徒弟在一定习艺年限内大都不给工钱,只供食宿。像这样店东之对于客师与徒弟,当然是都市中对立的阶级。但客师只是帮工的性质,虽暂时做工钱的劳动,却也容易取得做店东的机会。徒弟的目的,在学习手艺,满了一定期限,仍可以升为客师或店东。并且店东与客师或徒弟,共同操作,期间也还有主客的温情关系。

这时手工业的生产品,大部分是拿去贩卖借以实现其自己及家属人员的劳动价值的,所以这时期的经济,可说已是单纯商品的经济了。

(五)这一时期的商业状况

最后,再就这时期的商业,稍微补述一番,借以说明当时的封建经济的进步的趋势。

由以上所述看来,当时手工劳动的农工业生产,已有自然经济的领域进到了单纯商品经济的领域,所以当时的商业是很发达的。当时的交换的商品如五谷、杂粮、面粉、菜蔬、百果、糖食、牲畜、肉类、蛋、鱼介、盐、茶、酒、烟草、棉类、毛类、丝、棉、炭、木材、皮货、油类、布匹、棉纱、绸缎、器具、服物、药材、铜、锡、铁、皮货、皮革、纸类、器具类等,都是主要的东西。当时商业繁盛的都市,如上海、南京、苏州、杭州、宁波、芜湖、九江、汉口、重庆、北京、天津、张家口、福州、广州等,都是商贾聚集之地。当时商业的繁盛已可以想见。

　　当时商业发达的状况从清初杂赋的收入上，也可以推知一斑。当 1753 年（乾隆十八年）之时，清政府户部在国内所设之关，有四十二处，税额为四百三十二万余两（内有江海，浙海，闽海，粤海四关收入约一百万两，这是表示当时的对外贸易的概况的）；工部所设之关税，有十四处，税额为二十六万余两。此外如盐税为五百余万两，茶课为七万余两。单就这四项货物税说，已近一千万两，几占当时国库收入总额四分之一。由此也可知，当时商业发达的状况的一斑。

　　再从当时对外贸易考察当时的商业。中国的国际贸易，开始于汉朝初年，已有很长远的历史。就国际贸易史的阶段说，从汉朝初年到隋朝末年，是国际贸易的启蒙期。从唐朝初年到明朝中叶，是国际贸易的进展期。从明朝中叶到清朝鸦片战役，是闭关主义的国际贸易期。我们在这里只简单地叙述闭关主义时期（即 16 世纪初叶到 19 世纪初叶）的国际贸易的大概。在此时期以前，与中国通商之国家，有日本、朝鲜、回教诸国，南洋诸国（即暹罗、安南、缅甸、马来半岛、爪哇、苏门答腊、婆罗洲、菲律宾、苏禄等），国际贸易之范围，已是很广。到了这个时期，虽说是闭关主义时代，而海外诸国要求通商的，却是接踵而至。尤其是要注意的，是欧美诸国来要求通商。如葡萄牙自 1517 年起，西班牙自 1575 年起，荷兰自 1605 年起，英国自 1620 年起，法国自 1660 年起，美国自 1784 年起，俄国自 1689 年起，都先后与中国通商，虽然当时封建政府对于要求通商的各国深闭固拒，不以对等的关系相待，而上述诸国仍忍辱委曲以达其通商之目的。这时与外国通商的地点，是上海、宁波、定海、漳州、厦门、福州、泉州、澳门、广州、台湾等处。此时中国出口商品，以茶、丝、绸缎、土布、砂糖等为大宗，进口货物以呢绒、五金、皮货、棉货等为大宗。此时对外贸易，到 18 世纪 70 年代以后已很发展。茶之输出额，在 1775 年为 125125 担，到 1777 年增至 150582 担，1782 年增至 235789 担，1800 年增至 296140 担，1804 年增至 299535 担。其次，丝之出口额，当时因清政府禁止私运出口，不堪畅销，在 1775 年为 3724 担，1777 年为 12719 担，1880 年减至 1164 担，1811 年仍增至 3417 担。再次，土布之出口，是这时期可注意的现象。土布一项，在 1736 年时即已输出于英国，至 1786 年，出口额已有 370000 匹，1790 年增至 510000 匹，1796 年增至 820000 匹，1798 年更增至 212500 匹。1798 年最盛，以后渐减,至1812年乃减至634000匹。输出于美国的土布,常占1/4,但输出英国的也不算少,在1790年时,也有廿六万余匹。在广东共行贸易期中,土布盛行出口,实经历八九十年之久(足见当时国内土布业之发展)。再次,绸缎一项,自古已有输出,但到1811年始成出口货之大宗,计有2515担,1815年更增至3169担(可见,当时绸缎业的发展)。主要进口商品,在1817年之时,呢绒为3127475元,五金为577555元,皮货为250000元,棉花为7976150元,鸦片为611100元。以后逐渐增加,1803年已增至13029345元(棉花进口额之增多,为国内棉货业发达之表征,鸦片进口额之增多,为现银流出逐渐增多之表征)。最后再就1821、1825、1830年出入口贸易额,列表已觇当时对外贸易之一斑。

1.进口货额(单位:元)

	呢绒	五金	皮货	棉花	鸦片	连同其他各货统计
1821年	3276920	464301	478824	5054859	9430450	21430018
1825年	3921528	773371	386112	6231542	9782500	23269060
1830年	2910287	871394	85120	5667777	13029345	26814660

2.出口货额(单位:元)

	茶	生丝	绸缎	连同其他各货统计
1821年	11785238	1974998	3015764	20518936
1825年	13572892	3318950	2820255	22229791
1830年	10551395	1693320	2226787	17602365

由于以上所述,可知当时手工劳动的农工业的生产的发展和单纯商品经济的发展。在这种过程中,商业资本之发达,实是必然的趋势。中国商业资本的发展,已有几千年的历史。满清时代,盐商及茶商,都是特许商人,盐茶的商业资本的雄厚,是一般所公认的事实。此外所在都有的百万富豪中,商业资本家实居多数。加以在当时的对外贸易的过程中,集中于官商或商行手中的商业资本的积累,更是容易。19世纪初期,胡礼垣曾经说过:"彼洋人始来通商,皆以洋货输入,易我茶丝输出,双方共得其利。仅就广东一市论,当时因贸易

而起身者,如潘氏、卢氏、叶氏、皆富至巨万,伍氏之富,超四千万。"我们单就这点看来,当时中国商业资本之发达,已可概见了。

当时商业资本之势力,不但用欺诈诳骗的手段去剥削农工业的生产者,它还充当高利贷资本(或兼营典当业)去加紧它的剥削,以破坏当时农工业的经济。这正是这种社会中商业资本的机能。此外商业资本的机能,就是操纵当时的金融。许多庄票,都是商业资本家经营的。这些庄票,专做汇兑,也间有兼做存款及放款,它们在当时势力很大,山西票庄的势力,在满清时代是很有名的东西。

如上所述,中国商业资本的发展,可说是达到了较高的程度,尤其是在18世纪末叶到19世纪40年代之间,其发达的速度,是非常可惊的。但是我们不能忘记,中国商业资本的发展,仍然是依存于封建的生产的方法。它虽然成就了优势的发达,但它并未曾支配生产,那种优势的发达,仍然是依存于一个外在的,离它自身独立的社会的生产形态的基础,即封建的生产关系的。所以现代期以前中国商业资本的发展,除了充分发挥其剥削与破坏的机能,引起封建经济的颓废和封建政治的腐败以外,并未曾使生产隶属于资本,这是很明白的事情。

然而随着国际贸易的进展,随着外国资本势力的逼攻,中国的商业资本与高利贷资本,也形成了资本之原始蓄积的两个形态,也形成了产业资本的诸前提的一个杠杆。但是中国商业资本刚刚进到这个阶段时,中国全土却已进到半殖民地化的前夜了。于是过依存于封建的生产方法的中国商业资本,往后又转而依存于外国的资本家的生产方法了。

总括起来,我们可以说,中国经济的趋势,截至19世纪30、40年代为止,仍属于封建经济的范畴。但是在经济发展的阶段上说来,当时的经济虽说是属于封建的范畴,但它却已进到了封建时代的末期而走进于资本主义的时代了。可惜当它刚刚进到这个地步时,它又不能不踏入半殖民化的过程。

二、帝国主义侵入后中国经济之变动

(一)帝国主义侵入的由来

现代期以前的中国经济,仍然停留于封建经济的领域,这在前节已经简单地说过了。这里我们还应当简单地叙述那时期的世界经济的概括,借以说明帝国主义侵入的由来。

欧洲自从 16 世纪以来,早已走进于资本主义的时代。近代欧洲商业的发展,托始于十字军东征时代,由东方运去的许多新的商品,给了欧洲人许多刺激,促使他们努力于从事商品的生产,因而欧洲的商业就突飞猛进地发展起来。以后,更因为美洲新大陆的发现,好望角的发现,东印度航路的通行,巴西及秘鲁的发现,殖民地市场的设立,美洲大陆金银输入等,商业的发达,更是一日千里。随着商品种类的增多,货币经济的发展,商业区域的扩大,就促成了商业资本的蓄积,发生了家庭工业,工场手工业的形态。更因为封建制度的解体,商业资本与高利贷资本之破坏农村,旧式手工业组织的崩溃,于是从旧式生产组织被分解出来的成千成万的失业的农民与手工工人,就成为工场手工业的自由劳动者。这些都是资本主义的前提条件。这些条件又促成了资本主义确立的最后条件。这最后条件,就是由于机器及动力的新发明引起的产业革命。这产业革命,终于在 1760 年以后首先由英国完成了。所以英国能够成为帝国主义者的老前辈,而其他的帝国主义者,都是它的徒子徒孙。

在近世商业发达的过程中,欧洲各国在印度航路通行,美洲大陆发现以后,尝到了海外殖民的甜味,所以他们都一致努力向海外去搜寻领土,当他们来到中国要求通商时,差不多已经是把非洲、澳洲、南美洲及半个亚洲瓜分好了。他们的海外殖民史,完全是一部杀人越货的血腥史,无数百万的亚美澳非有色种人都白白为它们所牺牲了。他们之来到中国要求通商,无非是想试用其掠夺殖民地的手段,所以他们初来中国之时,常是用对待殖民地的态度对待中国人。譬如葡萄牙人于 1517 年(明正德十二年)率领船只来到澳门西南之上川岛以后,就横行无忌,公然设立炮台,行使其刑罚权,以后又曾于宁海泉州两地为掠夺之暴行,迭经明廷加以惩创,始稍敛迹。又如西班牙人于明朝嘉靖年间屠杀在吕宋的华侨 25000 人,又于崇祯年间毒杀在吕宋的华侨两万余人。又如荷兰人于明朝万历年间夺取澎湖后又侵略台湾,又侵入厦门,出没于悟屿、白坑、柬椗、宁头等地,经明廷调兵击退。但据守台湾的荷兰人,却负固如前,并且建筑了平安、赤嵌两城以自固,至崇祯年间始为郑芝龙击退。又如英国于 1637 年用舰队攻陷虎门炮台,经明廷允许通商了事,这是英国对华侵略的第一次成功。并且英国人当时的对华商务,原是隶属于夺取殖民地的东印度公司经营的。此外,俄国的来华,更是露骨的侵略。这样看来,欧洲各国之对于中国,最初就是抱着使中国殖民地化的野心。这种野心积蓄了三百年之久,其所以在18世纪以前未能实现的原因,一则他们自己的羽毛尚未十分丰满,再则那时期的中国,也不像非澳及南美各洲的种人那样所能容易对付的。然而到了19世纪以后,帝国主义者终于武力地侵入了中国,使其多年的野心实现了。

帝国主义者最先侵入中国的是英国。英国在18世纪之时已经掌握世界商业的霸权,其独占亚洲贸易之东印度公司,已于1715年(康熙五十四年)在广州设立商馆,专营对华贸易,所以广东公行贸易时代(自1702年即康熙四十一年起,约有一百余年)的中国的国际贸易中,要算英国占居首位。但在17世纪70年代以前,英国输入中国的商品,除呢绒五金等主要东西是本国出产的(因为毛织业及采冶业是英国当时已有的工业)以外,其余主要商品是由殖民地贩运而来的(如印度的棉花)。至于由中国运出的货物,以茶与丝为大宗(其中丝是原料,欧洲人在12世纪时已开始仿造东方的丝织品)。尤其是要注意的,这时期中,外国人在华贩运茶丝出口的,大都是携带现银而来,尤以英国的为多。英国在1681年运至中国的货价22950磅之中,银价即占12500磅,以后在1717年至1726年之间,其运来中国之货物都不过2000磅到3000磅,而运来之现银却值三万多磅,又,1729年与1730年两年,运来之货合计8817磅,而银却值37万磅,以后在数量上虽稍有出入,而大致趋势,却仍是现银较多于商品。这时期中英国运来的现银,除一部分以高利贷与华人外,其余大都是用以购办茶丝出口的。由此可知,1770年以前的英国,尚未达到输出机制商品的时期。

1770年以后,英国已进到产业革命的时代,由于纺织机械及蒸汽机关的发明,新式的纺织工业首先出现,以后顺次引起工业的其他部门于农业的大变化,而英国的资本主义由是就逐渐繁荣孳长起来了。但英国在1770年以后虽进到产业革命时代,尤其是新式纺织工业首先发展,但截至1820年为止,其输入中国的主要工业商品,除呢绒五金以外,棉货匹头还是没有。在这个时期中,中国反有土布及绸缎一项由英国贩运出口。中国由广东出口的土布,在

1786年,成为出口货之大宗,其中由英国运出的实占大部分。例如1790年的出口土布共51万匹,其中除美法两国各占15万余匹而外,而英国却占36万余匹;又如1817年由广东出口的土布共值1048940元,而英国却占548940元;绸缎共值984000元,英国亦占262000元。由此可知当时英国的机制的棉货匹头,还没有进到输入于中国的地步(英国在1800年的出口货总值2900万磅中,棉制品只占400万磅强)。

从1821年(道光元年)起,英国的机制的棉货匹头,已开始输入于广东,为数甚少,只有9807元。但以后逐渐增加,从1830年起,逐露发皇的气象,这一年进口的棉货匹头已有701108元,英国与美国各占半数(美国从1790年已举办新式纺织工业);1831年,更增至百万元以上。严格地说来,英国资本主义的机制商品向中国输入(而且不能不向中国输入)实从这个时期开始。

当19世纪三四十年代,英国的产业革命,已将次第完成,纺织工业固不待言,即如机械工业、化学工业、煤炭工业等,亦逐渐发展。尤其是煤铁业的重工业的发展,更有重要的意义。重工业与交通机关的发展,更引起了资本主义向海外的发展,在世界殖民地已将完全分割的当时,必然要向中国抛出商品并采集原料。同时我们还知道当时英国资本主义已经历三次的大恐慌:第一次发生于1815年,主要的是在英国;第二次发生于1825年,这次是世界的,一直经过了六年之后才恢复;第三次发生于1836年至1839年,这次也是世界的。英国资本主义在这三次恐慌中,都遭逢了许多的变故。1816年,伯明罕、布列斯顿、纽加斯尔等地的失业群众,演出了一场大暴动;1819年曼彻斯特劳动者暴动,引起了资本家政府的大毒杀;1826年以后,饥饿的劳动群众发生了很大的骚动;1837年以后,英国劳动者开始了要求普通选举权的宪章运动。这些都是使得英国资产阶级头痛的事情。所以英国资产阶级为谋自己的出路计,不能不利用新式军舰和新式战斗技术,护送那些满装商品的轮船向中国进攻,以实现其多年来想使中国殖民地化的野心。

(二)鸦片战争的前因后果

1840年的鸦片战争,在英帝国主义者方面说来,是为了要取得抛出商品及采集原料及以后投出资本的殖民地而征服中国的战争;在封建的满清政府方面说来,是为反抗输入毒药而防止利权外溢的战争。这个战争的导火线,虽是鸦片问题,而其原因除了英国资本主义必须向中国发展的一个根本原因以外,也还有其他的原因在。以下约略说几句。

前面说过,从明朝中叶到清朝鸦片战争之时为止,是中国对于国际贸易采取闭关主义的时期。这时期中明清政府所以采取闭关主义,固然是根源于当时封建经济的特征(国内人民的生活,无须仰给于外人),然而也有种种别的原因。第一,中国的文化优越于周围各邦的文化,故以"天朝"、"华夏"自尊而贬称其他各国为蛮夷,因而各邻国要求向中国通商时,必令其用朝贡的形式举行。第二,中国人绝少与欧洲人交通,并不注意欧洲人的文化,以为欧洲各国也和周围的各小国一样,而称之为蛮夷。第三,欧洲人初来中国通商的,大都用掠夺殖民地的方法对待中国,演其杀人越货的故伎。第四,欧洲人吞灭印度及南洋群岛,极其残忍之能事(如西班牙之毒杀华侨),中国人亦有所闻。诸如此类,都是促使当时中国政府坚守闭关主义的原因。所以当时的中国政府,对于欧洲人的要求通商,总是深闭固拒,深恐一经许可通商,就会门户洞开,引起蛮夷猾夏。但是16世纪以后来到中国的欧洲人,都已是善于吞灭弱小民族的惯家,不想普通蛮夷那样容易受中国所制御,同时,那时的中国也是文化比较进步的庞大国家,不像普通弱小民族容易为欧洲人所征服。所以欧洲人最初来到中国时,是和平的要求通商,要求不遂便用武力来威吓,威吓无效,不惜忍辱以求达其通商的目的。而中国政府方面,也恐怕频动干戈,引起外患,便不惜赐外人以"天恩",同时所谓封疆大臣也因为尝到通商的好处(饱足贪囊),便不惜奏开海禁。结果,为限制通商的区域起见,就开放了江浙闽粤四关,以后复限制于广州一隅。所以此时期的对外贸易虽日见发展,而外人所受不平等的待遇以及种种限制与种种诛求,实在不能忍受。这里但就英国方面说说。英国货船初来中国,实始于1620年(明光宗泰昌元年),而开始通商,却在1637年英国舰队攻下虎门炮台以后。当时的英国东印度公司在东方的势力已逐渐增大,所以急谋发展对华商务。但当时英国人因在澳门广州两处即受葡人所排斥,又被中国官吏课征重税,乃改向福州、南台、厦门等处谋发展。嗣后康熙三十二年始开海禁,英国人遂得在江浙闽粤四区贸易。其后清廷得知英并印度,乃又加严海禁,而将对外贸易限制于广东一隅。计自1720

年(康熙五十五年)以后约一百余年间,称为广州公行贸易时代。在公行贸易时代,广东当局对于外国贸易的限制很严,公行处于当局与外商之间,上下其手,当局对于外商又诛求无厌。此外对于外商的限制,如限定外人居住公行所建的商馆中不许任意外出,不许雇用华人仆妇,不许引带华人妇女入商馆,不许外商坐轿等。因此外商在当时最感苦痛,尤以英商为最(当时英商在广东对外贸易中占第一位),所以当时英国屡次要求脱离此等束缚,如嘉庆十五年英商曾求减轻行用,迄无效果。其后英国政府于 1793 年(乾隆五十八年)派遣使臣马加特尼到北平觐见乾隆帝呈递国书,请求订立平等的通商条件,但结果除博得"英吉利"朝贡头衔,举行跪拜仪式外,还领到乾隆帝赐给英王的两通敕谕而归。第一通敕谕开头说"咨尔国王,远在重洋,倾心向化",大概嘉奖英王能执属国之礼,并推恩加礼于其使节,以示怀柔之意。至对于要求派员驻京照管通商之事,却斥其"与天朝体制不合"未便照准。第二通敕谕,对于要求推广通商一层,就说"天朝物产丰盈,无所不有,原不借外夷货物,以通有无。特因天朝所产茶叶、瓷器、丝巾为西洋各国及尔国必需之物,是以加恩体恤,许在澳门开设洋行,俾得日用有资,并沾余润。今尔国使臣于定例之外多所陈乞,大乖天朝加惠远人抚育四国之道云云"。这种谕文,在现在看来,实令人捧腹绝倒。

马加特尼受辱归国之后,至 1816 年,英国又派亚墨斯尔为大使入觐,请求改良通商办法,但因觐见仪式问题,被逼归国。于是英商更抱不安,而在广东所受压迫亦加重,曾请求印度总督派军舰来华示威,其直接向广东当局提出的抗议也未生效。英商对于中国的恶感更深一层了。其后曾派拿皮楼于 1834 年来广东监督商务,而广东总督卢坤疑他不是英王所派,把他押回澳门,拿皮楼在澳门愤恨而死。经过拿皮楼与卢坤间的轧轹,中英两国商民的恶感日深。此后英人继拿皮楼任商务监督的是带威、鲁滨孙等,更是软弱无能,而广东当局对于鸦片的取缔更加严重,英国人方面已开始准备最后手段,更因义律狡猾强悍,致引起断绝国交,而陷于战争状态。

前面说的是闭关主义给英国方面的恶影响,现在再说鸦片输入给予中国方面的恶影响。鸦片毒杀中国人民之害,是人人所共知的。鸦片之名始见于宋时的开宝本草,但当时是当作药品使用的,吸食的风气,大概始于明末,清时雍正七年(1729年)就有过禁止吸食之令,不过当时输入的数目还不多。及到乾隆五十八年(1793年),英国东印度公司得到了垄断中国贸易的特权,而孟加拉彼哇及我利萨又是鸦片的出产地,于是输入于中国的鸦片就逐渐增多起来了。1818年之时,鸦片进口数值,已增至450万元以上,以后更急速增加。兹将1821年(道光元年)至1830年(道光十年)之鸦片进口数值,列成下表。

1821 年	9430450 元
1822 年	9220500 元
1823 年	7421600 元
1824 年	5782500 元
1825 年	9782500 元
1826 年	9299326 元
1827 年	14936496 元
1828 年	11725577 元
1829 年	14079694 元
1830 年	13029345 元

据上表,进口的鸦片数值,从1827年起,竟增到一千万元以上,当时鸦片问题之严重,概可想见。但在当时的英国看来,却是增加所谓"国富"的极好现象。他们之对中国抛出商品,已挟着必然之势,何况还有新式的武力做后盾呢。

然而在当时的中国方面说来,这却是很严重的问题。因为鸦片进口额之不断的迅速的增加,即是中国的活死人与败家子增加,即是流出的现银之不断的迅速的增加。这两点是中国方面所绝不能忍受而必须采取断然处置的理由。因此当时清廷禁止鸦片的命令就雷厉风行,而林则徐禁毁鸦片,斩杀烟贩,压迫英商的行为也变本加厉。于是鸦片战争,终于在1840年爆发了。

鸦片战争的结局,成立了1842年的江宁条约,其要点便是:其一,中国赔款2100万元;其二,割让香港;其三,辟上海、宁波、福州、厦门、广州五口通商;其四,英商货物照例纳进口税后,准由华商运销内地,不得加重课税等。从此以后,其他各国都追随着帝国主义老前辈的后尘,陆续地侵入了中国,中国就变成了半殖民地。

从此以后，中国便慢慢走到半殖民地的资本主义化的过程。在这种意义上，正符合了下述的原则。

"资产阶级既然急剧地改良了生产手段，又不断地开拓了交通机关，于是把所有一切的甚至于野蛮的人民都推上文明的道路了。那价廉物美的射击力，连中国的城壁也被打破了，就是极端排外的顽固的野蛮人也只好降服了。世界各国为要避免灭亡的命运，也只得采用资本家的生产方法，他把所谓文明输入于他们的社会，就是把自己也变为资本家。换句话说，资本将按照自己的模型改造全世界。"

以下根据这个原则，研究现实的中国现代经济，以建立普遍与特殊的正确关系。

附注　本文是未完成的拙著《中国现代经济史》的第一章，因为《法商学院专刊》①缺少稿件，特抽出这一章来，藉充篇幅。

（原载 1935 年 5 月北平大学法商学院《法学专刊》第 3、4 期合刊，署名李达）

---

① 即北平大学法商学院《法学专刊》。——编者注

中国现代经济史概观[*]

（1935.9）

一、中国现代经济史的第一期

中国之半殖民地的资本主义化的过程,大概可划分为三个时期:第一期,自 1842 年起至 1880 年为止;第二期,自 1881 年起至 1914 年为止;第三期,自 1915 年起至现在为止。

中国现代经济史的第一期,包括了三个过程:一是国际帝国主义在中国奠定了侵略的根据的过程;二是封建势力反抗侵入的资本主义的过程;三是民族资本产业发生的过程。以下分别加以说明。

（一）国际帝国主义在中国奠定侵略的根据的过程

自从英帝国主义者用武力侵入中国以后,其他各国均蜂拥而来,或用武力,或用威吓,利用清廷的颟顸无识,先后胁订了许多不平等条约。这里就 1881 年以前所订的不平等条约,略加分析,并指出中国因不平等条约所受的损失,借以说明国际帝国主义在中国奠定侵略根据的过程。

1.不平等条约的内容　截至 1881 年止,与中国缔结条约的外国,计有英、法、美、俄、德、意、日、奥、瑞典、挪威、葡萄牙、丹麦、荷兰、西班牙、比利时、秘鲁、巴西等十七国。而所订的这些条约,大都是出于迫胁,诸缔约国均在中国享有特权(甚至连丹麦、瑞典、秘鲁、巴西,都享有领事裁判权和特别税权)。这些条约,包括经济的政治的社会的三大项,有些在战时缔结的,有些在平时

＊　本文是李达未完成著作《中国现代经济史》的一部分。——编者注

缔结的。战时缔结的条约,中国处于战败国地位,其不平等固不消说,即在平时缔结的条约,亦因清廷蠢然无识,和国际地位之降低,也无平等之可言。总之,那时所缔结的条约,都是不平等条约。以下再说明中国基于这些不平等条约所受的损失。

2.领土的丧失　英国夺取香港,葡萄牙夺取澳门;俄国夺取黑龙江东北沿边地,吉林迤东沿边地,乌梁海与科布多沿边地,新疆西北沿边地(其他由清廷自行放弃者在外)。

3.赔款的支出　1842年,英国为鸦片战役索取2100万元;1860年,英法为联军战役,索取1600万两;1874年,日本为台湾杀害琉球人事件,索取50万两(琉球原籍属于中国,清廷已自行放弃);1881年,俄国为退出伊犁事件,索取900万卢布(1881年以后的未列入)。在当时岁入很少,内乱频仍的中国,而陆续支出这大宗的赔款,财政那得不陷于破产。

4.商埠的开放　强迫中国多开商商埠,是当时国际资本主义抛出商品的前提条件。截至1881年止,中国被迫开放的商埠,在1842年为上海、宁波、福州、厦门、广州,五处;在1881年为塔城一处;在1858年为琼州、汕头、汉口、九江、南京、镇江、烟台、牛庄八处;在1860年为天津、喀什噶尔、恰克图、库伦、张家口,五处;在1876年,为重庆、宜昌、沙市、安庆、芜湖、北海六处;在1881年,为伊犁、乌鲁木齐、天山南北各城、吐鲁番、嘉峪关、蒙古各盟等处。这些商埠的开放,不但便于国际资本主义抛出商品及搜集原料,并且还设有租界,以为侵略的根据地。

5.租界之设置　基于不平等条约,各帝国主义者就在中国各商埠,设置了许多租界。如上海、天津、广州、汉口、镇江、芜湖、福州、厦门、营口、喀什噶尔等地,在这时期中,都已设立了租界。在租界区域内,外人操有行政司法等统治权,界内的中国人民都要受其支配。这些租界俨然变成了中国国内的许多小国,凡属政治的经济的文化的种种机关,都装置在租界之内。

6.领事裁判权之确立　外人在中国内地违法事件,均受所在国领事之裁判,并且华洋人之间的纠葛,亦须由领事与中国法官会审,如上海租界中之会审公堂,在同治七年(1869年)即已成立。于是中国司法权大受其损失,而外人在租界内更得以为所欲为了。

7.海关税则协定权　由于南京条约,海关税则须由中国与英国协定,以后其他各国,亦援例要求协定税则之权,于是关税自主权完全丧失,既不能达到"财政关税"之目的,又不能实行"保护关税"的政策。外国商品的输入漫无限制,而本国产业的发展,更失其保障。并且在太平军革命叛乱之时,有外国领事代征关税之事,后来更有英法美三国领事管理海关之事发生,至英法联军之役以后,关税权的束缚,更比以前加重了。

8.沿海贸易权之被夺　沿海贸易权,在世界各国,只限于本国人民才能享受,但这时期中与中国缔约各国,却无不享有在中国的沿海贸易之权。外人在中国沿海贸易由来已久,至于正式取得沿海贸易权,实始于1863年中丹条约之第四十四款。自是以后,各国均要求于条约中承认沿海贸易权。于是出入于中国沿海各口岸的货物的课税,一同受协定税则所支配了。

9.沿河航行权之被夺　内河航行权在近代各国,也大都只供给本国人民享受,但自中英续约成立以后,内河航行权,就开始为外人所享有。于是外国轮船之遍驶于全国之内河,压倒中国航业的发展,垄断中国的市场了。

10.最惠国条款之作用　最惠国条款之对于中国,完全是片面的,只有中国给外国以优越的权利;而外国则很少以同等权利给中国。凡属政治经济方面的利益,各国无不借口"最惠国条款",要求利益均沾,一国在中国获得某项特殊权利,其余各国无不作同样之要求。甚至外人对于此"最惠国条款"往往故作曲解,至于要求与中国人享同样之权利,更是荒谬绝伦。

11.军队驻屯权　自英法联军攻陷北京以后,使得大沽炮台及北京天津间的军备,完全撤除。而公使馆可驻卫兵,到有事时还可以任择一地屯军,以保北京天津间的通路。从此外国军舰,不但可以自由航行于中国内海,并且可以自由行驶于内河了。

此外,在此时期中,帝国主义者垄断中国的财政及经济的机关,也陆续设立了。如英国东洋银行于1845年在香港成立支店;其次,麦加利银行于1853年设本店于香港,于1857年设支店于上海;再次汇丰银行,于1864年设本店于香港,于1867年设分店于上海。这几个银行,在当时实力的雄厚,是人所共知的。它们不但操纵中国的金融,并且在当时还经理中国赔款金的输送,往后更变为对华输出资本的机关。中日战后在中国设立的许多外国银行,都是仿效它们的。

由以上各项看来,国际帝国主义者在中国境内实行经济的政治的文化的侵略之种种根据,在这个时期中,早已完全建立,而中国早已变为半殖民地了。

(二)封建势力反抗资本主义的过程

1840年的鸦片战争,中国虽然失败而被迫缔结江宁条约,但百足之虫,死而不僵,当时的封建的势力,还不曾完全向资本主义投降,有时还企图反抗。这种封建势力的顽固性,也自有其历史的社会的根源。我们知道,封建势力是建筑在超经济的剥削所依存的封建经济之上的。中国的封建经济,已有了几千年的长远的历史,在这几千年之间,生产技术停顿在手工劳动的领域,因而生产方法,仍旧属于封建的范畴。经济生活的这种保守性或守旧性,就渗透于一切社会生活方面。适合于这种经济形态的政治组织,是封建君主的专政制;适应于这种经济的政治的生活之意识形态,是孔子的学说。封建经济保存了数千年,孔子的学说也支配了数千年。清代学术思想,虽有所谓汉学与宋学的区别,但穷其究竟,仍必归着于六经,折中于孔子。质言之,中国以前的一切文化生活,都是保守,都是复古。所以支配国家生活与社会生活的原则,是三纲五常。而其在对外政策上的表现,即是"尊皇攘夷"或"尊夏攘夷",所谓"闭关主义"或"排外主义",实是一贯的东西。

所谓闭关主义,在当时是有其经济的根源的。因为在那时候,中国的经济虽是封建的,但和那些环绕于中国的周围的许多落后民族的经济比较起来,却已经走到了它们的前面。这正如清朝乾隆帝所谓"天朝物产丰盈,无所不有,原不藉外夷货物,以通有无"。即是说当时中国人的生活必需品,在中国境内,可以自给自足,不仰给于外人,只有外人来仰给于中国的。基于经济生活的进步,而一切其他的文化,也确实进到其他落后诸民族之前,所以那时的人自称中国为"天朝"为"上国",而摆出天下地上唯我独尊的夜郎自大的态度。这种对外的态度,已成了几千年的历史的传统,原不是在清朝时才出现的。但是从16世纪以后来到中国的欧洲人,已不是中国人所习见的"夷狄"了。所以满清时代所采取的闭关主义或排外主义,虽有其历史的社会的根源,而当时人们世界知识的缺乏,也是一个重要的原因。

那时的人们，尤其是所谓学者们，大都以孔子学说为万能，连天文地理都包括在内，中国便是天下，禹贡九州以外，再无世界。若不说"天圆地方"而说"九州以外更有九州"，那便是"妖言惑众"、"离经叛道"，至于谈到新式生产技术，那就是被看为"左道旁门"、"异端邪说"，概在摈斥之列，因为孔子是不讲这一套的。其实清朝之初，关于灌输世界知识的著述，并不是全然没有，如西人艾儒略用汉文著译的职方外记，几何原本，南怀仁所著的坤与图说，及其他关于新式技术方面的著作，亦复不少。并且清康熙帝也曾请西人讲西学，而致力于格物致知。但那时的学者们却不顾及这些，如当时硕学纪晓峰阮元却把《职方外记》及《坤舆图说》，看作和《十洲记》、《山海经》相等，"其意以为吾中华一统志，卷帙五百，至详且尽，安用此浅近之地球说略舆地图说等为？又以为尧舜之时，已创历法，垂四千年而不变，彼琐琐之说恶足以易之？噫，是所谓骄傲盈满也"（胡礼垣语）。纪阮两人是当时的学界泰斗，他们的知识，还是这样固陋，其余的人们更不消说了。学术思想上的这种闭关主义，及排外主义，是与经济上政治上的闭关主义恰相适合的。

闭关主义与排外主义，是属于一个系列的。闭关主义就是把大门关住，不让外力侵入；排外主义，就是外力恃强侵入，大门关不住了，极尽力设法把外力驱逐出去。这种办法，由历史的传统说来，在当时也是必然的趋势。不过帝国主义那东西，不是像豺狗那样容易被驱逐的。

南京条约的成立，在当时清廷看来，简直是城下之盟，不但是门户洞开，引虎入室，有引起蛮夷猾夏，摇动其统治的危险，并且还损伤了"天朝""上国"的尊严。所以一般蠢然无知的封疆大臣，就想法子来出气，并号召人民实行去排外，"杀洋鬼子发洋财"。而排外主义遂成为当时朝野上下共同的信条了。所以南京条约成立以后，清廷就设法毁约，准备反抗，而民间仇杀外人的排外行动，也接踵而起，遂引起英军攻陷广东，英法联军攻占广东，活捉叶名琛以及攻陷大沽、天津、北京，焚毁圆明园，赶走咸丰帝的大事变。这些都是当时封建势力因实行攘夷主义而失败的实例。于是所谓"中国兵威何可轻犯"的豪语（咸丰帝嘉奖僧格林沁在白河口击败英法舰队的上谕中所说的话），就变为自欺欺人之谈了。自经此次大创以后，封建势力想要驱逐外力，就不能不另筹别的方法，于是乃有军用工业的兴办。

"扶清灭洋"的心理,在清廷一般大员说来,都是一致的。不过这些人也可分为两派,一为旧派,是一些毫无知识的人们;一为新派,是一些稍知洋务的人们。旧派只知盲动,不择手段;新派却知道采用新式武力,请求军备。这时候稍或懂得洋务而知道建立新式军备的人们,要算是曾国藩、李鸿章、左宗棠一流人物了。因为曾李左诸人,在 1860 年代,亲眼看见了西式军队战斗技术的长处。如曾国藩曾奉朝命,聘请洋弁,训练新兵,李鸿章平吴大业,得力于华尔与戈登的实多,他曾取法于常胜军,利用其器械;左宗棠打平浙江,也曾得力于法将托格比吉格尔。因此他们在平定了太平军之后,就尽力于下述以军用工业为中心的新事业。

1863 年(同治二年)　　设外国语言文字学馆于上海;

1865 年(同治四年)　　设江南机器制造局于上海;

1866 年(同治五年)　　奏设轮船制造厂于上海;

1870 年(同治九年)　　设机器制造局于天津;

1872 年(同治十一)　　挑选学生赴美国留学;请开煤铁矿;设轮船招商局;

1875 年(光绪元年)　　筹办铁甲兵船;请设洋学局于各省,分格致,测算,舆图,火舱,机器,兵法,炮法,化学电学诸门,择通晓时务大员主之,并于考试功令稍加变通,另开洋务进取一格;

1876 年(光绪二年)　　派武弁往德国学习水陆军机械技艺,又派福建船政生出洋学习;

1880 年(光绪六年)　　始购铁甲兵船,设水师学堂于天津;设南北洋电报局;请修铁路。

以上各种新式事业,都是曾国藩、左宗棠、李鸿章三个人主办的,尤以李鸿章所主办的为多。后来不久曾国藩死去,左宗棠也到西北平回,只剩李鸿章一人去主持了。看他们所主办的新事业,实以军用工业为中心。为要举办洋式军用工业,通晓外国语的人才是必要的,所以先设外国语学校。其次,谋军事运输的便利,轮船和铁路和电信是必要的,所以先设外国语学校。其次,谋军事运输的便利,轮船、铁路和电信是必要的。所以设立轮船局、造船厂、电报局,并请修铁路。为养成新式军事技术人才,送留学生出洋和开办学校是必要的。所以普通都说从 1863 年到 1880 年的期间是军用工业时代。当时通晓洋务的封疆大臣,都觉得中国人的一切都是好的,只有军事不如外人,所以一旦把洋式军备筹办好了,不但可以攘夷,并且就是讲和也比较容易。这一层理由,李鸿章在当时曾经有详细的说明,这里且引他的几段话看看。

清同治十一年,有人奏请停止制造轮船局,李鸿章复议的奏折就有这样一段话:

> 臣窃维欧洲诸国,百十来年,由印度而南洋,由南洋而中国,闯入边界腹地,凡前史所载,亘古所未通,无不款关而求互市。……合地球东西南朔九万里之遥,皆聚于中国,此三千余年一大变局也。西人专恃其枪炮轮船之利,故能横行于中国,中国向用之器具不敌彼等,是以受制于西人。居今日而曰攘夷,曰驱逐出境,固虚妄之论,即欲保和局,守疆土,亦非无具而能守之也……臣愚以为国家诸费皆可省,唯养兵设防练习枪炮制造兵轮之费万不可省。求省费则必屏除一切,国无与立,终不得强矣。……

光绪元年,李鸿章筹备海防的奏折中又说:

> 历代备边,多在西北,其强弱之势,主客之形,皆适相守……今则东南海疆万余里,而各国通商传教往来自如,团集京师及各省腹地,阳托和好之名,阴怀吞噬之计,一国生事,诸国构煽,实为数千年未有之变局。轮船电报之速,瞬息万里,军事器械之精,工力百倍。又为数千年未有之强敌。……庚申以后,夷势骎骎内向,薄海冠带之伦,莫不发愤慷慨,争言驱逐……及询以自强何术,则茫然无所依据。……易曰:穷则变,变则通,盖不变通,则战守皆不足恃,而和亦不可久也。

看了上面两段文字,可以知道李鸿章在当时只知道筹办新式的军备,而以排斥外力为唯一的目的了。

从上面看来,当时这班稍知洋务的清廷大员们,心中都觉得中国所固有的一切东西,尤其是旧式的经济,是必须保存的,侵入的资本主义,非实行排除不可,而实行排除的方法,就是采用外国的新式军事技术,以筹设海防等。所以这个时期,是兴办军事工业的时期,同时在客观上又是封建势力反抗侵入中国的资本主义的时期。不过这里有两点还要注意:第一,在这些反抗资本主义的封建势力中,曾左李一流人还知道举办军事工业,以期利用新式战斗方法去攘夷,比较那些只知盲动不择手段的满州权贵或陈腐的文人学士,确实是高明些。第二,由于军事工业的举办,就逐渐输入了不少新式的技术并养成了一些新式的人才,为第二期的民族资本工业建立了基础。

不过这里还要附带说明的,上面那些军用工业所表现的成绩,很不足观。因为技术器械,都仰给于外国,从事经营的人,又是毫无能力的官僚。满清末年的腐败官僚,大都把这些厂所当作肥缺优差,搜括剥削,无所不至,不但对于事业的经营,毫无热心,即对于本国技术人才的养成一事,亦弃而不顾。一切操作,都委之外国技师,本国人至多只能充当下级职工。像这样,工业的基础既不能确立,军事工业的精神亦不能了解。所以不但没有造出好成绩,而且种下了后来的种种祸根。

(三)民族资本工业的发生过程

如上段所述,这个时期是封建势力企图反抗资本主义的时期。但在反抗资本主义企图之下,封建势力却举办了以军事为中心的军用工业,这种军用工业虽以准备反抗资本主义的武力为中心,却仍然是新式工业的一部门。又举办这种军用工业的资本,大部分虽是由当时的政府支出的,其中也有些商股,而这种资本仍是民族资本的一部分。所以在这种意义上,可以说,这个时期实是民族资本工业的发生时期。不过在半殖民地的资本主义化的过程的说明上,我们仍然有说明民族资本主义的前提条件的必要。

资本主义的前提条件,是:1.商品市场的扩大及商品生产的发展;2.资本之原始的蓄积以及商业资本之参与于生产;3.劳动力的商品化。现在依据这三项分别说明于下。

1. 商品市场的扩大

在这个时期,资本主义已经支配着世界经济,而成为世界经济的一个单位的中国,早成为资本主义诸国输出商品采集原料的半殖民地,因此中国的商品市场就逐渐扩大起来了。这里且把这时期的中国出入口贸易表列在下面看看(单位:海关两)。

	出口总值	入口总值	出入口合计
1864 年	48654512	46210431	94964943
1868 年	81826275	63281804	125108079
1872 年	75288125	67317049	142605174
1876 年	80850512	70269574	151120086
1880 年	77883587	79293542	157177039

以上出入口贸易总值,自 1864 年起,即已增至 94964943 海关两,比较鸦片战役以前,已增至两倍以上,以后逐年增加,至 1881 年,竟达 163851000 海关两。当时中国的国际贸易可说是发展得很迅速的。又,1863 年至 1880 年的十七年之间,除 1864 年、1872 年、1873 年、1874 年、1875 年、1876 年,这六年是出超以外,其余都是入超(并且自 1877 年以后,一直是入超)。这是表示输入的资本家的商品已逐渐打倒了中国手工业的商品。但从当时出入口贸易增加的趋势看中国的商品市场,从这时期起,已是逐渐扩大了。这种扩大,在上海、天津、广州、汉口、牛庄这些商埠逐渐繁荣的一点上,也可以看得出的。

2. 商品生产发展的方向

这时期中,入口的商品,以机制的商品占居大部分,如纺织品、金属品、化学工业制造品,占入口总值之百分四十以上;此外半制品在百万海关两以上者亦不少。尤其可注意的,纺织品中之棉货匹头一项,早已成为入口货之大宗,在 1864 年,入口额已增至 1800 万海关两以上,以后次第增加,至 1881 年已达 2180 余万海关两,占该年入口总值百分之二十三强。中国土布业之受摧残,已可概见。再就出口货而论。出口货全部为手工劳动的农工业生产品。由 1864 年至 1881 年的 18 年之间,饮食物及烟草的第一部门,大都是农产物,其出口额在总出口额中所占之百分比,从 1864 年起,呈现逐渐减少之倾向,由百分之五十五强(1868 年)递减至百分之五十一强(1880 年)。其次,原料及半制品的第二部门,也仍是农产品(加工的农产品很少),其出口额在总出口额中所占之百分比,呈现逐渐增加之倾向,由百分之贰强(1868 年)递增至百分之五弱(1880 年)。其次制造品第三部门,都是手工制品,其出口额所占之百分比尚无大变化,在 1868 年为百分之四十一强,在 1881 年仍为百分之四十一强。第一部门中茶居首要,几占该部门总额百分之九十。第二部门的原料,以纺织原料、兽皮、油类为大宗,均表现逐渐增加的趋势。第三部门中,生丝居首位,约占该部门中百分之七十;至于棉货类(此时以土布为主),已非常减少,在 1880 年只有九万二千余海关两,与 1817 年由广州出口的土布百余万元相较,已呈一落千丈之势。这是土布受机制棉货匹头打倒的实证。

就上述出入口贸易作大量的观察,我们大概可以知道,出口货物的增加,是表示中国当时的商品生产,比较帝国主义侵入以前,确实是发展了。但当时的主要出口货为茶与丝。除茶类供给外国的饮料之外,生丝一项,在中国方面虽是加工的农产品,但在国际资本家方面却是当作原料采集的。其他丝货一项的出口额虽逐渐增加,由 1864 年之 200 余万海关两增至 1880 年之 500 余万海关两,但此项之手工制品之所以增加,实由于生丝原为中国丰富的特产之故。至于金属品之出口,为数不过十余万海关两,和那时入口的金属品由 300余万至 500 余万海关两之数目相比,距离太远,而中国金属品的手工业之被驱逐,也可想而知。此外出口的化学的手工制品(如窑业、皮货、皮革、纸张等类)的出口额,在这个期间,尚呈现增加的趋势,在 1864 年为 60 余万海关两,至 1881 年增至 130 余万海关两。由这点可以窥知,当时这方面的手工业的生产商品,还是在发达着。因为这时机制的纸类还没有入口,而瓷器工业又素来是中国的名产,并且皮货皮革,也是中国的丰富的农产物。

综观以上所述,中国在这个期间,手工劳动的农工业的商品生产还在发达着,但其方向已趋于原料生产的方面,而纺纱织布及金属品的手工业,已逐渐衰退了。在这个过程中,由于国外资本家的工业品的输入的逐渐增加,由于中国纺纱织布及金属品等项手工业的逐渐凋落,一部分手工业者及兼营手工业的农民,就逐渐由旧式经济分解出来了。

3. 商业资本之畸形的发展

随着商品市场的扩大与商品生产的发达,商业资本的发展,乃是必然的趋势。在帝国主义侵入以前,中国的商业资本,已开始形成资本之原始蓄积形态。但是到了帝国主义侵入以后的这个时期,中国的商业资本却开始变质,而隶属于资本主义诸国的资本的流通过程,而形成这流通过程中的商品资本的循环的一部分了。因为中国在这时早已成为国际资本主义所支配着的半殖民地,中国的商业资本必然隶属于国际资本的流通过程,而代它显现其商品资本的循环的一部分的机能。这是中国商业资本的特殊性。这种特殊性,是与半殖民地的资本主义化的特殊性有关联的。以下我且分析中国商业资本的各部门。

4.买办资本

买办的起源很早,在以前闭关主义时代,当西班牙人、葡萄牙人、及荷兰人等最初来到中国通商时,因为语言、风俗、习惯等种种的隔阂,不能不雇佣机敏而有才干的中国殷实商人做买办,充当自己的耳目和手足,以与顾客谋营业上的密切的联络。所以这种买办,实是来到中国的洋商所必须利用的工具。而买办这种特殊商人的存在,实已有几百年的历史。

自从帝国主义侵入中国以后,外国资本家来到中国贩卖商品采集原料的人就逐渐增加,因而对于买办的需要,也越发增大。外国资本家所以必须使用中国买办的理由很多,就其主要点说来,大概可以概括为五项。第一是语言文字的隔阂:因为中国语言文字的学习,在欧洲人是一件不容易的事,商业上的文件以及各地的方言,他们不能了解。第二是营业的习惯不同:因为中国固有的商场习惯是不容易改变的,如所谓三节结账之类。第三是度量衡的不统一:因为中国的度量衡制度,既不完全,又不统一,外国资本家不易通晓。第四是金银货币及期票汇票等鉴别之困难:因为中国货币的种类复杂,真伪不易明了,而商人所支付的钱庄的期票等是否可以如期兑现,外国资本家无从判定。第五是信用的难于确立:因为中国商人向例与买办直接商洽交易,而新来的外国资本家,如无买办,即难于取得信用。此外如土货的购买的方法,厘金的征收方法,行市涨落的真相,金融机关的状况,商人的营业状况等,假若不是留心在中国考察多年的所谓"中国通"者,绝不能洞悉此中三昧。因此之故,外来资本家来到中国通商,就不能不雇佣中国通晓国内外的商情的殷实的商业资本家做买办,以达到其榨取中国人的目的。所以自从帝国主义侵入中国以后,买办的人数就日渐增多,而买办的任务也日见重要。(近来连中国人的公司也有雇佣买办的。)

买办的种类颇多,有银行买办、轮船买办、堆栈买办、一般商人买办等之别。买办的职务,在其领受外国资本家的薪金一点说来,似是一种雇佣人,但就其在营业得用自己名义为雇主买办商品一点说来,却又似是一种行庄营业者。又就其介在外国资本家与中国商人之间为买卖贷借等之交易以取得一定的佣金一点说来,似是一种经纪人;就其对雇主约定完成订货事项而基于自己的计算以处理一切商行为上说来,又似是一种承包人。所以买办虽是依着雇主的计算而为雇主代办一半事务的有薪给的雇员,后来性质却是大变,权限也比较扩大,因为买办可以用自己的名义开始交易,而为其雇主的外国资本家对于他的顾客即中国商人却不是直接的对手,而外国资本家的一切交易事项,都听凭买办去做,所以买办还可以因其所需要的事宜去和中国商人交易。因此,外国资本家与买办,买办与资本家之间,完全成立两个不同的契约关系,买办虽只是替外国资本家做完其所嘱托的事项,而他的业务的权限,却很自由,他一面为外国资本家执行业务,同时又可以与雇主毫无关系的用自己的计算以从事于其他的业务。

买办为谋自己的业务敏活,可以负责雇请自己所需要的人替自己分任其业务。这种为买办所任用的人称为使用人。这种使用人的数目视业务繁简而定,其薪给由买办支付。这种使用人各有一定的专长,虽对买办负责任,但须取得外国资本家的同意才能雇用,也可以因外国资本家之希望而解雇。买办经其雇主的同意,可以在其所设之洋行或公司中设立写字间,作为他和他的使用人的办公处所,与洋行或公司为紧密的联络。

买办的利益,大概分为薪给,手续费及额外收入三种。薪给所入很少,在当时每月至多不过 200 两,在大的买办说来,只能算是他和他的家属的夫马费。其次正规的收入,是手续费。譬如他代替雇主买卖商品,照例除依据交易额向雇主领取百分之一至百分之二的手续费外,同时对于他的雇主成立交易之中国商人,也同时索取同样的手续费。买办所得的这种收入颇有可观。(就当时已超出 1 亿海关两的出入口贸易总额说,假定照百分之一至二的手续费计算,买办的收入当超出 100 万海关两以上。)再次所谓额外收入,内容颇为复杂,就其单纯的形式而论,就是"差额"的收入。例如外国资本家以一定的价格托买办定购货物,而买办所购入的货物的价格若比较雇主定购的价格还要低廉时,这种差额便归买办所得。此外如由银秤之大小所生的差额,也是归买办所得的。总之,这种额外的收入很多,这里也不必一一列举。我们所应说明的,就是:买办大都是殷实的商人,他可以拿出资本自己另行开商号,或大批购入雇主所运来的商品,再批发于国内商人,或者收购土货再出售于其雇主,而这类交易额的手续费,应得的还可以照例得到。照这样,买办的资本就逐渐发达了。

买办资本这东西,是半殖民地的中国所特有的一种商业资本。买办原是外国资本家的奴仆,买办资本之隶属外国资本,乃是必然的。

5. 商人资本

商人资本的发展,在帝国主义侵入以前,即已成为历史的现象,这在前节中已经说到了。到了帝国主义侵入以后的这个时期,由于商品的市场扩大与商品生产的增加,商人资本之向上积累,乃是必然的趋势。不过此时中国商人的对外贸易,是对洋行贸易,对买办贸易。这种贸易不是自动的,而是被动的,不是直接的,而是间接的。所以这时中国的商人资本,早已变质,它已逐渐隶属于外国的产业资本,而为资本的流运过程显现商品资本的循环的一部分机能了。这种是半殖民地的商人资本的特性。(这种特性往后更增显著。)

6. 票号及钱庄资本

由于商品流通及货币流通的频繁,由于买办资本与商人资本的发展,那以经理货币为专业的资本,必然随着发展起来。这种经理货币的资本,在这时期中,即是票号与钱庄。票号是固有金融机关,大都是山西人所经营的,其业务以汇兑为主,也兼营存款与放款。票号之营业,大致与官吏的关系较多。但是到了五口通商以后,各大商埠就渐趋繁盛,如上海一区,富商豪买,所在皆是,每年贸易额,数达巨亿,随着内外商业的发达,而银两的需要加多,银钱票据的流通开始,于是钱庄乃应当时之必要而发生发展。并且普及于各大通商口岸。单就上海而论,钱庄之数,在光绪初年,北市已有八十余家,南市亦有二十余家。南市亦有三十余家,钱庄的营业,为存款放款及汇兑,与新式银行的营业殆相类似。钱庄在当时为国内的唯一的金融机关,其资助于商业的发展很大。而关于游离资本的吸收,为数很有可观,实已成为新式工业的前提条件。但钱庄的营业,只是国内的,而不是国际的,尤其是汇兑一项,只限于国内各商埠,至于国际的汇兑,仍不能不仰助于外国银行。当时的汇丰银行,早已操纵了中国的金融,在生金已成为世界货币这个时期,中国的金融市场,一切唯汇丰银行的命令是听。因而钱庄资本就不能不隶属外国银行资本。

7. 商业资本的变质及其前途

由于商品的流通及货币的流通,商人们站在商品的生产者与消费者之间,用贱买贵卖的方法,取得利益,因而货币就落在商人手里,成为商业资本。所以现代期以前的商业资本,是以贱买贵卖这两个过程不是等价物的交换一件事为条件而成立的。即是说,商业资本家一方面欺骗手工劳动的农工业生产者不明白市场情形,用价值以下的价格去买进他们的商品,另一方面又用价值以上的价格卖出去。所以这时的商业含有欺骗性质,而商业资本家的利得,就是从骗取生产者的劳动的价值而来的。商业资本的本身,并不能产生剩余价值。现代期以前的中国的商业资本的性质,就是如此。但是到了资本主义已支配世界经济,而中国已成为国际资本家抛出商品采集原料的半殖民地的这个时期,中国的商业资本的性质,就发生变化了。

外国产业资本家指定中国商业资本家去代它所做的工作,是卖出商品,采集原料,即代他完成 W—G 与 G—W 两段工作。在 W—G 的形式上表现外国资本家的商品向中国的流通;在 G—W 的形式上,表现土货向外国的流通。所以资本家的商品流通与单纯商品的流通,在这个时期的对外贸易上,都显现着各自沿着一根直线进行的。中国商业资本家在买进资本家的商品时,原则上从外国产业资本家那里分受了一部分超越利润(国际资本家在半殖民地所得的利润)作为商业利润,但在卖给中国消费者之时,就除了代替封建势力转嫁苛捐杂税于农民外,也还可以实行欺骗的剥削;又在贩运土货出口时,原则上除欺骗旧式生产者与外国资本家而贱买贵卖以取得不当利得。所以中国的商业资本,在这种情形之下能够更趋于发达。

从这时期起,中国的商业资本愈隶属于国际资本而不能脱离它的支配,然而在国际资本的笼罩之下,仍不妨碍其转变为工业资本。

8. 商业资本参加于生产过程

在这个时期中,广州、上海、天津、汉口等繁盛商埠,也有由商业资本家举办工场手工业的。如制丝织绸、织布等业的手工工场,到处都可以看到。其中采用不使用原动力的新式机器而兴办工场的,要算是新式制丝业了。这项新式制丝工厂,以1866年广东商人陈启元在南海西樵所开设之新式缫丝工厂为最早。以后广东此项丝厂陆续出现,1880年海关报告所载,当时广东一省已有机器丝厂十家,丝车二千四百部了。此外当时成立的招商局,也招有不少的商股在内。这些都是商业资本参与生产过程的实例,也就是商业资本转变到产业资本的端绪。

9. 自由劳动者

中国农村人口之相对的过剩,本来是历史的现象。再加以这时期中的手工业之渐受摧残,农村经济之渐被破坏,手工工人和农民的失业者已逐渐增多。所以自由劳动者的来源,在当时实是很丰富的。资本家举办工业时,绝不愁雇不到贱价的劳动者。

由以上各项看来,这时期的中国,商品市场扩大了,资本和劳动力也有了。民族资本主义的前提条件已经备具,并且连新式的技术也陆续输入了。所以在这种意义上,我们可以把这个时期,称为民族资本工业的发生期。

二、中国现代经济史第二期

(一)国际帝国主义对华输入资本的过程

从1882年起到1914年止,是中国现代实业史的第二期。这个时期,也包括了三个过程;一是国际帝国主义对华输入资本并加紧其侵略的过程;二是封建势力投降于资本主义的过程;三是民族的商业资本转变为产业资本的过程。先说第一个过程。

从1880年到1914年,是国际资本主义进到了帝国主义的时代。

帝国主义对于中国的侵略,在这个时期,就是加紧其政治的控制并大量的输出资本。这里为谋说明的便利,就依据这两点略述于下。

第一,帝国主义者对中国的政治控制。中国自从鸦片战役与英法联军之役以后,资本主义列强已在中国奠定了侵略的根据,而中国已陷于半殖民地状态,这在前节中已经说明过了。但到这个时期,更因中法战役,中日战役及庚子八国联军战役以及与中国有密切关系的日俄战役,中国遂完全被国际帝国主义所征服,已丧失其抵抗能力,而听凭他们所宰割,而他们对于中国政治的控制,也因而加紧了。就其主要点而论,可分为下列数端。

1. 领土及属国的攘夺

台湾及澎湖诸岛割让于日本,澳门赠与于葡萄牙。朝鲜归属于日本,安南归属于法国。

2. 赔款的榨取

因马关条约及还付辽东条约,被日本榨取赔款 23000 万两,连同利息,约近 25000 万两,因辛丑条约,被英俄法日德美奥意等八国榨取赔款 45000 万两(加上利息,分年摊还)。

3. 加开商埠

在这时期中,中国被迫开放的商埠,东三省二十七处,直隶(即今河北)一处,山东五处,江苏三处,浙江一处,福建两处,湖北一处,湖南四处,四川一处,广西四处,云南五处,西藏三处,绥远一处,察哈尔一处,热河一处,京兆一处。合计六十六处,其中虽有由中国自行开放的,但实与被迫开放相同。

4. 租界的遍设

随着开放的商埠的增加,而各商埠所设置的租界亦逐渐加多,并且各国都凭借"最惠国条款"的口实,都尽可能地添设租界。在这时期中,各商埠所设置的租界,如苏州、杭州、长沙、沙面、安东、乌鲁木齐、塔城、济南、潍县、周村、鼓浪屿等处。有的是专设租界,有的是共同租界。于是中国境内的小外国,更加增多了。因而领事裁判权更见扩张了。

5. 工业投资权之取得

自从马关条约第六款第四项载明"日本臣民得在中国通商口岸城邑任便从事各项工业制造"以后,日本即取得在中国的工业投资权,其他各国亦要求利益均沾,而取得同样的工业投资权了。

6. 军港之租借

1897 年德国租借胶州湾,期限 99 年;俄国租借旅顺口与大连湾,期限约 25 年,1898 年,英国租借威海卫与九龙岛,期限约 99 年,法国租借广州湾,期限亦 99 年。

7. 势力范围之划定

法国以广东、广西、云南三省及海南岛及其势力范围,英国以扬子江沿岸各省之地为其势力范围,德国以山东省为其势力范围,日本以福建省及南满洲为其势力范围,俄国以北满洲为其势力范围。

8. 军队驻屯权之确定　辛丑条约之结果

以上所列举的都是最显著的东西,其他因不平等条约而攘夺的权利,未及详述。但单就上述诸端而论,已可知国际帝国主义者对于中国的政治控制是极其严重的了。

第二,国际帝国主义者的投资。此时期中,国际帝国主义者对于中国的投资,可分为下项数项说明。

1. 铁路投资

由各国拿出资本在中国自行敷设铁路的投资,计俄国敷设中东铁路 1700 余里(后来割了 500 余里给日本),投资额为 66239800 磅;德国敷设胶济铁路 277 里,投资额为 2700000 磅;法国敷设滇越铁路 293 里,投资额 6200000 磅,日本敷设南满铁路本线 436 里及支线 86 里,投资额 4 亿 4 千万日金(内包括安奉铁路 162 里)。合计投资额英金 75139800 磅;日金 4 亿 4 千万元。其次由各国借款给中国兴办铁路的投资,有京奉铁路的借款 232 万磅(债权者英国)京汉铁路的借款 500 万磅(英法)道清铁路的 80 万磅(英),正太铁路的 160 万磅(俄),沪宁铁路的 325 万磅(英),吉长铁路的日金 215 万元(日),汴洛铁路的 164 万磅(比),津浦铁路的 500 万镑(英德),沪杭铁路的 150 万镑(英),九广铁路的 150 万镑(英),粤川汉铁路的 600 万镑(英法日意),陇海铁路的 1000 万镑(比),同城铁路的 1000 万镑(法比),浦信铁路的 300 万镑(英),钦渝铁路的 2400 万镑(法),宁湘铁路的 800 万镑(英),沙兴铁路的 1000 万镑(英)。以上这些铁路借款,都是在这个时期(1882—1914 年)中缔约的(虽然有些还没有交款)。

2. 工业投资

自从各国在中国取得工业投资权以后,即开始在中国投下资本,设立工厂,利用贱价的劳动力,以加紧其剥削。如纺织业、蛋黄白业、制革业、水泥业、火柴业、造船业、蒸汽机关业、制冰及冷藏库业、铜铁品业、烟草业、电灯业、制粉业、制油业、制木材业、肥皂及蜡烛业、制糖业、玻璃业、自来水业、羊毛加工业等,外国资本家所投下的资本,都达到了可惊的数目。单就最主要的纺纱业一项而论,截至1914年止,全国纱绽总数八三一,九四六绽之中,日英德及其他各国就占有三九九,七七四绽了。

3. 矿业投资

外人直接投资经营者,如日本之于抚顺煤矿,烟台煤矿及宽城子煤矿,俄国之于外蒙图车两盟金矿及满洲里诺赉诺着煤矿。此外成为悬案的外资关系之矿山,如俄国之于黑龙江岸金矿,英国之于四川各矿,新疆煤油矿,广东煤矿,山西煤及煤油矿。至于利用与中国合办的名义而投下资本的,如英法之于山西煤铁矿,河南煤铁矿,云南各矿,奉天煤铁矿;法国之于四川煤矿,福建各矿,贵州云母铁矿;俄国之于吉林煤矿;德国之于山东煤矿,及井陉煤矿等。此等合办之矿业公司,名虽中外合办,而资本的大部分是由外国投下的,实权也操在外国人手中。

4. 航业投资

帝国主义者在中国之航业投资,有一般投资及特别投资两种。所谓一般投资,即是用本国境内所有的船舶装运货物到中国来的航业投资。所谓特别投资,即是在中国境内设置轮船公司,置备船舶航行于中国沿海及内河的航业投资。前者的投资姑置不论,单就这时期中后者的投资说,如英国太古公司之资本额100万磅,船只四七,吨数60495;怡和公司资本额120万磅,船只五二,吨数58847;日本日清公司资本额1620万元,船只十二,吨数25807,德国的禅臣洋行船支四,吨数2482,美最时洋行船支六,吨数6790。

5. 电线投资

外人直接投资所经营之电线,属于英国大东电报公司的,有香港川石山线,川石山上海线,香港檀香山线,新加坡欧洲线,香港柴棍新加坡线,香港海防线。属于丹麦大北电报公司的经营的,有香港厦门线,厦门海防线。属于法国经营的,有厦门鼓浪屿海防线。属于美国太平洋商务电报公司经营的,有上海马尼拉线,香港马尼拉旧金山线。属于日本经营的,有上海长崎线,福州台湾线,大连佐世保线,旅顺芝罘威海卫线。属于德国大德电报公司经营的,有烟台青岛线,上海约浦线。其次无线电信之归外人直线投资经营的,属于日本的,其地点为北京日本公使馆,天津租界,汉口租界,大连,秦皇岛;属于美国的,其地点为北京美国公使馆,上海新闸路水道公司,天津租界,唐山;属于法国,其地点为天津、上海、广州湾(三处);属于英国的,其地点为上海(二处);属于俄国的,其地点为哈尔滨。此外中外合办之线,其投资亦不少。

6. 银行投资

在这时期中,除麦加利银行、汇丰银行外,有英国之有利银行,法国之东方汇理银行,美国之花旗银行,美丰银行,荷兰之荷兰银行,安达银行,比国之华比银行,日本之正金银行,台湾银行,德国之德华银行等。此外合办之银行,如中法实业银行,中日德合办之北洋保商银行,华俄道胜银行,中日合办之正金银行等。此等合办银行,以外资为主体,实权亦操于外人。

7. 对中国政府投资

截至1914年止,各国借给中国政府的政治借款,共达4780万磅,至借给中国政府之经济借款,就是铁路借款与电政借款等,已见前文。

8. 对地方的投资

外人对于中国各省政府所借出之外债,在这时期中,有湖北汇丰银行借款50万两(债权者英国),维持上海市面而借款350万两(七国),湖北四国借款200万两,广东市面借款160万两(日本),直隶瑞记洋行借款80万磅(德),浙江军器借款500万马克(德),湖北禅臣洋行借款300万两(德)。

9. 对私人团体投资

如日本对汉冶萍公司与南浔铁路所供之借款。

10. 合办事业之投资

外人以中外合办事业之名义而投资者,除上面所说及者外,尚有制粉业、自来水业、制油业、马车铁路业、火柴业、豆饼业、制木材业、交易信托业、电汽机械业等,其所投资本不少。

这时期中,帝国主义对中国的资本输入,大致如上所述。这些投资,大致分共同投资与单独投资。单独投资,大致与所谓势力范围有关系,如日本之对东三省投资,俄国之对内外蒙投资,法国之对云南投资,英国之对广东投资,德国之对山东投资等是。共同投资,大致关于不能单独投资的方面,如政治贷款之类,银行团那东西,就是为着共同投资而组成的。总起来说,帝国主义对中国输入的资本,其总数当在数十亿以上,可以说这时期是外资输入最盛的时期。

由以上所述,这个时期中国际帝国主义对于中国的政治控制之严重与资本输入之夥多,已可窥见一斑了。

(二)封建势力投降于资本主义的过程

前节中曾经说过,1842 年到 1880 年这个时期,包括封建势力企图反抗资本主义的过程。当时清朝帝室与臣僚乃至一般在野的士大夫们,殆无不一致的痛心疾首于利权外溢与国权的丧失,所以他们总是处心积虑要设法打败外国、毁弃条约,以挽回利权,恢复国权。这是他们在当时共同的唯一目的。但关于这个目的之实现,也分为新旧两派。旧派的有实力者是一些皇子皇孙及不学无术的武弁们,他们只知用旧式武力去蛮干,所以又演出了英法联军之役的大失败。新派的有实力者是打倒太平军的比较懂得洋务的曾左李一流人,他们是知道准备新式武力以达到挽回权利恢复国权的目的的,所以才从事军用工业的兴办。在兴办军用工业的时期(1862—1880 年)中,这般懂得洋务的大员,也曾派遣学生出洋留学,但其目的也只在于学习军事,不知其他。所以当时德国学毕士麦就已经向人说过:"中国和日本的竞争,日本必胜,中国必败。因为日本到欧洲来的人,讨论各种学术,请求政制原理,以谋归国做根本的改造,中国人到欧洲来的,只问某厂的船炮造得如何,价值的贵贱如何,买回去使用就完事了。"再则李鸿章在答复郭松焘的书信中也说:"鄙人职在主兵,亦不得不考求兵法。……兵乃立国之要端,欲舍此别图其大者远者亦断不得一行其志,只有尽其力所能为而已。"我们单就这两段文献看,毕士麦所眼见的,李鸿章所口说的,都是切合于当时的实情。所以当时除了请求新式军备以反抗资本主义以外,至于说到举办新式产业的话,在这个时期是谈不到的。

封建势力的顽强性,对于新式产业不但不加注意,而且要极力加以阻碍。李鸿章本来是比较多懂得洋务的人,他在当时的所见所闻,又何尝不知道新式产业的好处,而且他还是最初倡办纺织工业的人呢。不过当时清廷的皇子皇孙以及一般旧人物,都是反对新式企业的,他们所以还不怎样反对新式军用工业,无非是因为目击到旧式军备已不能抵抗外人的缘故。李鸿章所说的"欲舍此别图其远者大者亦断不得一行其志"的话,即是说,在当时要兴办新式产业,是要受旧派人物所反对的。譬如当时出使英国的郭嵩焘(时在光绪三年即 1877 年)写给李鸿章的信札中说:"中国士大夫甘心陷溺,恬不为悔,数十年来国家之耻,无一人引为疚心。钟表既具,家皆有之,呢绒洋货之属,偏及穷荒僻壤。江浙风俗,至于舍国家钱币,而专行使洋钱,且昂其值,漠然无知其非者。一闻修造铁路电报,痛心疾首,群起阻难,至有以洋人机器为公愤者。曾颉刚以家讳乘南京小轮船至长沙,官绅起而大哗,数年不息。……办理洋务三十年,疆吏全无知晓。而以挟持朝廷曰公论,朝廷亦因奖励之曰公论。……"其次,李鸿章的答书中也说:"自同治十三年,海防议起,鸿章即历陈铁矿必须开采,电线铁路必应仿设,各海口必添洋学格致书馆以造就人才。其时文相(军机大臣文祥)目笑存之。……曾记是年冬底赴京叩谒梓官,谒晤恭邸,极陈铁路利益。……邸意亦以为然,谓无人敢主持。复请乘间为两宫言之,渠谓两宫亦不能定此大计,从此遂绝口不谈矣。"由这两段话看来,当时旧派的封建势力反对新式产业的情形大概可以知道,也无怪当时(1867 年)清廷拆毁吴淞铁路,并有大员要提议停止制造轮船局(1872 年)了。

然而资本主义商品已经"打破了中国的城壁","极端排外的顽固的"中国人也只好降服,"中国人为要避免灭亡的命运,也只得采用资本家的生产方法"了。所以无论当时封建势力怎样顽固,而李鸿章、左宗棠、张之洞等,终不能不首先投降于资本主义了。1881 年以后所兴办的官营工业,就是这种表现。因为自从曾国藩左宗棠李鸿章兴办军用工业以后,那些与新式产业有关系的事业,如招商局、轮船制造厂、江南机器制造局等,都能使当时人的耳目一新,使人们认识新式产业的意义。并且曾李诸人为要造就这类技术的人才,都派遣了许多学生到欧美留学(留美学生之派遣,始于 1871 年,第一批学生 30 人,以后每年派出一批,都是政府主持的;留欧美学生之派遣,始于 1874 年,由封疆大臣派送)。其次出使外国的大臣,也曾带领学生出洋留学,他们自己对于各国的物质文明,有所考察,前述之郭嵩焘,即是出使英国的一个。他于 1872 年即由伦敦写信给李鸿章说:"嵩焘欲令李丹崖携带出洋之官学生,改习相度煤铁炼冶诸法,及兴修铁路与电学,以求实用。……"由此可以窥知,当时比较了解洋务的封疆大员,已是渐渐知道了新式产业的长处,而不能不于准备新式武力之余,更进而倡办新式产业了。所以他们从 1881 年起,就兴办了下述的新式产业。

1881 年　李鸿章开设开平矿务商局;

1882 年　李鸿章奏请在上海试办机器织布局;

1884 年　左宗棠在甘肃成立织呢局;

1886 年　张之洞发起于广东创办缫丝局;

　　　　贵州巡抚开办清溪铁矿;

1887 年　张之洞奏请于广东设立机铸制钱局及银元局,

　　　　李鸿章开办四道沟煤矿及漠河金矿,

　　　　李鸿章于天津机器局购机铸制造钱定名"宝津局",又于保定设厂。

1888 年　唐炯创办云南锡蜡矿,

　　　　贵州省镇远府青溪县设立官商合办之制铁厂。

1889 年　张之洞在广东奏设织布局及制铁厂,向英国定购熔矿炉二具。

1890 年　上海设立官商合办之上海纺织新局(即现在之恒丰纺织新局)。

　　　　又张之洞将前年在广东所定购之织布机械及熔矿炉,移到武汉,设汉阳铁政局(即今之汉阳铁厂),

　　　　又于汉阳设立枪炮厂(即今之兵工厂)。

1891 年　上海道台唐松岩于上海设立官民合办之纺纱局。

1893 年　张之洞于武昌设立织布纺纱制麻缫丝四局,后改名湖北纺纱织布官局(今由楚兴公司租办)。

　　　　李鸿章发起建设之上海机器洋布局,于前年竣工时被毁于火。

1894 年　盛宣怀由李鸿章奏派募集民间股本重办洋布局,因股少改设华盛纱厂(即今之三新纺织厂)。

　　　　又是年湖北成立聚昌盛昌等火柴公司,官股占大部分。

以上那些工业,有些是官办的,有些是官商合办的。但这些工业,也和军事工业一样,同是失败。官僚和绅士对于产业的经营和工业的管理,多无常识,这是当时张之洞所已经看到的。这个时代的工业中,生命比较长久的,要算是汉阳铁厂和招商局。官僚和绅士所总办的官营事业,完全委诸外国技师经营,而外国技师毫无诚意,对于华人干部多所排斥,因此助成外国资本的流入,种成了中国企业界普遍的祸根。湖北纺纱织布官局经营既不得法,重以外资流入,遂以形成后来的局势。招商局被英国资本流入,汉阳铁厂被日本资本流入。这便是官营事业和官商合办事业的成绩。

由以上所说看来,可知从 1881 年到 1894 年,实是封建势力开始投降于资本主义而自动的举办新式产业的时代。然而到了中法战役、中日战役,以及庚子联军战役而均告大失败以后,举凡以前所举办的新式军用工业的结果,完全化为乌有,封建势力,已完全失抵抗能力,而死心塌地投降于资本主义了。加以这时期民族资本家已经自觉地实行资本主义,大势所趋,满清政府也不能不改变其对于新式产业的态度,而由反对变而为奖励了。

满清政府奖励新式产业的政治施设,就是设立商部(光绪二十九年),订定商律,颁布公司注册章程,发表奖给商勋章程,新机制造奖励章程,商工科进士称号章程,考验留学生章程,华商办理实业爵赏章程等。此外清廷的商部,又曾于北京、天津、武昌等地设立商品陈列所,于天津设立工艺总局、工业学堂、考工厂、实习工厂;于北京设立高等实业学堂,于工艺局附属工厂设置十二科;其后宣统二年,又在南京开过南洋劝业博览会。此外清廷还发表了奖励"新学新法奖励法"和"发明品奖励法"等。奖励新学新法的规定,凡发明军用机械和船舶者,给以五十年的专卖权,并给特别赏赐;并授工部郎中之职;发明日用新器具者,给以三十年的专卖权,并授工部郎中之职;仿造西洋器具而成功者,给以十年的专卖权,并授工部主事之职。这是封建势力奖励新式产业的经过。

(三)民族的商业资本转变为产业资本的过程

中国商业资本之转变为产业资本,实发端于前一时期。但是到了这个时期中,商业资本之转变为产业资本,却成为普遍的现象了。这时期中李鸿章张之洞盛宣怀等所倡办的官督商办或官商合办等新式企业,如矿业、纱织业等,都有商人的股本在内。至于纯粹由商人资本兴办的新式企业,如 1881 年的上海公和永纱厂,1883 年的上海源昌五金机器厂(资本 10 万元),都是最早的东西。其次是 1889 年的重庆森昌泰火柴公司,再次是 1890 年唐山的启新洋灰公司(原为官商合办后改商办),再次是 1893 年的重庆的森昌正火柴公司和九龙的隆起火柴公司,再次是 1894 年上海的裕源及大纯两纱厂了。

大概在 1894 年以前商业资本家举办的新式产业还是很少的,其原因大概可以分为三项:一是技术人才的缺乏,不能不雇用外人做技师,而外人技师多不忠实;二是企业的能力和经验的缺乏,不敢贸然从事;三是熟练劳动者的缺乏。所以这时兴办的事业,还不能得到成效。

1894 年中日战役的大失败,给了中国人民一个很大的兴奋,"而兵战不如商战"的舆论也甚嚣尘上。实则当时的出入口贸易额,早已突破 2 亿海关两以上,入超亦达 3000 余万海关两。尤其是棉货与棉纱的入口额的增加,更是迅速,如 1894 年之棉货入口额总值为 30608155 海关两,棉纱入口总值为 21397203 海关两;1895 年之棉货入口总值为 31865389 海关两,棉纱入口总值为 21208775 海关两。纺织品的商品市场的扩大,却是刺激民族纺织工业的原动力。同时更因马关条约的订定,外人取得了工业投资权以后,就在中国境内纷纷开设种种工厂,老公茂纱厂,日本之上海纺织公司第一、第二、第三厂,都是这时设立的。这些外人所设的工厂,对于民族资本产业,也给了很大的刺激,所以中国商人从这时起,就陆续举办新式产业,如 1897 年的杭州通益公纱厂,苏州苏纶纱厂,长沙和丰火柴公司,汉口荧昌火柴公司,1897 年的上海裕通纱厂,1899 年的南通大生纱厂,上海的大德棉籽油工厂,1900 年的上海阜丰面粉公司,通州复兴面粉公司,1903 年的天津造胰公司(上述面粉业、火柴业、洋灰业、肥皂业、制油业等,在 1904 年,各有数起举办,此处只列出其首创者)等,均已陆续成立了。不过在这数年之中,各业的成绩不佳。尤其是纺织业,在 1899 年止,虽已成立了十五厂(565000 锭),但因办理不得其宜,而金融的不活泼,熟练职工的缺乏,交通的不便,棉价的暴涨,经营更感困难,并且还有强大的敌人外国工麻与之竞争,所以不能显出良好的效果。

1900 年庚子之役的败北,加深了中国半殖民地化的程度。帝国主义者对于中国政治控制的加严与资本的大量输入,满清政府为救济财政破产而借入无数的外债,不惜把中国出卖。凡此种种,都使中国的人民更痛切地感到革命的必要。所以从这个时候起,中国实已走到辛亥革命的前夜。于是民族资产阶级就如大梦初觉,而急起直追地首先从事于挽回利权的运动了。

挽回利权的运动之最显著的表现,是在于铁路方面。因为 1905 年日俄战争的结果,各帝国主义者攘夺中国铁路矿山的投资权的侵略行为,越发肆无忌惮,而中国一般大商绅们,目击者俄国西伯利亚铁路输送力的伟大,以及日本利用中国关内外铁路与其强造安奉新安两线以输运军实的利益,已是痛切地感到铁路在交通运输上的重要性,而当时列强之强索路权与邮传部之大借洋款,更促起商绅们的大反动。所以当时挽回路矿利权的运动,就风起于全国。于是商办铁路的要求,终于得到了清廷的允许,而清廷与外国所缔结的铁路借款预备契约,也有许多解除了,不过这种商办铁路的成绩,颇有可观,如广东之潮汕线,福建漳厦线之一部分,广东新宁线之一部分,粤汉之粤段,山东之台枣铁路,江西之南浔线,北满之齐昂线,均于这时期内竣工。其他由商绅筹办之铁路,有已兴工的,也有停办的。

其次在这时期内由商人举办的新式产业,如纱织业、机器业、水泥业、玻璃业、火柴业、烟草业、采冶业、食品业等,均有新式工厂,陆续出现。并且以前官办事业亦多改归商办了。此外在这时期很可注意的,就是不使用原动力而采用新式手工器具的手工业工场,也特别地发展起来。就数量说,手工工场之数比新式工厂之数要多过数倍。

辛亥革命的结果,出现了中华民国,从此中国的面目稍有改变,其在实业方面所表现的,就是"开发实业以救中国"的共同观念。南京的革命政府,就首先确定了铁路国有的原则,又树立了建设铁路的计划。此外又设置实业部,后来政府迁至北京,实业部曾分为农林与工商两部,不久又合并为农商部,曾经计划煤铁政策,但未实现。此外又制定工艺品奖章十条,设置劝业委员会,商品陈列所,工业试验所,实业协进会等,以期促进工商业的发展。

在民国元年至民国三年这三年之间,可说是民族资产阶级自觉的奋起以举办新工业的时代。同时挽回利权,保护产业的呼声,也非常高涨,如反对汉冶萍公司借用日款的运动,反对与英国合办煤油的运动,都是这一时期中的事实。至于举办的新式工业,就工厂数目来说,据数年前工商部的工厂成立年份统计表看来,各业新设的工厂有100余处。

依据这一段和前段说来,民族的产业资本(包括官办事业、官商合办事业、商办事业三种),在这个时期中,确实是成立起来了。不过再对照第一段加以考察,就可以知道在国际资本的控制之下成立的民族产业资本,早已被决定了它自己的命运,即半殖民地的资本主义化的前途。

总观本节以上三段所述,我们对于这一时期的中国产业界,可以作以下的概观地说明。

1.在国际资本主义进到了帝国主义阶段的这个时期中,它们除了对于半殖民地的中国加速地抛出商品采集原料外,又大量的输出资本。因之各帝国主义者间,除了在中国照旧发挥其自由竞争的固有本能外,主要的是在中国各自树立自己的资本的势力。

2.在国际帝国主义者对中国实行大量的投资的过程中,必然地诱起了民族资本的发生和成立。民族产业各部门的资本之发生和成立,不但与各该部门的机制商品输入的增加和手工业破坏有关,并且多是跟着外国人在中国所投下的该部门的产业资本的后面走。(即如中国的纺织业虽然在外人未取得工业投资权以前已有了萌芽,而民族纺织业资本之稍有进境,还是在英德日诸外商,兴办纺织业于中国境内以后。)

3.中国旧式手工业农业的生产,由于外国商品之大量的输入,与封建势力的超经济的剥削受到了莫大的损害,因而农业手工业的生产,就逐渐倾向于原料的一方面。于是旧式的经济更不能不仰赖于国际市场。

4.在这样走向半殖民地化的过程中,封建关系受到了相当的破坏,然而封建的残余,仍然蜷伏于帝国主义支配之下,努力挣扎,以期拥护其封建的剥削关系。

(待续①)

(原载 1935 年 9 月北平大学法商学院《法学专刊》第 5 期,署名李达)

---

① 本文未见有续编。——编者注

责任编辑:张　立

图书在版编目(CIP)数据

李达全集.第十卷/汪信砚 主编. —北京:人民出版社,2016.12
ISBN 978 - 7 - 01 - 016667 - 4

Ⅰ.①李… Ⅱ.①汪… Ⅲ.①李达(1890—1966)-全集 Ⅳ.①C52

中国版本图书馆 CIP 数据核字(2016)第 214272 号

李达全集
LIDA QUANJI
第十卷

汪信砚　主编

人民出版社 出版发行
(100706　北京市东城区隆福寺街 99 号)

北京新华印刷有限公司印刷　新华书店经销

2016 年 12 月第 1 版　2016 年 12 月北京第 1 次印刷
开本:710 毫米×1000 毫米 1/16　印张:22.5
字数:370 千字

ISBN 978 - 7 - 01 - 016667 - 4　定价:129.00 元

邮购地址 100706　北京市东城区隆福寺街 99 号
人民东方图书销售中心　电话 (010)65250042　65289539